50 Dutch Bobbin Lace Patterns

Withof and Duchesse

Yvonne Scheele-Kerkhof

B.T. Batsford • London

Acknowledgements

I have received much help from many friends to whom I now gratefully express my thanks. A special thank you must go to my husband for his invaluable good sense and loyal support; Sister Judith for her enthusiasm and encouragement; Korrie Moser, Bärbel Körting and Frances Brannon for their valuable comments on the manuscript.

A special thank-you is due to the friends and fellow lacemakers whose names appear by the patterns they have worked.

Danksagung

Allen die zur Entstehung dieses Buches beigetragen haben, sei an dieser Stelle herzlich gedankt. Mein besonderer Dank gilt meinen Mann. Für Hinweise und Anregungen bin ich Schwester Judith in besonderen Masse zu Dank verpflichtet. Für ihr wertvolles Kommentar zu dem Manuskript, bedanke ich mich bei Korrie Moser, Bärbel Körting und Frances Brannon. Meinen Dank auch den Klöpplerinnen die die im Buch erwähnten Muster ausgearbeitet haben.

Dankwoord

Ik wil al diegenen bedanken die mij geholpen hebben bij het samenstellen van dit boek. Een aantal van hen wil ik graag noemen: mijn man die me, waar nodig, helpt; Zr. Judith voor haar enthousiasme en aanmoediging; Korrie Moser, Bärbel Körting en Frances Brannon voor hun waardevolle bijdragen aan het manuscript, en een aantal kantklosvriendinnen voor het uitwerken van enkele patronen. Hun namen staan vermeld bij de door hen gekloste patronen.

Remerciements

De nombreux amis m'ont beaucoup aidé et je les remercie vivement. Un grand merci à mon mari pour son bon sens et son aide; à Soeur Judith pour son enthousiasme et ses encouragements; à Korrie Moser, Bärbel Körting et Frances Brannon pour leurs commentaires concernant le manuscrit.

Je remercie tout spécialement les amies et dentellières dont les noms figurent à coté des modèles qu'elles ont exécutés.

First published 1997

First published in paperback 2001

ISBN 0 7134 8700 3

A catalogue record for this book is available from the British Library.

Published by
B T Batsford Ltd
9 Blenheim Court
Brewery Road
London N7 9NY

A member of the Chrysalis Group plc.

Printed in Singapore

Designed by DWN Ltd, London

CONTENTS

INHALT

INHOUD

CONTENU

Introduction

A few years after the book *Withof Lace* was published, it became clear that a new book would be necessary to demonstrate the most recent advances in this modern lace. New elements have been added, and some techniques have been somewhat altered, in the lacemaker's continuing search for ever more beautiful results.

As Withof lace has developed from Duchesse lace, its story begins in the mid-nineteenth century in Belgium. In 1850 the name 'Duchesse' was given to a particular style of Brussels lace in honour of the Duchess Marie Henriette of Brabant, the wife of Leopold II of Belgium, who took a great personal interest in its production. The characteristics are: assortments of flowers; clover leaves; scrolls; circles, and raised veins, all arranged into a beautiful pattern and joined by a ground filling.

The Koninklijke Kantwerkschool in Sluis in the south-west Netherlands began producing Duchesse lace and, as the school developed its own techniques and variations, its lace was recognized over time as a separate style, becoming known as 'Sluis-Duchesse' lace. Sadly the school closed in 1935.

As well as Withof lace, I had originally planned to include Sluis-Duchesse, but since I have slightly changed the techniques and style it cannot be truly called Sluis Duchesse. However, it must correctly be called Duchesse, since those characteristics are still recognizably present. Both laces are classed as Dutch.

Throughout the book I have tried to demonstrate the similarities and the differences in the laces by showing them side by side.

The first book on Withof Duchesse was published in 1988. Sister Judith, who was the initiator, designer and creative force behind this lace, chose the name Withof Duchesse: 'Withof' after the convent where she lives, and 'Duchesse' to describe the basic type of lace from which she developed her style. As in Duchesse, the motifs of Withof-Duchesse consisted of flowers, clover leaves and so on, but the working was different and included rolled edges which gave not only a beautiful finish to each motif, but also a three-dimensional effect to the overall work.

Today, one can no longer speak of 'Withof Duchesse' since the typical characteristics of Duchesse have disappeared, and a recognizable style of Withof lace has emerged. Now the patterns are more stylized, one motif smoothly follows another, giving a lovely flowing line to the design as a whole. To accentuate these lines, Withof is worked mainly in cloth stitch, which is a perfect background to show off the beautiful structure of the design, but care must be taken that the lace does not appear too heavy. To avoid any heaviness, half stitch may be used here and there, and holes or other decorations may be introduced.

In earlier times, when the demand for lace was at its height in the fashion world, patterns were often designed by specialized artists. Unfortunately this is no longer the case, so today if one requires an exclusive design, one must create it oneself.

Remembering this old custom of commissioning artists to design special lace patterns, I turned to Sister Judith as the initiator of Withof when I began my book. Her life centres around lace, and her love for it is reflected in the number of patterns she has designed over the years, as well as the adaptations and changes she continues to make in her search for perfection.

I feel very honoured and grateful that Sister Judith was willing to design a considerable number of patterns especially for this book.

I have tried to show as many uses for lace as possible – on clothes, in the home and as a decorative object. Personally, I would like to see lace worn as part of everyday fashion, which is why I have chosen to suggest the use of colours, as well as the usual white and cream.

All the colours used are pastel shades, and in many cases the thread has been dyed to match the colour of the fabric which the lace will ornament. Pastel shades were chosen, along with white and cream, as the only colours suitable for use in Withof or Duchesse lace, since all fine detail would be lost in black or darker colours.

In the book, 50 patterns have been either partially or completely worked. The diagrams and text show how motifs in both Withof and Duchesse can be moved and worked into other patterns, as I want to show clearly that by changing a pattern only slightly, for example by taking away one element, or putting in another motif, it is easy to create many personal patterns.

I hope that all readers will look at these patterns with different eyes and see how many possibilities there are for creating their own individual, exclusive patterns.

Einführung

Einige Jahre nach dem Erscheinen von *Withof Lace* ist es klar dass ein neues Buch erwünscht ist weil die Entwicklung dieser Spitze weitergegangen ist. Es sind neue Elemente hinzugefügt worden und manche Techniken haben sich einigermassen geändert, weil man in der Spitze immer die schönste Lösung sucht.

Neben Withof sollte auch der Duchesse Spitze Aufmerksamkeit gewidmet werden. Der Name Duchesse wurde einer bestimmten Form von Brüsseler Spitze gegeben. Duchesse Marie Henriette von Brabant, Gemahlin von Leopold II von Belgien hatte grosse Interesse an dieser Spitze. Zu ihrer Ehre wurde dieser Name ca. 1850 gegeben. Duchesse kennzeichnet sich hauptsächlich durch Blumen, Kleeblätter, Kugel, Schnörkel, und aufgesetzte Nerven aus. Diese Motiven wurden geordnet und durch einem Grund miteinander verbunden.

In Sluis (S.W. Niederlande) hat man diese Spitze auf eigene Art geklöppelt. Ursprünglich würde dieses Buch Sluisse Duchesse enthalten, aber ich meine, dass auch hier Technik und Muster etwas geändert werden solten. Daher kann man jetzt nicht mehr von Sluisse Duchesse reden, sondern von Duchesse, weil die typischen Motiven noch immer da sind.

Withof ist entstanden aus der Duchesse so wie man an der Koninklijke Kantwerkschool in Sluis klöppelte, bis die Schule in 1935 geschlossen wurde. Beide sind also niederländische Spitzenarten.

Ich habe, wo möglich, beide Spitzenarten nebeneinander gestellt, damit man sehen kann welche Technik unterschiedlich ist und welche für beide gleich benutzt wird.

Das erste Withof Duchesse Buch erschien 1988. Schwester Judith, die Entwerferin und treibende Kraft hinter dieser Spitze, hat den Namen gewählt, weil Withof der Name des Klosters ist wo sie wohnt, und aus Duchesse wurde diese Spitze entwickelt. Im Anfang gab es in Withof Duchesse nur Blümchen, Kleeblätter, Kugel, Schnörkel und aufgesetzte Nerven. Die Weise worauf diese Motive geklöppelt wurden, war verschieden von Duchesse und ausserdem wurden alle Motive gerollt. Der Erfolg war ein wunderschöner Rand und ausserdem erschien die Spitze 3-dimensional.

Jetzt aber, Jahre später, sind diese typischen Duchesse Kennzeichen in Withof verschwunden. Die Muster sind mehr stilisiert und die Motive laufen in einander ein. Es ergibt eine wunderschöne Linie. Genau daran erkennt man Withof. Man kann also nicht mehr reden von Withof Duchesse, weil die Duchesse Kennzeichen nicht mehr da sind.

Es ist notwendig die Entwürfen hauptsächlich im Leinenschlag zu klöppeln weil dadurch die Motive am besten zum Ausdruck kommen. Leicht wird dadurch die Spitze zu schwer. Um dieses zu vermeiden klöppeln wir hier und da einen Halbschlag, ein kleines Loch oder eine andere Dekoration.

Zur Zeit der grossen Blüte der Spitze, haben Künstler oft Spitzenmuster entworfen. Leider kennen wir diesen Brauch heute nicht mehr. Falls wir etwas Eksklusives klöppeln möchten, müssen wir selber entwerfen.

Für dieses Buch möchte ich gerne auf diesen Brauch zurückgreifen. Ich bin sehr geehrt, dass Schwester Judith eine grosse Anzahl von Muster entworfen hat.

Sie beschäftigt sich noch immer unermüdich mit der Spitze. Die vielen Muster die sie in den vergangenen Jahren entworfen hat, zeigen ihre Liebe für diese Spitze, worin sie ausserdem noch immer Änderungen und Verbesserungen vornimmt und neue Ideeen hinzufügt.

Ich habe versucht alle Möglichkeiten der Spitze zu zeigen: Gebrauchsspitze – in der Mode und zu Hause – so wie Spitze als dekoratives Objekt.

Ich möchte gerne sehen dass die Spitze ihren Platz in der Mode bekommt, darum habe ich viele Spitzen in Farbe geklöppelt. Es sind alles Pastelfarben. Ich habe den Faden passend zu dem Stoff gefärbt. Pastelfarben sind, neben weiss und kremfarbig, die einzig geeigneten Farben für Withof und Duchesse. Bei dunklen Farben kommt die Spitze nicht richtig zur Geltung, weil die Details nicht mehr zu sehen sind.

Alle 50 Muster sind ganz oder teilweise ausgearbeitet. Ich möchte auch zeigen wie man Muster ändern kann. Man kann zum Beispiel Teile weglassen oder Teile hinzufügen.

Versuchen Sie doch ein Muster aus einem anderen Blickwinkel zu sehen. Es entstehen bestimmt neue Möglichkeiten.

Anhand technischer Zeichnungen und Texte wird bei Withof und Duchesse gezeigt, wie die Teile in dieser Spitze geklöppelt und zusammen gefügt werden müssen.

Introductie

Een aantal jaren na het verschijnen van *Withof Lace* groeide het besef dat er een boek moest volgen. Withof is een nieuwe kantsoort en de ontwikkeling heeft niet stilgestaan. Er zijn nieuwe elementen toegevoegd en sommige van de technieken zijn enigszins veranderd omdat er bij het maken van kant altijd gezocht wordt naar de mooiste oplossing.

Naast Withof wil ik ook aandacht besteden aan de Duchesse kant. Duchesse is de naam die gegeven werd aan een bepaalde vorm van Brusselse kant. Duchesse Marie Henriëtte van Brabant, vrouw van koning Leopold II van België had voor deze kantsoort grote belangstelling. Om haar te danken, werd in ca 1850 die naam aan de kantsoort gegeven.

Duchesse kant heeft als kenmerk voornamelijk bloemetjes, klaverblaadjes, bolletjes, krullen en opgezette nerven. Deze motieven worden gerangschikt en door een grond met elkaar verbonden.

In Sluis werd deze kant op een heel eigen manier gewerkt.

Oorspronkelijk zou dit boek ook Sluisse Duchesse bevatten, maar ik heb gemeend dat ook die kantsoort een vernieuwing zou moeten ondergaan. Niet alleen in patronen, maar ook in techniek. Daarom kunnen we nu niet spreken van Sluisse Duchesse, maar van Duchesse, omdat de Duchesse kenmerken aanwezig zijn.

Withof is ontstaan uit de Duchesse zoals die aan de Koninklijke Kantwerkschool in Sluis (Z.W. Nederland) tot aan de sluiting in 1935 werd geklost. Het zijn dus beide Nederlandse kantsoorten.

Waar dit mogelijk is, heb ik beide kantsoorten naast elkaar gezet, om te laten zien waar de techniek verschillend is en waar er overeenkomsten zijn.

In 1988 verscheen het eerste boek Withof Duchesse. De naam Withof Duchesse werd zo gekozen door de ontwerpster van en grote, drijvende kracht achter deze kantsoort, Zuster Judith, omdat Withof de naam is van het klooster waar zij woont en Duchesse is de kantsoort waaruit deze nieuwe kant ontstaan is.

Withof Duchesse bestond in het begin uit bloemetjes, klaverblaadjes, bolletjes enz. Deze werden echter anders gewerkt dan bij de Duchesse en bovendien gerold, waardoor de motieven een prachtige afwerking kregen, en de kant een 3-dimensionaal uiterlijk kreeg.

Nu echter, jaren later, zijn de typische Duchesse-kenmerken in de Withof verdwenen. De patronen zijn meer gestyleerd, motieven lopen in elkaar over en er zit een mooie vloeiende lijn in de ontwerpen. Vooral dit laatste maakt Withof zo herkenbaar. Men kan dus niet meer spreken van Withof Duchesse, omdat de Duchesse kenmerken ontbreken.

De vloeiende lijnen in de ontwerpen moeten tot hun recht komen, daarom is het noodzakelijk Withof voornamelijk in linnenslag te klossen. Hierdoor komt het lijnenspel prachtig tot uitdrukking. Om de kant toch niet te zwaar te maken, moet er naar lichtere punten, naar openingen, gezocht worden. Hier en daar kan netslag gebruikt worden, of een gaatje of andere versiering geklost worden.

Vroeger, tijdens de grote bloei van de kant, werden patronen vaak ontworpen door kunstschilders. In onze tijd is deze gang van zaken helaas in onbruik geraakt, Nu moeten we, als we iets exclusiefs willen maken, zelf tekenen.

Teruggrijpend op een oude gewoonte om kunstenaars patronen te laten ontwerpen, ben ik vereerd dat Zuster Judith voor dit boek een groot aantal patronen heeft willen ontwerpen.

Zij is onvermoeid bezig in de kant. Het grote aantal patronen dat zij in de afgelopen jaren heeft ontworpen, toont haar liefde voor deze kantsoort waarin zij bovendien nog voortdurend wijzigingen en aanvullingen aanbrengt.

Ik heb ervoor gekozen om alle mogelijkheden van de kant te laten zien: zowel gebruikskanten – in mode en in huis – alsook kant als wanddecoratie.

Ik heb getracht eigentijdse ideeën te verwerken in de kleding en daarom ben ik ertoe overgegaan kleur te gebruiken. Het zijn alle pasteltinten. Het garen is meestal geverfd in de kleur van de bijpassende stof. Pasteltinten zijn, naast wit en crème de enig geschikte kleuren voor Duchesse en Withof. Bij donkere tinten komt de kant niet tot zijn recht, omdat details niet meer zichtbaar zijn.

Er is in dit boek uitgegaan van 50 patronen, die alle geheel of gedeeltelijk uitgewerkt zijn. Ik wil echter ook laten zien dat er van een bestaand patroon een ander patroon gemaakt kan worden; door bijvoorbeeld onderdelen weg te laten of delen toe te voegen. Tracht een patroon met andere ogen te bekijken en er doen zich beslist nieuwe mogelijkheden voor.

Voor zowel Withof als Duchesse is aan de hand van technische tekeningen en tekst aangegeven hoe de onderdelen in deze kantsoorten geklost kunnen worden en toegevoegd aan bestaande onderdelen.

Introduction

Quelques années après la publication du livre *Withof Lace*, il apparaît nécessaire d'expliquer les dernières trouvailles dans cette dentelle moderne par un nouveau livre. De nouveaux éléments ont été ajoutés et quelques techniques légèrement modifiées, résultat d'efforts constants de la dentellière pour faire toujours plus beau.

Etant donné que la dentelle de Withof s'est développée à partir de la dentelle Duchesse, son histoire commence au milieu du dix-neuvième siècle en Belgique. En 1850 le nom "Duchesse" fut attribué à un style particulier de la dentelle de Bruxelles en honneur de la Duchesse Marie-Henriette de Brabant, épouse de Léopold II de Belgique, personnellement très intéressée par sa production. Ses caractéristiques sont des compositions de fleurs, des feuilles de trèfle, des volutes, des cercles et des nervures en relief, tous arrangés dans des dessins harmonieux et reliés par des fonds de remplissage.

L'école royale de dentelle (Koninklijke kantschool) à Sluis dans le sud-ouest des Pays-Bas s'était mise à produire de la dentelle Duchesse. En développant ses propres techniques et variations, sa dentelle a été reconnue plus tard comme un style à part entière sous le nom de "Sluis Duchesse". Hélas l'école a été fermée en 1935.

Au départ, j'avais l'intention d'inclure la Sluis Duchesse dans mon livre de Withof. Or en modifiant légèrement les techniques et le style, on ne peut appeler mon travail du Sluis Duchesse. Toutefois l'appellation Duchesse est correcte, les caractéristiques lui appartenant sont bien décelables. Ces deux types de dentelle appartiennent au patrimoine néerlandais.

Mon souci constant a été de mettre en évidence dans ce livre les ressemblances et les différences de ces types de dentelle en les mettant côte à côte.

Le premier livre sur la Duchesse Withof a été publié en 1988. Soeur Judith qui a été à l'initiatrice, la dessinatrice et la force créatrice de cette dentelle avait choisi le nom de "Withof Duchesse": Withof vient du nom de son couvent et Duchesse illustre le type de dentelles à partir desquelles elle avait développé son style. Comme pour toute Duchesse, on retrouve les fleurs, feuilles de trèfle, etc., mais l'exécution était différente et comprenait des bords roulés qui non seulement donnaient une belle finition, mais aussi un effet de relief à l'ouvrage.

Au stade de son évolution aujourd'hui, on ne peut plus l'appeler "Withof Duchesse", les caractéristiques de la Duchesse n'y sont plus, par contre un "style Withof" est né, tout à fait identifiable. Les dessins sont plus stylisés, un motif entraîne l'autre dans un mouvement fluide.
Pour accentuer ces lignes, on utilise surtout le toilé qui est un fond parfait pour montrer la beauté de la structure du dessin, mais on doit faire attention à ce que la dentelle n'apparaisse pas trop lourde. Pour éviter ce problème, la grille peut être utilisée ici et là, et on peut ajouter des ajours et autres éléments décoratifs.

Autrefois, quand la demande pour la dentelle était à son apogée dans le monde de la mode, un artiste spécialisé en faisait le dessin. Ceci n'est plus le cas, malheureusement, et si l'on a besoin d'un dessin personnalisé, on doit le faire soi-même.

En me rappelant cette ancienne tradition de s'adresser à un artiste pour l'exécution d'un dessin de dentelle, je me suis tout naturellement adressée à Soeur Judith, l'initiatrice de la dentelle Withof, pour commencer mon livre. Sa vie tourne autour de la dentelle et son engouement se voit au nombre des modèles dessinés au fil des ans et dans l'adaptation et les modifications qu'elle continue à apporter dans sa recherche de perfection.

Je suis très honorée et pleine de gratitude envers Soeur Judith qui a bien voulu faire un grand nombre de modèles pour ce livre.

J'ai essayé de montrer autant d'utilisations que possible de la dentelle pour décorer l'habillement, l'ameublement, ou faire de la dentelle objet.
Personnellement j'aimerai voir la dentelle au quotidien, et c'est dans cet esprit que j'ai choisi de suggérer l'utilisation des couleurs aussi bien que les traditionnels blanc et écru.

Toutes les coloris utilisés sont des pastels, et dans de nombreux cas le fil a été teint pour aller avec la couleur du tissu auquel la dentelle était destinée. Ces coloris pastel comme le blanc et l'écru se sont imposés comme les seuls adaptés à la dentelle Withof ou Duchesse, car tous les détails fins ne pourrait pas apparaître dans des couleurs plus sombres ou noires.

Le livre présente cinquante modèles exécutés soit partiellement, soit entièrement.

Les diagrammes et le texte expliquent comment les motifs peuvent être adaptés en Withof ou en Duchesse ou réunis pour former d'autres modèles car je souhaite mettre en évidence qu'en modifiant un tant soit peu un modèle, par exemple en retirant un élément ou en ajoutant un autre motif, il est facile de créer beaucoup d'ouvrages personnels.

J'espère que tous les lecteurs regarderont ces modèles à leur façon et qu'ils verront de nombreuses possibilités de créer leurs modèles individuels et exclusifs.

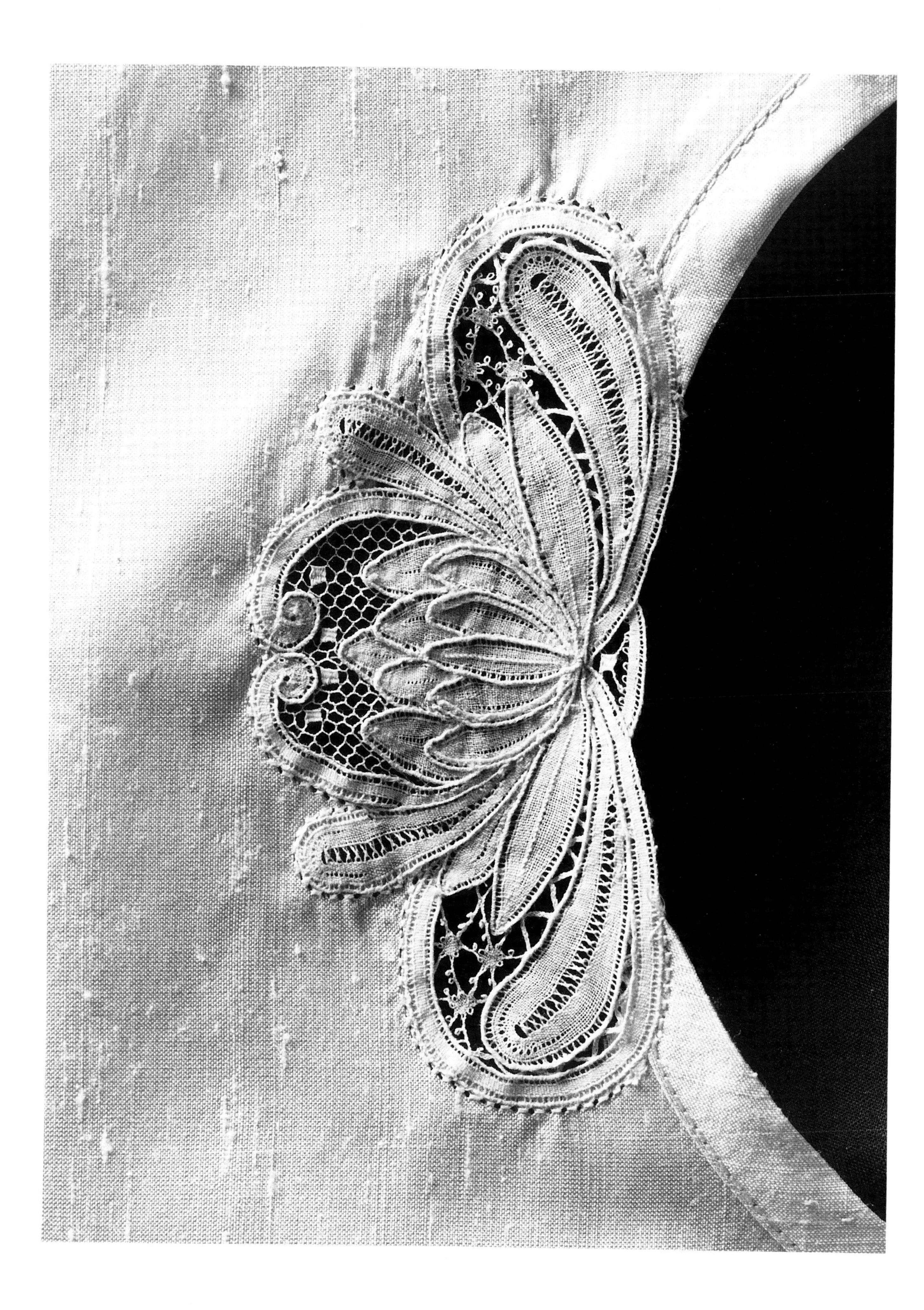

Section 1

Techniques

Equipment

- Flattish, firm pillow, 50-60 cm in diameter.
- Cover cloth, slightly bigger than the pillow, with a central hole approx. 5-6 cm across.
- Approx. 50 pairs of bobbins, smooth and unspangled because sewings have to be made.
- Yarn: both types of lace, with a few exceptions, are normally worked in a mercerised cotton, as it is a smooth yarn. The thread actually used, or possible alternatives, are mentioned with each pattern.

DEKA-Textilfarben Serie 'L' has been used to dye the cotton threads (available worldwide).

Linen is very suitable as a gimp. It makes the lace firm and the thread does not untwist. Do remember that the shrinkage of linen is greater than that of cotton. If the lace is later to be washed, it is advisable to shrink the linen gimp before use.

A gimp pair should not be so heavy that it detracts from the lace as a whole. A guide would be: cotton thread 100/2 with linen gimp 80/2.

When dyed yarn is used, three threads of the same yarn, twisted together, form the gimp pair.

- Fine Duchesse pins: 17.45 mm pins are needed for lace worked with 100/2 or finer, thicker pins may be used for lace worked with coarser thread.
- A needlepin: this is a bent needle (diagram 1) used to make the sewings. It can be made by heating a No. 8 needle in a flame and bending it with pliers. For coarser threads a fine crochet hook may be used.
- Patterns may be traced on to paper and covered with matt transparent film. Do not use card.

Diagram 1

Werkzeug und Material

- Ein fest gefülltes Kissen, Durchmesser 50-60 cm
- Ein Lochtuch etwas grösser als das Kissen. Das Loch ist etwa 5-6 cm im Durchmesser.
- Etwa 50 Paar glatte Klöppel diese vereinfachen das Durchstecken beim Anhäkeln.
- Faden: beide Spitzenarten werden, mit einigen Ausnahmen, in mercerisierter Baumwolle geklöppelt. Es ist ein glatteres Garn und fügt sich schön. Das benutzte oder vergleichbare Garn ist bei den Mustern angegeben.

Mit DEKA-Textilfarbe Serie 'L' sind die Fäden gefärbt (weltweit vorhanden).

Als Konturfaden ist Leinen sehr geeignet. Es gibt der Spitze Festigkeit und das Garn dreht sich nicht so leicht auf. Denken Sie daran, dass Leinen mehr einläuft als Baumwolle. Es ist empfehlenswert die Fäden einlaufen zu lassen falls die Spitze gewaschen werden soll.

Der Konturfaden soll nicht auffallen. Der Faden darf also nicht zu dick sein. Das Verhältnis ist etwa so wie Baumwolle 100/2 und Leinen 80/2.

Bei den gefärbten Fäden sind als Kontur 3 Fäden ineinander gedreht.

- Feine Duchesse Stecknadeln: 7.45 mm werden benutzt für die feine Spitze die geklöppelt wird mit Baumwolle 100/2 und feiner.
  Für die Spitze die mit dickerem Garn geklöppelt ist, können dickere Stecknadel benutzt werden.
- Eine gebogene Nadel in einem Halter (Fig. 1) Diese wird zum Anhäkeln benutzt. Die Spitze der Nadel wird erhitzt und mit einer Zange gebogen. Eine feine Häkelnadel wird für dickeres Garn benutzt.
- Die Muster können auf Papier übernommen werden. Dann mit nicht-glänzender Folie überkleben. Keine Pappe benutzen.

Benodigdheden

- Stevig, plat kussen 50-60 cm doorsnee
- Gatlap iets groter dan het kussen, met een gaatje van 5-6 cm doorsnee.
- Ca. 50 paar klosjes om het aanhaken te vergemakkelijken worden gladde klosjes gebruikt.
- Garen: beide kantsoorten worden, met een paar uitzonderingen, met gemerceriseerde katoen gewerkt. Het is een gladder garen en voegt zich mooi. De gebruikte garens, of vergelijkbare, staan bij de patronen vermeld.

De gekleurde garens zijn geverfd in Deka Serie L, Textil Farben (wereldwijd verkrijgbaar).

Als contourdraad is linnen zeer geschikt. Het geeft de kant stevigheid en het garen draait niet uit.

De contourdraad mag niet opvallen en daarom niet te dik zijn. Als leidraad geldt katoen 100/2 met linnen 80/2.

Als contourdraad bij de geverfde garens zijn drie draden gebruikt, die met elkaar gedraaid zijn. Voor een gebruikskant is het verstandig het linnengaren te krimpen voor gebruik.

- Spelden: fijne Duchesse spelden 17.45 mm worden gebruikt voor de fijne kanten die gewerkt zijn met garen 100/2 en dunner. Voor de kanten die met dikker garen zijn gewerkt, kunnen de gewone, dikkere spelden gebruikt worden.
- Gebogen haakje: voor het aanhaken wordt een naald met gebogen punt (tek. 1) in een houder gebruikt. De punt van de naald wordt verhit en met een tangetje gebogen. Voor de dikkere garens kan een fijne haaknaald gebruikt worden.
- Patronen kunnen op papier overgenomen worden. Vervolgens niet-glanzende folie op het patroon plakken. Vooral geen karton gebruiken.

Fournitures

- Un carreau plat et ferme de 50 à 60 cm de diamètre.
- Un tissu pour recouvrir le dessin, troué au centre par un rond de 5 à 6 cm de large.
- 50 paires de fuseaux environ, lisses et fuselés pour permettre les accrochages.
- Fil: les deux types de dentelle sont en général faits en coton, une texture souple. Chaque modèle indique ce avec quoi il a été travaillé et propose des équivalents.

Deka-Textilfarben Serie L est choisi pour la teinture (on le trouve dans le monde entier).

Le lin est très bien adapté pour les cordons. Il donne de la tenue à la dentelle et ne se détord pas. Faites attention cependant au fait qu'il rétrécit davantage que le coton. En cas de nécessité de futurs lavages, faites d'abord rétrécir le fil de lin avant utilisation.

Un cordon ne doit pas être trop lourd car il nuirait à l'aspect de la dentelle. On utilisera par exemple un fil fin de coton 100/2 avec uncordon de lin 80/2 .

En cas d'utilisation de fils teints, faites votre cordon avec 3 de ces fils que vous torsadez.

- Epingles fines pour Duchesse: 17.45 mm pour un coton 100/2 ou plus fin. Prendre des épingles plus grosses pour un fil plus gros.
- Pour les accrochages utilisez l'épingle courbe (voir diagramme 1). Vous pouvez la faire vous-même avec une aiguille n°8. Chauffez la pointe et courbez-la avec des pinces. Pour les plus gros fils choisissez un crochet.
- Faites vos modèles sur une simple feuille de papier mais recouvrez-la de plastique adhésif transparent. Pas besoin de carton.

General Information

Before starting, each pattern should be closely studied:
• *How do I work this pattern?*
• *Where do I begin?*
• *In which order do I work?*

The patterns are drawings and not prickings, in both Withof and Duchesse.

The diagrams and text contain basic guidance. There are, therefore, no working diagrams to accompany the patterns. Note that the number of pinholes or pairs should **not** be counted: the number of pinholes in the diagrams is **never** the same as in the worked examples illustrated.

In the diagrams one line represents a pair, unless otherwise stated.

Some patterns are numbered to show the order of working. Where necessary the direction of the weavers is indicated by arrows.

To obtain a pleasing result, it is necessary to turn the pillow with the pattern: a curve in the pattern should be visible in the lace structure.

When a motif appears to be interrupted by another motif, pairs have to be sewn in. On the other side, pairs have to be sewn in to continue the pattern. Close attention must be paid to the direction of the work so that the interrupted line appears to flow smoothly.

Both types of lace are worked on the wrong side.

The pins are set in straight. When a following pin is set, the previous pin is pushed down.

As a general rule the pins are set head to head in a straight line. On a curve the pins are set a little apart, but never so wide that there is room for another pin.

For convenience, grounds and fillings have been included in all the patterns. If you wish to use an alternative ground or filling in any pattern, the suggested one may be replaced by one of your choice.

All the patterns shown are suggestions, and may be rearranged to suit the wishes of the lacemaker. Also, all patterns may be enlarged or reduced, but remember to alter the choice of yarn accordingly.

The bobbins may be fully wound, clockwise.

After pairs have been sewn in to finish, they may be tied using a reef knot (diagram 2) and cut with a pair of scissors (diagrams 3-5).

The knot is wound back on one of the bobbins and the pair may be used again.

Diagram 2

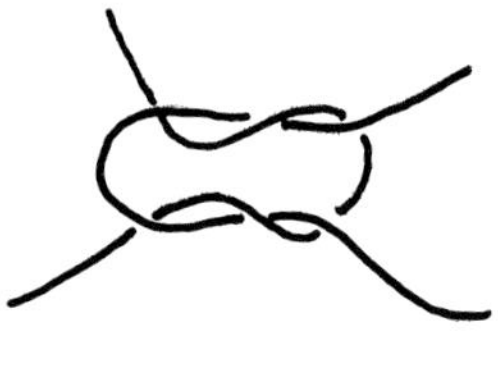

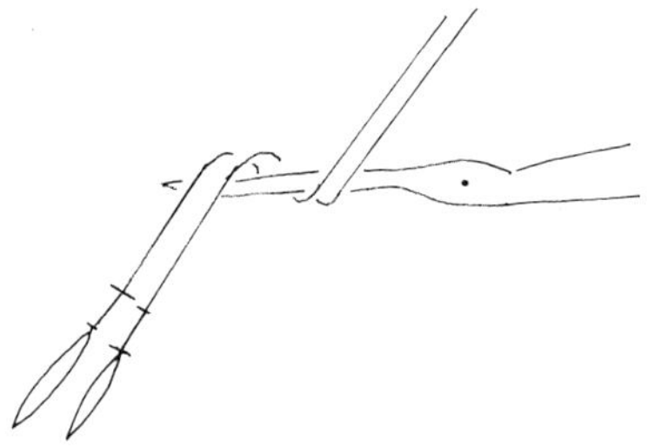

Diagram 3

Diagram 4

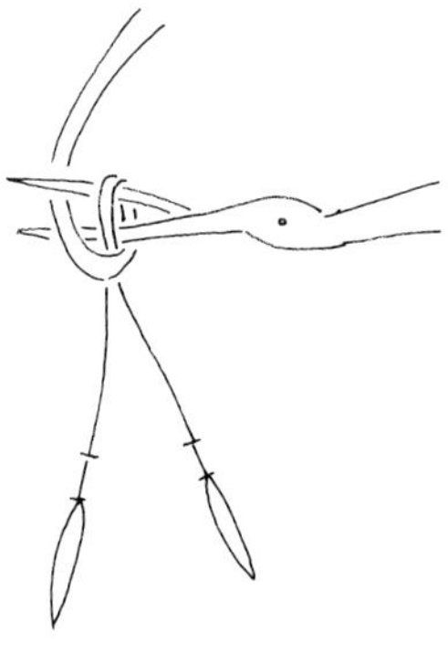

Diagram 5

ALLGEMEINE ANWEISUNGEN

Jedes Muster wird zuerst studiert:

- *wie arbeite ich dieses Muster?*
- *wo fange ich an?*
- *welche Reihenfolge?*

Withof und Duchesse Muster sind Zeichnungen, und keine Prickings.

Für die Muster sind allgemeine technische Zeichnungen mit Text gemacht die das Prinzip zeigen. Man soll also **nie** die Nadellöcher zählen, oder die Paare. Die stimmen **nie** überein mit den geklöppelten Mustern im Buch.

In den Arbeitsvorlagen stellt eine Linie ein Paar dar, es sei denn, dass es anders angegeben ist.

Manche Muster sind nummeriert um die Reihenfolge beim Klöppeln anzugeben. Wo nötig ist die Richtung beim Klöppeln angegeben.

Es ist notwendig das Kissen mit dem Muster mitzudrehen damit die Richtung des Musters eingehalten werden kann. Eine gebogene Linie soll auch in der Spitzenstruktur zu sehen sein.

Falls ein Motiv durch ein anderes Motiv unterbrochen scheint, muss das Motiv beendet werden und an der anderen Seite mit neu eingehängten Paaren weiter geklöppelt werden. Es werden nie Motive übereinander geklöppelt. Es muss achtgegeben werden auf die Richtung um die Kontinuität des Motives bei zu behalten.

Bei beiden Spitzenarten arbeitet man an der Rückseite.

Die Stecknadeln werden senkrecht gesetzt und bei der nächsten Stecknadel hinunter gedrückt.

Als Regel gilt, dass die Stecknadeln auf einer geraden Linie Kopf an Kopf gesetzt werden. Auf einer gebogenen Linie stehen die Stecknadel etwas weiter auseinander, aber nie so weit dass es Platz gibt für noch eine Stecknadel.

In allen Mustern sind die Füllungen eingezeichnet. Falls eine andere Füllung gewünscht wird, ist est leicht die Füllung auszuschneiden und zu ersetzen.

Alle Muster können natürlich auch auf einer anderen Weise als angegeben, geklöppelt werden.

Alle Muster können verkleinert oder vergrössert werden. Das Garn sollte natürlich angepasst sein.

Die Klöppel können voll gewickelt werden (im Uhrzeigersinn).

Nach dem Einhäkeln der Paare können sie geknotet (Flachknoten, Fig.2.) und abgeschitten werden mit der Hilfe einer Schere (Fig. 3-5).

Der Knoten wird auf einen der beiden Klöppel gewickelt und das Paar kann wieder benutzt werden.

ALGEMENE AANWIJZINGEN

Elk patroon moet eerst worden bestudeerd:

- *waar begin ik?*
- *welke volgorde houd ik aan?*
- *hoe wil ik het invullen?*

In Withof en Duchesse zijn patronon tekeningen en geen prikkings.

Voor de onderdelen van deze patronen zijn algemene technische tekeningen met tekst gemaakt die het principe van werken laten zien. Het is dus **niet** de bedoeling dat het aantal speldengaatjes of het aantal paren wordt geteld. Dat komt **nooit** overeen met het gewerkte patroon.

In de werktekeningen stelt elke lijn een paar voor, tenzij is aangegeven dat een lijn een draad voorstelt.

Sommige patronen zijn genummerd om de volgorde van werken aan te geven. Waar nodig is de richting van werken aangegeven.

Om de patronen mooi uit te klossen is het noodzakelijk steeds het kussen met het patroon mee te draaien. Een gebogen lijn moet ook in de kantstructuur te zien zijn.

Als een motief door een ander motief onderbroken wordt, moet er in dat onderdeel geëindigd worden. Aan de andere kant worden opnieuw paren ingehangen om verder te klossen. Motieven worden nooit over elkaar heen geklost. De richting moet goed in de gaten gehouden worden. Het blijft hetzelfde motief!

Beide kantsoorten worden aan de achterkant gewerkt.

De spelden worden kaarsrecht gestoken en bij de volgende speld in het werk gedrukt.

Als regel worden de spelden kop aan kop gezet op een rechte lijn. Op een gebogen lijn staan de spelden wat verder uit elkaar, echter nooit zo ver van elkaar dat er ruimte is voor een andere speld.

Voor het gemak zijn in alle patronen de gebruikte vullingen getekend. Indien er wordt besloten een andere vulling te gebruiken, is het gemakkelijk de bestaande eruit te snijden en te vervangen.

Alle patronen kunnen natuurlijk op een andere manier dan aangegeven, geklost worden.

Alle patronen kunnen verkleind of vergroot worden. Het garen moet dan vanzelfsprekend aangepast worden.

De klosjes kunnen vol gewikkeld worden (met de klok mee).

Na het afhechten van de paren kunnen ze afgeknoopt (tek. 2) en afgeknipt worden met behulp van een schaartje. (tek. 3-5)

Het knoopje wordt op een van de klosjes teruggewonden en het paar kan weer gebruikt worden.

CONSEILS DE BASE

Avant de commencer, étudiez bien chaque modèle et posez-vous les questions suivantes:

- *Comment vais-je faire ce modèle ?*
- *Où commencer ?*
- *Dans quel ordre procéder ?*

Les modèles ressemblent à des dessins et non des piquages, aussi bien pour la Withof que pour la Duchesse. Ce qui n'est pas souvent le cas.

Les diagrammes et le texte en donnent les directives, il n'y a pas d'autre diagramme technique. **Ne tenez pas** compte du nombre de points comme indication rigoureuse. Les dentelles présentées **n'y sont pas** conformes.

Dans les diagrammes, une ligne veut dire une paire, sauf indication contraire.

Lorsqu'un modèle est numéroté, cela indique l'ordre à suivre. Lorsque c'est utile, une flèche signifie la direction des meneurs.

N'oubliez pas de tourner votre carreau pour suivre le mouvement du dessin. Les courbes gracieuses doivent être très visibles.

Pour prolonger un motif par un autre, ajoutez des paires façon relief. Le premier motif devra finir sur le second. On ajoute ensuite des paires pour compléter ce nouveau motif.

Faites très attention au mouvement d'ensemble du modèle qui doit apparaître comme une ligne fluide et continue.

Les deux types de dentelle se travaillent à l'envers.

On aligne les épingles en bordure. En mettant votre épingle, enfoncez la précédente.

En ligne droite, elles sont placées tête contre tête. Dans les courbes on ouvre l'espace mais jamais autant qu'une tête d'épingle.

Les fonds choisis dans les modèles ne sont qu'une suggestion. N'hésitez pas à les remplacer.

Tous les modèles proposés peuvent être modifiés à votre goût. Ils peuvent être agrandis ou réduits, rappelez-vous alors d'adapter vos fils.

Utilisez des fuseaux remplis, bobinés dans le sens des aiguilles d'une montre.

Quand tout est fini, nouez les paires avec un noeud plat (diag 2). Coupez-les de la pointe de vos ciseaux (diag 3-5).

Enroulez ce noeud sur l'un des fuseaux de la nouvelle paire prête à l'emploi.

Joining

Linking pairs, when they are first hung round pins, in cloth stitch.

Sewings

The bent needlepin is used to make sewings:

a) the tip of the needlepin is put through the pinhole of the edge stitch (diagram 6);
b) the foremost thread is pulled through. The bobbin of that thread is laid over the second thread of the pair (diagram 7);
c) the second bobbin is pulled through the loop (diagram 8);
d) pull the pair over the edge stitch: twist once, so that the twist does not sit between edge stitch and passives (diagram 9).

For each **pinhole**, there are three possible places to take a sewing: the edge, and either of the side bars.

a) Sewing into one of the side bars is called a top sewing (diagrams 10-11).
b) Sewing to start a new motif (diagram 12).
c) Sewings to finish a motif in Duchesse. The knot is put over the edge to be invisible (diagram 13). Sometimes it is also necessary to sew into a bar before tying off the threads (diagram 14).

Festlegen
Paare werden um den Nadeln gelegt und im Leinenschlag geklöppelt.

Einhäkeln
Das gebogene Häkchen wird benutzt um einzuhäkeln:

a Häkchen in das Nadelloch stecken Fig. 6
b den nächst liegenden Faden durchziehen, Klöppel dieses Fadens über den Anderen legen Fig. 7
c den zweiten Klöppel durch die Schlaufe ziehen Fig. 8
d anziehen über den Randschlag und 1x drehen, so dass die Drehung nicht zwischen Risspaar und Randschlag sitzt Fig. 9

In einem **Nadelloch** gibt es drei Möglichkeiten zum Einhäkeln: der Rand und die beiden Stege (oben, unter).

a Einhäkeln im Steg Fig. 10-11
b Einhäkeln um aufs neue anzufangen Fig. 12
c Einhäkeln zum beenden. Fig. 13 Der Knoten wird über den Rand gelegt, damit er nicht zu sehen ist. Manchmal ist es schöner auch noch in einem Steg einzuhäkeln bevor abgeknotet wird Fig. 14

Vastleggen
De paren worden om de spelden gehangen en in linnenslag met elkaar verbonden.

Aanhaken
Het gebogen haakje wordt gebruikt om aan te haken:

a haakje in speldengaatje steken tek. 6.
b voorste draad doorhalen, de klos van die draad over de andere leggen tek. 7
c de tweede klos door de lus halen tek. 8.
d aantrekken over de randslag en 1x dr., zo dat de draai niet tussen st.prn en randslag zit tek. 9.

Een **speldengaatje** heeft 3 mogelijkheden tot aanhaken: de rand en de beide zijkanten. Zo'n zijkant noemen we een pootje.

a aanhaken in pootje tek.10-11
b aanhaken om in ander onderdeel te beginnen tek. 12
c aanhaken om af te knopen in Duchesse Het knoopje wordt over de randslag gelegd, zodat het niet te zien is tek. 13 Soms is het mooier ook nog in het pootje aan te haken vóór er afgeknoopt wordt tek. 14

Premier rang après accrochage
Se fait en point toile

Les accrochages
Utiliser l'aiguille courbe comme suit:

a passer la pointe dans le trou de l'épingle du bord (diag 6)
b extraire le fil le plus proche. Poser le fuseau de ce fil sur l'autre de la paire (diag 7)
c passer le deuxième fuseau dans la boucle (diag 8)
d tirer la paire au-dessus du point de bordure et la tordre 1 fois en veillant à ce que la torsion ne se trouve pas entre le point du bord et les passives (diag 9)

A chaque épingle il y a 3 solutions : de face, dit "à plat", ou sur chacune des barres.

a L'accrochage sur la barre du haut ou du bas s'appelle "relief" (diag 10.11)
b accrochage de départ d'un nouveau motif (diag 12)
c accrochage pour finir en Duchesse. Ramenez le noeud sur la bordure pour le cacher (diag 13). Il faut parfois sécuriser par un accrochage sur une barre avant le noeud final (diag14).

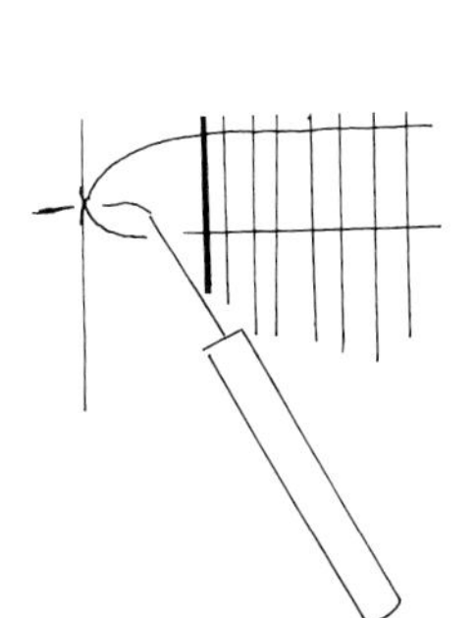

Diagram 6

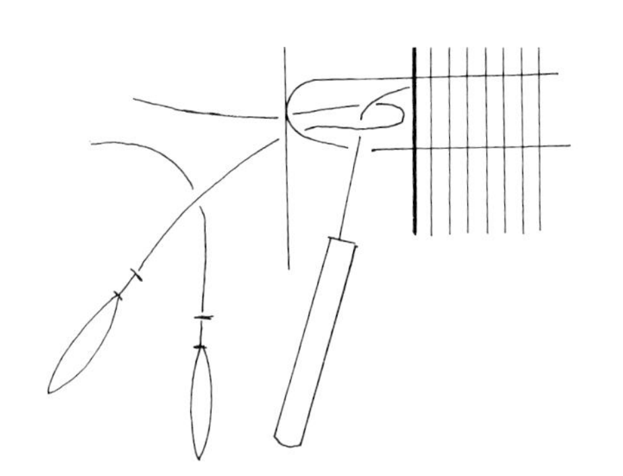

Diagram 7

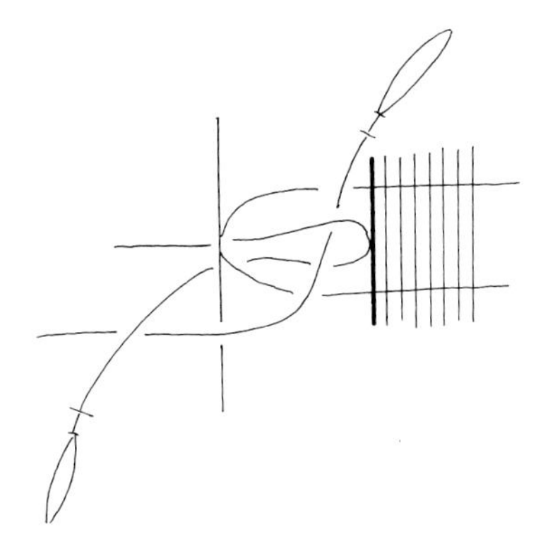

Diagram 8

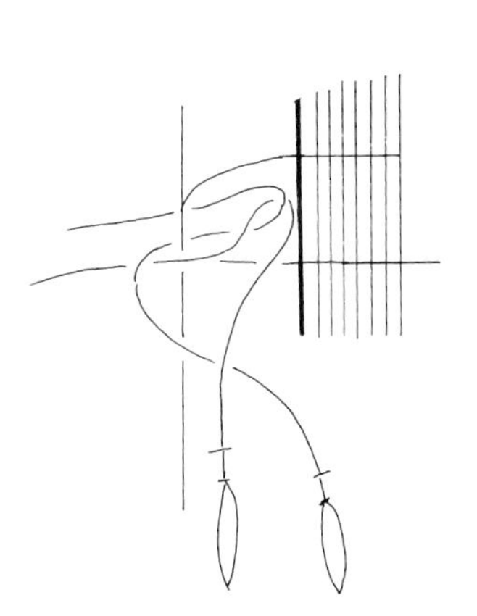

Diagram 9

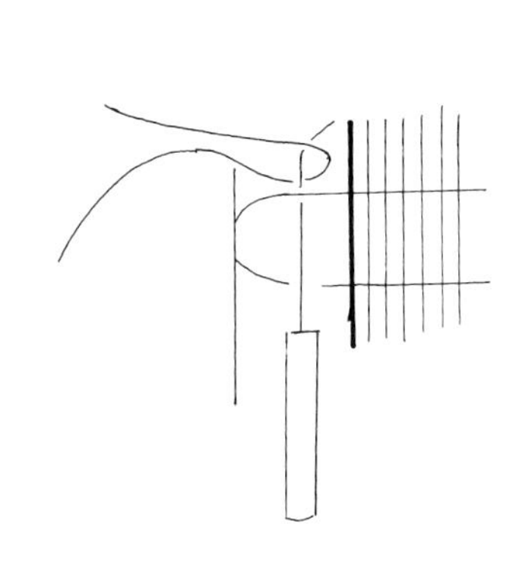

Diagram 10

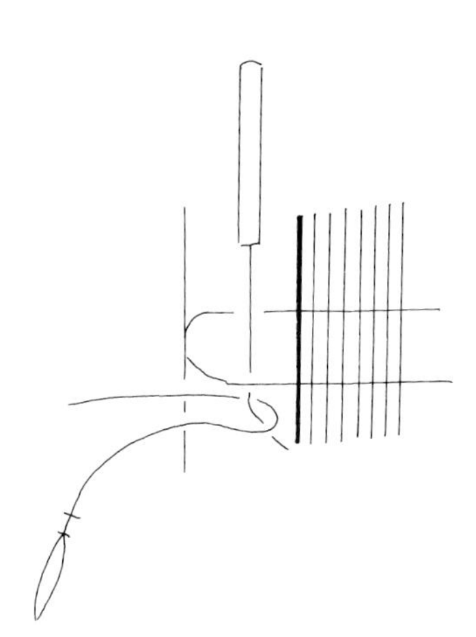

Diagram 11

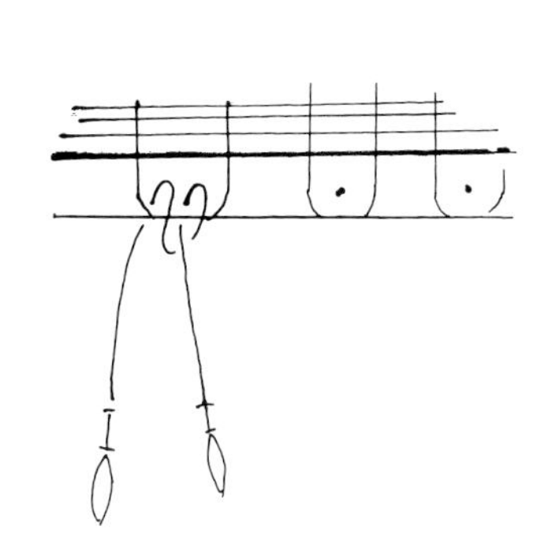

Diagram 12

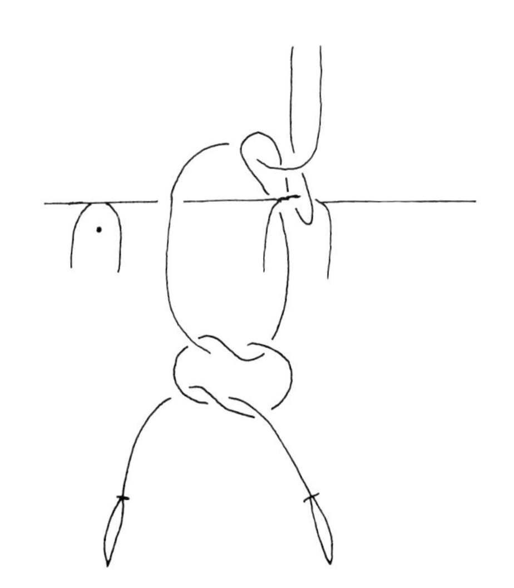

Diagram 13

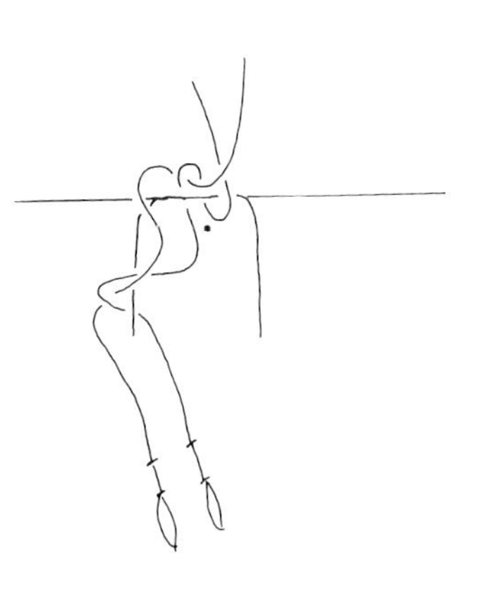

Diagram 14

Edge stitch

Before working the edge stitch, the weavers have to be twisted twice. The edge pair is already twisted twice. Pull the edge pair again. Work a cloth stitch and twist both pairs twice.

To determine where to set the pin, gently pull both the weavers and the edge pair in the direction indicated (diagram 15). Push the previous pin down and set a new one on the crossing of both pairs. Push the pin down completely, to see whether it is in the correct place, then pull it up a little so that the weavers do not slide over the pin.

Gimp pair

A gimp pair consists of two bobbins, one with gimp thread and the other with the thread that the pattern is being worked with.

Double gimp pairs

A double gimp pair consists of one pair of bobbins wound with gimp thread and one pair of bobbins wound with the thread that the pattern is being worked with. These are used when a gimp pair is needed at the top and both sides (diagram 16).

A gimp pair is always worked through in cloth stitch.

Creating two pairs of weavers

Two methods are illustrated in diagrams 17and 18. The ends are taken into the bundle with 2 or 3 sewings when rolling the final edge (diagram 18).

Adding pairs in cloth stitch

New pairs should be added before they are needed. Hang a new pair on a pin outside the work. Place one bobbin of the neighbouring pair in between the bobbins of the new pair (diagram 19). New pairs are usually added in the middle of passive pairs. Do not pull in the new pair immediately; it is preferable to leave it and cut the loop later, as a little dent is easily created in the work if the weavers are pulled too soon.

Randschlag

Bevor der Randschlag geklöppelt wird, wird das Laufpaar 2x gedreht. Das Randschlagpaar ist schon 2x gedreht. Das Randpaar nochmal anziehen. Dann einen Leinenschlag klöppeln und beide Paare 2x drehen.

Um zu bestimmen wo die Nadel gesteckt werden muss, werden das Laufpaar und das Randpaar in der Fortsetzung ihrer Richtung gelegt und angezogen (Fig.15) Die vorige Nadel wird hinuntergedrückt und die neue Nadel wird senkrecht auf der Kreuzung beider Paare gesteckt. Hinunterdrücken um zu sehen ob die Nadel richtig steht, dann etwas hochziehen, sodass das Laufpaar nicht über die Nadel rutscht.

Ein Konturpaar

Ein Konturpaar besteht aus einem Klöppel mit einem Konturfaden und einem Klöppel mit dem Faden mit dem geklöppelt wird.

Ein Doppeltes Konturpaar

Ein doppeltes Konturpaar besteht aus einem Paar gewickelt mit Konturfaden und einem Paar gewickelt mit Faden mit dem geklöppelt wird. So ein Paar wird gebraucht wenn man z.B. mit einem Blatt anfängt und man an beiden Seiten ein Konturpaar braucht. Fig. 16.

Ein Konturpaar wirdt immer im Leinenschlag geklöppelt.

Bildung von zwei Laufpaaren

Die Bildung van zwei Laufpaaren wird gezeigt in Fig. 17 und 18. Die Enden werden mit 2 oder 3 Anhäkelungen im Bündel mitgenommen wenn der Rand gerollt wird (Fig 17).

Randslag

Vóór de randslag geklost wordt, wordt het lopend paar 2x gedraaid. Het randslagpaar ligt al 2x gedraaid. Het randslagpaar wordt nog eens aangetrokken. Dan een linnenslag klossen en beide paren worden 2x gedraaid.

Om te bepalen waar de speld moet staan, worden lopend paar en randslagpaar in het verlengde van hun richting gelegd en aangetrokken. (tek. 15) De vorige speld wordt in het werk gedrukt en de nieuwe wordt kaarsrecht op de kruising van beide paren gezet. In het werk drukken om te zien of de speld daar goed staat en dan iets omhoogtrekken, zodat het lopend paar er niet overheen schiet.

Een contourpaar

Een contourpaar bestaat uit een klos met contourdraad en een klos met garen waarmee wordt gewerkt. Deze beide vormen het contourpaar.

Een dubbel contourpaar

Een dubbel contourpaar bestaat uit een paar gewikkeld met contourdraad en een paar gewikkeld met het garen waarmee wordt gewerkt. Dit heeft men nodig als men bijv. boven aan een blad begint en aan alle zijden een contourpaar nodig heeft. tek. 16

Een contourpaar wordt altijd in linnenslag geklost.

Vormen van twee lopende paren

Het vormen van twee lopende paren wordt getoond in tek. 17 en 18. De einden van het lopend paar worden by het rollen van de rand in 2 of 3 aanhakingen meegenomen (diag 18).

Point de bordure

Faire 2 torsions sur les meneurs avant le point de bordure. La passive de bordure a aussi 2 torsions. Avec ces 2 paires faire un point toile et 2 torsions.

Pour savoir où mettre l'épingle, tirer doucement sur les meneurs et la passive de bordure comme indiqué sur le diag 15. Enfoncer les épingles précédentes, poser la nouvelle derrière les 4 fils tendus. L'enfoncer à fond pour vérifier sa place, mais relever-la aussitôt pour que les fils ne passent pas par-dessus.

La paire avec cordon

Mettre en paire un fil cordon et un fil fin utilisé pour le motif.

La paire avec cordon en double sens

Prendre 1 paire en cordon et une paire en fil fin comme celui utilisé dans le modèle. Cette paire utilisée en double sens s'utilise pour le haut et les 2 côtés (diag 16).

On traverse toujours une paire avec cordon en point toile.

Déterminer 2 voyageurs

Voir diag 17 et 18. Les sécurisez pour finir avec 2 ou 3 accrochages avant de couper (diag 18).

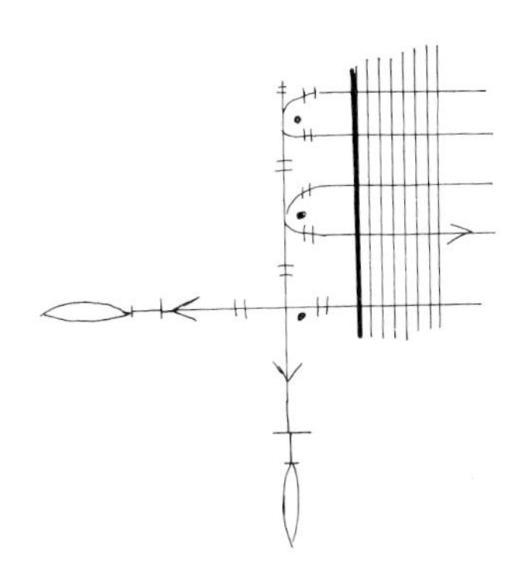

Diagram 15

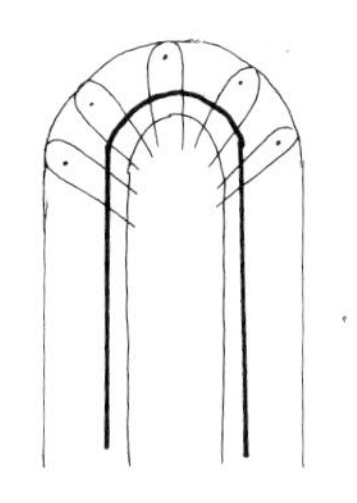

Diagram 16

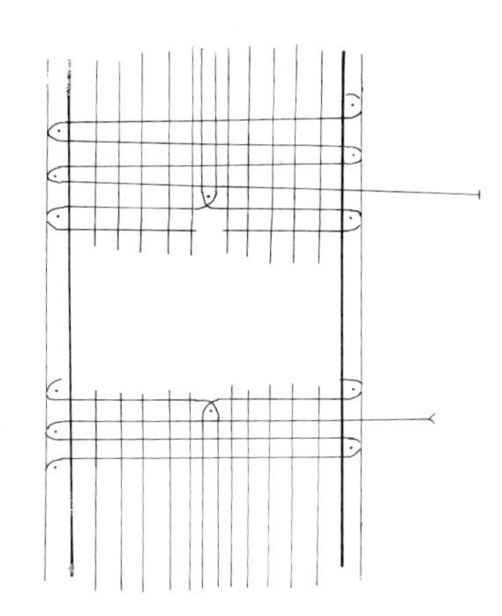

Diagram 17

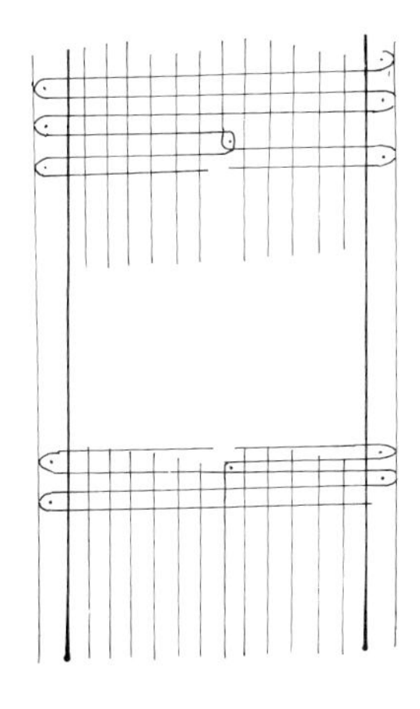

Diagram 18

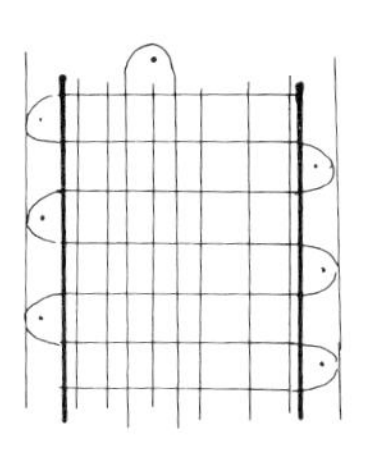

Diagram 19
(the passive lines represent threads)

Paare Einlegen im Leinenschlag

Neue Paare werden schon eingelegt bevor man sie wirklich braucht. Ein neues Paar wird um eine Nadel ausserhalb der Arbeit gehängt. Das neue Paar wird so eingelegt, dass ein Klöppel des nebenliegenden Paares zwischen dem neuen Paar liegt. Fig. 19. Meistens wird in der Mitte neu eingelegt.

Es soll lange gewartet werden bis man das neue Paar herunterzieht. Zu leicht entsteht ein Löchlein wenn man es zu früh herunterzieht.

Paren inleggen in linnenslag

Nieuwe paren worden al ingelegd vóór het werkelijk nodig is. Hang een nieuw paar aan een speld die buiten het werk gezet wordt. Leg het in het werk met een klos van het naastliggende paar tussen het paar in (tek. 19). Meestal wordt in het midden van staande paren ingelegd.

Wacht heel lang met het bijtrekken van dit nieuwe paar, of laat het zo hangen en knip later de lus af. Heel gemakkelijk wordt het lopend paar naar beneden getrokken en ontstaat een gaatje.

Ajout d'une paire dans un toilé.

Prévoir de l'ajouter à l'avance en la plaçant à cheval sur une épingle temporaire, hors travail. La placer à cheval sur un fil du travail en cours (diag 19). On ajoute généralement les paires au milieu du toilé. Ne jamais tirer dessus pour la mettre en place, cela se verrait en faisant un petit trou. Au contraire laisser la boucle de départ qui sera coupée après.

Taking out pairs in cloth stitch

Start taking out pairs when it is obvious there are too many pairs in the work. Two threads (with one remaining in between) are laid to one side. Cut them off later, but not too close to the work, otherwise the ends might become visible on the other side (diagram 20).

Adding pairs in half stitch

A new pair may be sewn into the bottom bar of an edge stitch and added into the work: it should have been twisted once, so that it is worked into the next row (diagram 21).

Taking out pairs in half stitch

The inside pair is simply taken out and sewn into the next bar of the edge stitch; then it is tied and cut (diagram 22).

Broken or knotted threads

In **cloth stitch** a pair with a broken thread may be repaired by hanging a new bobbin on a pin outside the work. Its thread then replaces the broken one (diagram 23). In the case of a knot, the thread is hung around a pin outside the work, holding the knot (diagram 24).

In **half stitch** the pair with the broken thread has to be worked back to the edge. The edge stitch is also undone.

In **edge stitch**, a broken thread may be replaced by hanging a new bobbin on a pin outside the work. The repaired pair is twisted 3 times - not the usual 2 - and the edge stitch is worked again (diagram 25).

In **Withof** the ends in an edge stitch are taken into the bundle, when rolling the final edge, with 2 or 3 sewings and then cut. In **Duchesse** it is not always possible to work the lace as suggested above. In this case, the weaver knot is used to tie two ends together (diagram 26).

Paare Herausnehmen im Leinenschlag
Mit dem Herausnehmen wird angefangen wenn die Struktur dicht ist. Zwei Fäden die nicht nebeneinander liegen, werden herausgelegt. Sie werden später abgeschnitten. Nicht ganz dicht auf der Arbeit, damit die Enden nicht zu sehen sind auf der richtigen Seite (Fig. 20).

Paare Einlegen im Halbschlag
Ein neues Paar wird am unteren Steg eines Nadelloches eingehäkelt und 1x gedreht in die Arbeit gelegt, sodass es bei der nächsten Reihe mitgeklöppelt wird. Fig. 21

Paare Herausnehmen im Halbschlag
Das innere Paar wird herausgelegt, am nächsten Steg eingehäkelt, geknotet und abgeschnitten. Fig. 22

Abgerissene oder Geknotete Fäden
Im **Leinenschlag** können Risspaare ersetzt werden: ein neuer Klöppel wird an einer Nadel ausserhalb der Arbeit aufgehängt und eingelegt. Fig. 23. Falls es ein Knoten gibt, wird der Faden mit einer Nadel ausgenommen. Fig. 24

Im **Halbschlag** wird das Paar mit dem abgerissenen Faden bis zum Randschlag zurückgeklöppelt. Der Randschlag wird auch zurückgeklöppelt.

Ein abgerissener Faden im **Randschlag** kann ersetzt werden durch einen neuen Klöppel der an einer Nadel ausserhalb der Arbeit aufgehängt wird. Das neue Paar wird 3x (!) gedreht und der Randschlag wird aufs neue geklöppelt. Fig. 25

In **Withof** werden die Enden mit 2 oder 3 Einhäkelungen in der Rolle mitgenommen und dann abgeschnitten.

Paren Uitnemen in Linnenslag
Beginnen met uitnemen als de structuur dicht is. Twee draden die niet naast elkaar liggen, worden uitgelegd. Later afknippen. Niet direkt op het werk, dan kunnen de eindjes zichtbaar worden aan de andere kant. tek. 20

Paren Inleggen in Netslag
Een nieuw paar kan in het onderste pootje van de randslag worden aangehaakt en 1x gedraaid in het werk gelegd, zodat het bij de volgende toer meegeklost wordt. tek. 21

Paren Uitnemen in Netslag
Het buitenste paar aan de binnenkant wordt uitgelegd, in het volgende pootje van de randslag aangehaakt, afgeknoopt en afgeknipt. tek. 22

Gebroken of Geknoopte Draden
Staande paren in de **linnenslag** kunnen vervangen worden, door een nieuwe klos aan een speld buiten het werk opnieuw in te leggen. tek 23. Een knoopje kan, met behulp van een speld, uit het werk genomen worden. Tek. 24

In de **netslag** wordt het paar met de gebroken draad naar de randslag teruggewerkt. De randslag wordt ook teruggeklost.

Een gebroken draad in de **randslag** kan vervangen worden door een nieuwe klos aan een speld buiten het werk op te hangen. Het nieuwe paar wordt 3x (!) gedraaid en de randslag wordt opnieuw geklost. tek. 25

In **Withof** worden de eindjes met 2 of 3 aanhakingen in de bundel meegenomen en dan afgeknipt.

In **Duchesse** wordt, als het niet anders kan, ook wel de weversknoop gebruikt om draden aan elkaar te knopen. tek. 26

Rejet de paires en cours de travail
Commencer à retirer des paires quand elles sont trop serrées. Rejeter une paire en laissant un fil au milieu (diag 20). Les fils seront coupés ultérieurement en prenant soin de ne pas trop les araser, ce qui pourrait faire ressortir les extrémités sur l'endroit.

Ajout de paire dans une grille
Accrochez une nouvelle paire sur une barre du dernier point de bordure, faire 1 torsion (diag 21).

Rejet de paire dans une grille
La dernière paire avant la paire avec cordon est simplement accrochée sur la barre de bordure du rang précédent, puis nouée et coupée (diag 22).

Fil cassé ou avec un noeud
Dans un toilé, on remplace un fil cassé en ajoutant un nouveau fil. Le nouer sur une épingle temporaire piquée plus haut, hors travail. Ce fil continue normalement (diag 23). En cas de noeud sur un fil, le tirer en arrière sur une épingle temporaire (diag 24).

Dans une grille, défaire le rang jusqu'au point de bordure pour remplacer le fil cassé. Défaire aussi le point de bordure.

Dans un point de bordure, on peut remplacer le fil cassé par un ajout de fil pendu hors travail sur une épingle temporaire. Par contre, tordre 3 fois au lieu de 2 la nouvelle paire et refaire le point de bordure (diag 25).

En **Duchesse** il est difficile de se rattraper comme indiqué. Il vaut mieux faire alors un noeud tisserand (diag 26).

En **Withof** on regroupe les fils à changer en bordure. Ils seront repris dans le rouleau relief, noués 2 ou 3 fois et coupés.

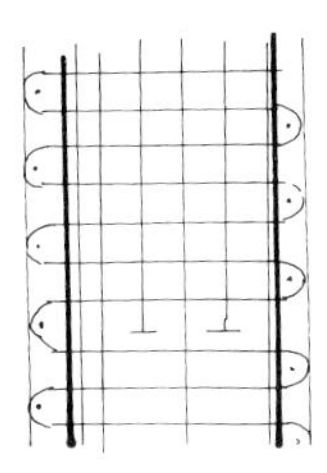

Diagram 20
(the passive lines represent threads)

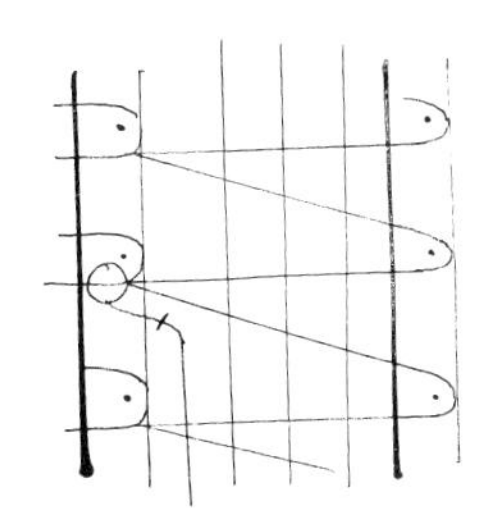

Diagram 21

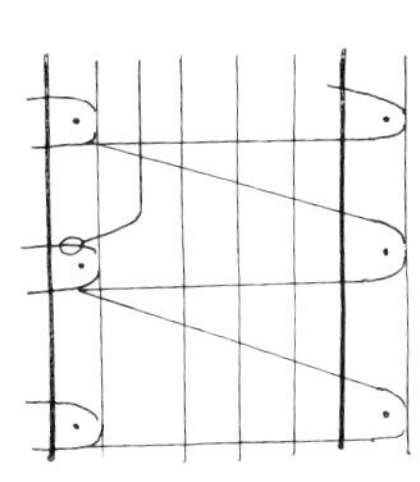

Diagram 22

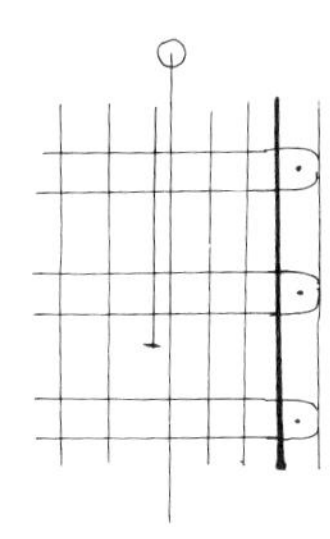

Diagram 23
(the passive lines represent threads)

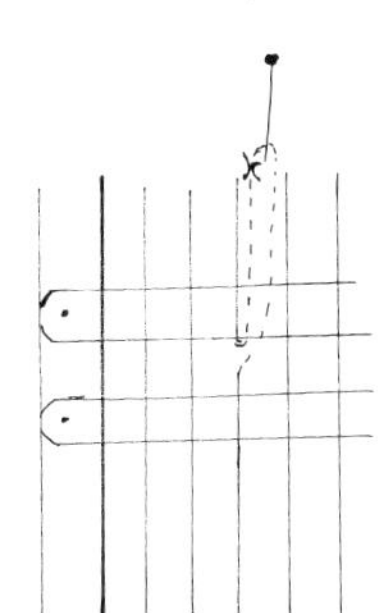

Diagram 24
(the passive lines represent threads)

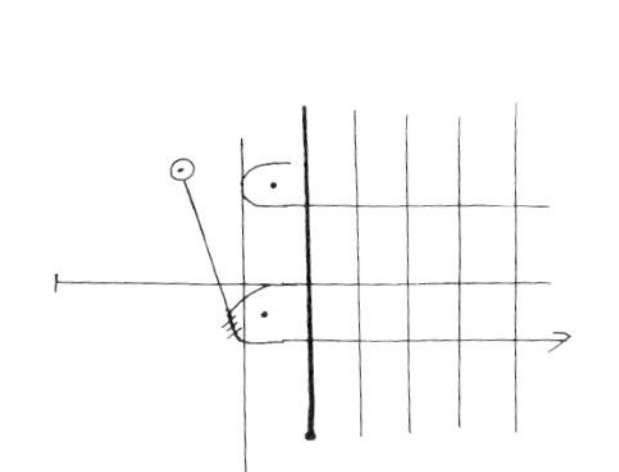

Diagram 25

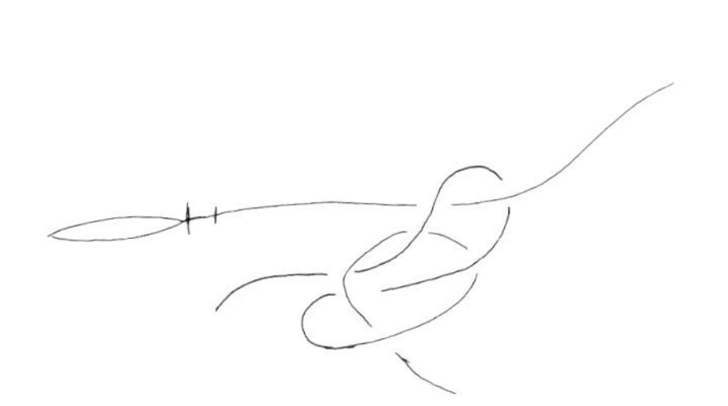

Diagram 26

In **Duchesse**, wenn man es nicht vermeiden kan, werden die Enden miteinander verknotet. Fig. 26

Benutzte Abkürzungen:

Lp	Laufpaar(e)
Rp	Risspaar(e)
dr	drehen
L	Leinenschlag
H	Halbschlag
K	Konturpaar
DK	Doppeltes Konturpaar

Gebruikte afkortingen:

lsl	linnenslag
nsl	netslag
dnsl	dubbele netslag
cp	contourpaar
dcp	dubbel contourpaar
dr	draaien/draaiing
pr	paar
prn	paren

Withof – Rolling

The most striking aspect of Withof lace is the raised outline of each motif. This not only gives a beautiful crisp edge, but it also results in depth and relief in the lace. When the next motif is worked, top sewings have to be made and, on the right side of the work, this gives the impression that the first motif overlays the second.

There is a freedom of choice in the number of pairs with which the outline is rolled, starting with as few as one pair. It must be taken into account that a heavy roll on the outside might give the lace a heavy appearance. Often it is more attractive to roll the inside of a motif with more pairs and the outside with fewer pairs in order to keep the lace delicate.

The pairs with which a motif has been finished have to be bundled before rolling (diagram 27).

The gimp thread is always kept on the inside of the bundle, next to the edge (diagram 28).

The needlepin pulls up any thread from under the bundle.

The bobbin of this thread is taken through the loop.

This bobbin is pulled tight over the work so that the knot sits on the bundle, and thus on the wrong side of the work (diagram 29).

Use the same bobbin to roll the bundle.

Rolling enables the transfer of pairs to another motif, so that less tying and cutting is needed.

Rolling with picots

When rolling with picots at least 2 pairs are needed in the bundle (diagram 30).

Joining 2 motifs

When 2 motifs meet, a joining must be made. A top sewing from one motif into the other is required, plus another sewing into the original pinhole (diagram 31).

If there is room between both motifs, the thread with which the bundle is rolled and one extra thread from the bundle are twisted a few times before the sewing is made (diagram 32). A false plait may be made.

ROLLEN

Das auffällenste bei Withof ist das Bündel welches um jedes Motiv läuft. Das Bündel bewirkt einen wundervollen, scharfen Rand, ausserdem gibt es in der Spitze eine Tiefe. Beim nächsten Motiv wird nämlich über den Bündel an den Stege eingehäkelt, wodurch (auf der richtigen Seite der Spitze) das erste Teil oben auf dem Zweiten liegt.

Man ist frei zu wählen mit wievielen Paaren gerollt wird. Man kann ab 1 Paar rollen, muss aber bedenken, dass eine schwere Rolle an der Aussenseite der Spitze ein 'schweres' Aussehen gibt. Es ist oft schöner die Innenseite eines Motives 'schwer' zu rollen und die Aussenseite etwas 'leichter'.

Zum Rollen werden die Paare mit denen das Motiv beendet wurde, gebündelt. Fig.27. Das K liegt immer zwischen dem Motiv und dem Bündel. Fig. 28 Mit dem Häkchen wird, unter dem Bündel durch, ein willkürlicher Faden hervorgezogen. Der Klöppel wird durch die Schlaufe gesteckt. Über der Arbeit wird angezogen, damit der Knoten auf dem Bündel sitzt, also auf der Rückseite der Arbeit. Fig. 29. Mit demselben Faden wird das Rollen weitergemacht.

Das Rollen ermöglicht es Paare mitzunehmen für das nächste Motiv. So muss weniger eingehängt werden.

ROLLEN

Het meest opvallende van Withof is het bundeltje dat langs elk motief ligt. Het geeft niet alleen een prachtig scherpe rand, maar het zorgt bovendien voor diepte in de kant. Bij het volgende motief wordt namelijk over het bundeltje in de pootjes aangehaakt, waardoor (aan de goede kant van het werk) het eerste deel boven het tweede ligt.

De keus met hoeveel paren er gerold wordt, is vrij. Het kan vanaf 1 paar. Bedenk wel dat een zware rol aan de buitenkant de kant 'zwaar' kan maken. Het is vaak mooi de binnenkant van een motief 'zwaar' te rollen en de buitenkant wat 'lichter'.

Vóór het rollen worden de paren waarmee een motief beëindigd werd, gebundeld. Tek. 27. Een contourdraad ligt altijd tegen het werk aan. Tek. 28. Met het haakje wordt onder de bundel door een willekeurige draad naar bovengehaald en de klos wordt door de lus gestoken. Aantrekken over het werk zodat het knoopje op de bundel zit, dus aan de achterkant van het werk. tek. 29. Met dezelfde klos wordt gerold.

Rollen maakt het mogelijk paren mee te nemen naar een ander onderdeel. Er hoeft daardoor minder afgeknoopt te worden.

LES ROULEAUX

C'est la caractéristique la plus évidente de ce style. Non seulement ils soulignent les contours du dessin mais aussi ils ajoutent du relief. Lorsqu'un motif suit l'autre, on l'accroche en relief pour donner sur l'endroit un effet de superposition.

Il n'y a pas de règle pour connaître le nombre de fils utilisés dans le rouleau. On commence par une paire. Il faut se rappeler qu'un rouleau trop épais nuit au résultat. D'ailleurs il vaut mieux faire un gros rouleau à l'intérieur d'un motif et un plus léger avec moins de paires en extérieur pour garder l'aspect délicat de la dentelle.

On garde les fils d'une fin de motif pour former le rouleau le long d'un bord (diag 27).

Le cordon est toujours placé à côté du bord d'accrochage dans le rouleau (diag 28).

Avec l'aiguille courbée on prend n'importe quel fil sous le rouleau.

Le fuseau de ce fil passe dans la boucle.

Ce fuseau est bien tiré sur le dessus du travail pour positionner le noeud sur la botte. Le noeud ne se voit pas, il est donc sur l'envers (diag 29).

Prendre toujours le même fil tout au long d'un rouleau.

On passe les paires d'un motif à l'autre avec ces rouleaux. Ainsi on utilise moins de noeuds et on ne coupe pas ses fils tout le temps.

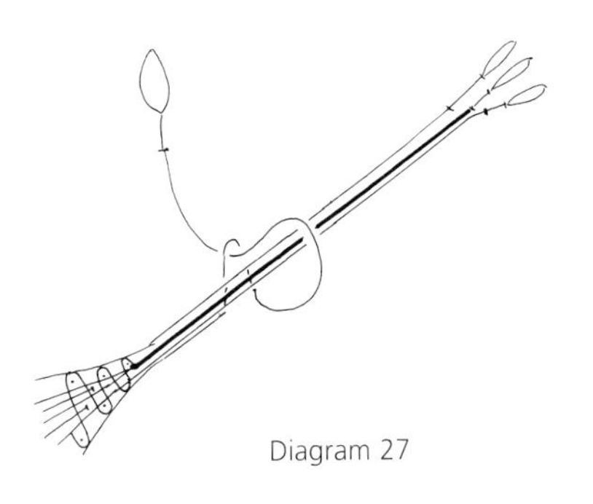
Diagram 27

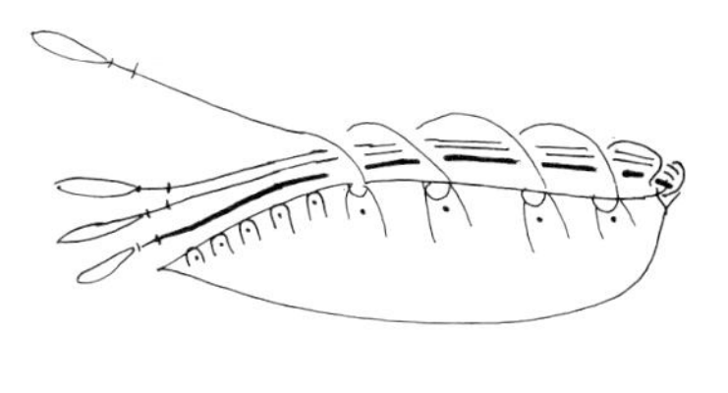
Diagram 28

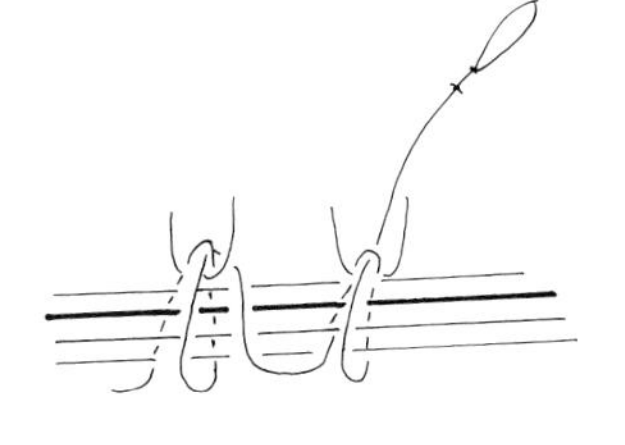
Diagram 29

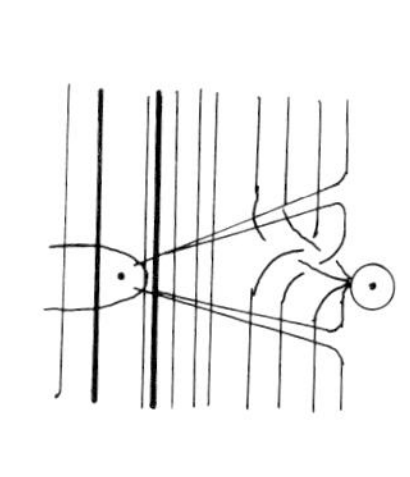
Diagram 30

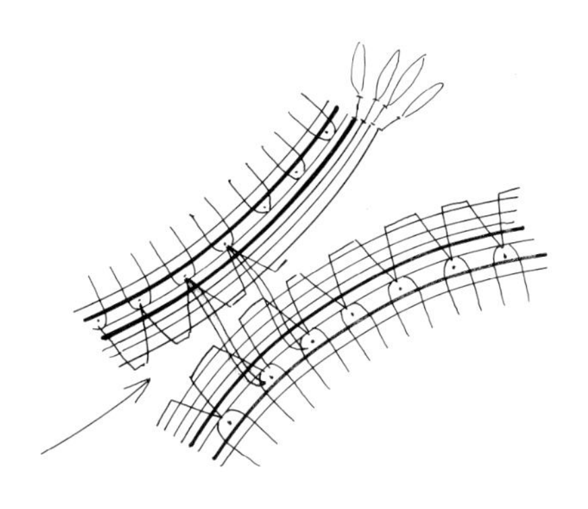
Diagram 31

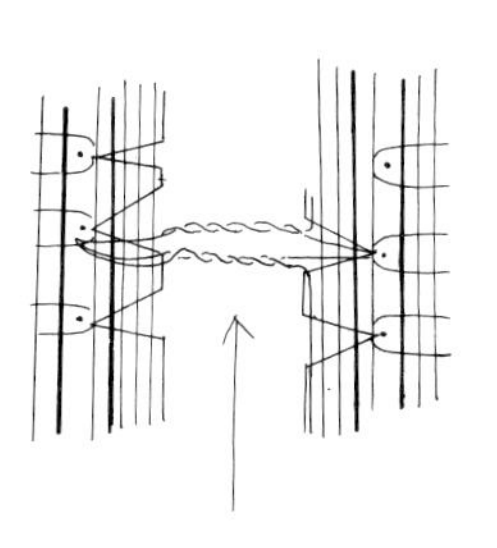
Diagram 32

Rollen mit Picots
Beim Rollen mit Picots müssen mindestens 2 Paare im Bündel sein. Fig. 30

Verbindung von zwei Motiven
Wenn zwei Motive zusammenkommen, soll eine Verbindung hergestellt werden. Es wird über dem Bündel des anderen Motives an einem Steg eingehäkelt und nochmal dort wo man herkam. Fig.31

Wenn ein grösserer Abstand ist zwischen beiden Motiven, nehmen wir den Faden mit dem gerollt wird, und einen Faden aus dem Bündel zum einhäkeln. Das Paar wird einige Male gedreht, oder ein falscher Flechter wird gemacht. Fig. 32.

Rollen met picots
Bij het rollen met picots moeten er minstens 2 paren in de bundel zitten. tek. 30.

Verbinden van 2 motieven
Waar twee motieven samenkomen, moet een verbinding gemaakt worden. Er wordt dan over de bundel van dat andere motief in een pootje aangehaakt en nog eens in het punt waar we vandaan kwamen. tek. 31

Tek. 32· Wanneer er ruimte tussen beide motieven zit, dan wordt de klos waarmee aangehaakt wordt, en een draad uit de bundel, enkele malen gedraaid. Dit paar wordt aangehaakt. Er kan ook een valse vlecht gemaakt worden.

Rouleaux avec picots
Pour faire des rouleaux avec picots il faut au moins 2 paires dans la botte (diag 30).

Raccord de deux motifs
La succession de deux motifs implique un accrochage. On utilise alors l'accrochage relief et on refait un accrochage plat dans le motif en cours (diag 31).

En cas d'écart voulu entre deux motifs, tordre plusieurs fois la paire d'accrochage du rouleau plus une passive du rouleau pour aller faire l'accrochage (diag 32).

Finishing a bundle

(Diagram 33.) If the pattern is circular, the last sewing has to be made beyond the first sewing. Threads have already been taken out from the bundle one by one, so that with one or two threads in the bundle it is possible to make a sewing into the side bar. The bobbin with which the bundle was rolled is tied with a bobbin from the bundle.

Finishing a bundle into another motif

(Diagram 34.) If there is a choice as to which pinhole the sewing is to be made into, the outer one is chosen in order not to pull in the motif.

Withof – Flowers

Flowers consist of small individual motifs which are joined together to create a flower. This can be clearly seen in the collection of leaves in pattern 24, or in pattern 20, where the circle has to be worked and rolled first.

In pattern 12 the centre of the flower is a scroll. After this has been worked, the leaves are added.

It is important to know which motif is foremost, and how it is started, so that when rolling is completed, pairs may be transferred to another motif.

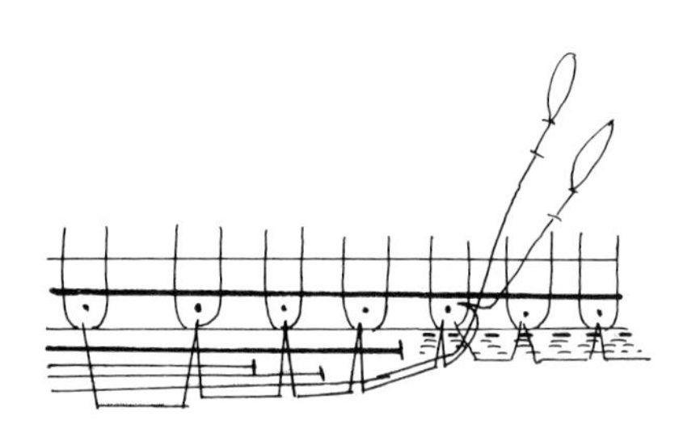

Diagram 33

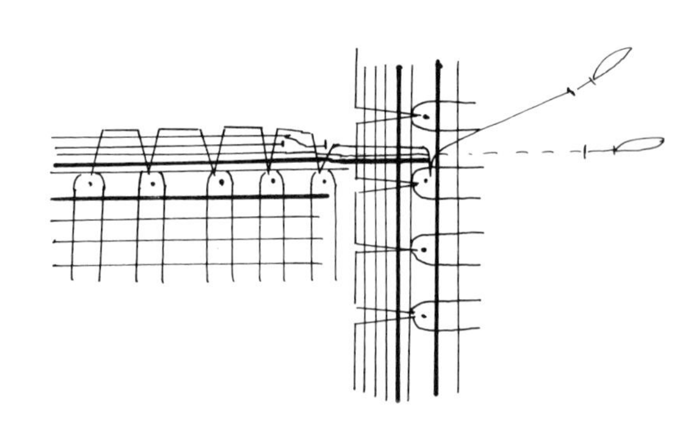

Diagram 34

Beenden eines Bündels Fig. 33
Falls es ein Kreis ist, muss man über den Anfang drüber weggehen. Allmählich wurden einige Fäden herausgelegt. Der Klöppel mit dem gerollt wurde, wird mit einem Faden vom Bündel verknotet und abgeschnitten, nach dem einhäkeln an einem Steg.

Beenden eines Bündels in einem anderen Motiv Fig. 34
Falls es eine Wahl gibt in welches Nadelloch, wird immer das Äussere gewählt, damit das Motiv nicht zusammengezogen wird.

BLUMEN

Die Blumen bestehen aus einzelnen Motiven, z.B. eine Sammlung Blätter wie im Muster 24.

Oder wie im Muster 20: zuerst wird die Kugel geklöppelt und gerollt. Dann erst werden die Blättchen eines nach dem anderen geklöppelt.

Im Muster 12 besteht das Blumenherz aus einem Schnörkel. Dann werden die Blätter hinzugefügt.

Es ist wichtig zuerst mal herauszufinden welches Blättchen vorne liegt. Damit wird angefangen. Bei dem Rollen aufpassen wo man enden möchte, sodass die Paare mitgenommen werden können nach dem nächsten Motiv.

Beëindigen van een bundel tek. 33.
In het geval van een cirkel wordt er voorbij het begin aangehaakt. Uit de bundel worden al draden uitgelegd, zodat met 1 of 2 draden in de bundel aan het pootje aangehaakt kan worden. De klos waarmee gerold werd, wordt geknoopt met een klos van de bundel.

Beëindigen van een bundel in een ander motief. tek. 34
Als er een keuze mogelijk is over in welk speldengaatje aangehaakt moet worden, wordt het buitenste gekozen om het motief niet in te trekken.

BLOEMEN

Bloemen bestaan uit losse onderdelen, bijv. een verzameling blaadjes, zoals in patroon 24, of in patroon 20, waar eerst het bolletje geklost en gerold wordt.

In patroon 12 bestaat het hart van het bloemetje uit een krul. Daarna worden de blaadjes toegevoegd.

Er moet eerst goed bekeken worden welk blaadje voor ligt. Daarmee wordt begonnen. Bij het rollen, kijken waar men eindigen wil, zodat eventueel paren meegenomen kunnen worden naar een volgend onderdeel.

Comment terminer un rouleau
(Voir diag 33). Si le motif est circulaire faire les derniers accrochages sous le premier. La botte a été amenuisée au préalable en retirant les paires une par une jusqu'à ce qu'il n'en reste qu'une ou deux. Il n'y a pas de problème alors pour faire un accrochage relief. Nouer le fil d'accrochage du rouleau avec un fil de la botte.

Pour finir un rouleau sur un autre motif
(Voir diag 34). Quand on a le choix, préférer la barre du haut pour ne pas déformer le motif.

LES FLEURS

Ce sont des petits motifs indépendants reliés entre eux qui forment une fleur. Les modèles 24, fait de feuilles et 20 illustrent tout à fait ce procédé. Il faut d'ailleurs commencer par les cercles et les sertir.

Le centre de la fleur du modèle 12 n'est autre qu'une volute à laquelle on accroche des feuilles.

Il est important de bien réfléchir à l'élément de départ. On doit choisir en fonction du transfert des paires.

Withof – Leaves

This is pre-eminently the chapter to show the decorations that are used in Withof. The shapes of the leaves vary so greatly that it is quite a challenge to one's imagination to use these decorations.

1. Rolled veins

Rolled vein: 1

(See diagram 35.)

The leaf is worked to the end of the vein. The weavers are on the outside. Untwist the edge pair of the vein. Work back to the centre through all the pairs. The last-used passive pair becomes the new weavers. The 2 pairs on the inside are rolled along the vein, starting from the second pinhole.

A number of methods to work the top of the leaf are shown towards the end of this chapter (page 34).

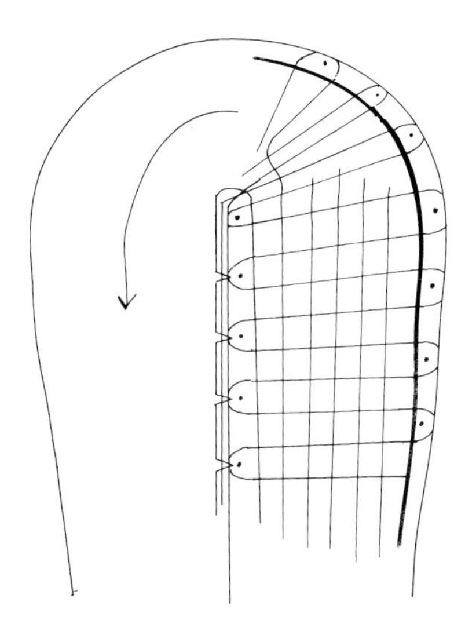

Diagram 35

BLÄTTER

In diesem Kapitel zeigt sich die ganze Vielfalt der Schmuckelemente von Withof.

Blätter gibt es in sovielen Formen dass es eine Herausforderung ist Schmuckelemente mit sehr viel Phantasie anzuwenden. Alle Variationen sind denkbar.

1. Gerollter Nerv: 1 (Fig. 35)

Das Blättchen wird bis zum Ende des Nerves geklöppelt. Das Lp liegt an der Aussenseite. Die Drehungen aus dem Randpaar des Nerves herausnehmen. Lp zurück zur Mitte klöppeln. Laufpaarwechsel. Mit den zwei Paaren die jetzt an der Innenseite liegen, wird gerollt, wobei man im zweiten Nadelloch anfängt.

Am Ende dieses Kapitels sind einige Möglichkeiten den Kopf des Blättchens zu klöppeln. Seite 34.

BLAADJES

Dit is bij uitstek het hoofdstuk om de versieringen die in Withof mogelijk zijn, aan te geven.

Blaadjes komen in zo verschillende vormen voor, dat het uitdaagt om deze versieringen met heel veel fantasie toe te passen.

1. Gerolde nerf: 1 (tek. 35)

Het blaadje wordt tot het einde van de nerf geklost.Het lp ligt aan de buitenkant. Draaien uit het randslagpr van de nerf halen. Door alle paren terug naar het midden klossen. Het laatst gekloste st pr wordt lp. Met de twee prn die nu aan de binnenkant liggen, wordt gerold, waarbij in het 2e speldengaatje begonnen wordt.

Aan het einde van dit hoofdstuk staat een aantal manieren om de kop van het blaadje te klossen. Blz. 34.

LES FEUILLES

C'est l'élément décor de base du Withof. Tant de variations sont possibles qu'on en arrive facilement à un dessin personnel.

1. Nervure centrale en rouleau n°1

(Voir diag 35).

Aller jusqu'à la fin de la nervure avec les meneurs en extérieur. Détordre la passive centrale. Ramener les voyageurs au centre sur toutes les passives. Les 2 paires intérieures descendent faire le rouleau-nervure à partir du second trou d'épingle. La dernière passive utilisée devient nouveaux meneurs.

Plusieurs façons de tourner le sommet de la feuille sont expliquées à la fin du chapitre. (Page 34).

Rolled vein: 2
(See diagrams 36 & 37.)
Study the pattern to decide the direction of the weavers, remembering that both halves have to be joined at the bottom of the vein.

Work the leaf (A) to the end of the vein. The weavers are left on the other side. Using the 2 pairs at the vein, work a cloth stitch; these pairs are rolled back from the second pinhole to the beginning of the second leaf (B). Two sewings are made into the last pinhole to prevent the bundle from pulling away.

New pins are set with each 2 pairs. The 'straight setting up' is worked (page 41), starting with the pair from the bundle. Using a cloth stitch, the gimp pair is worked through the passives.

At the bottom of the vein the weavers are sewn in and used as a passive pair. The weavers on the other side are ready to be used.

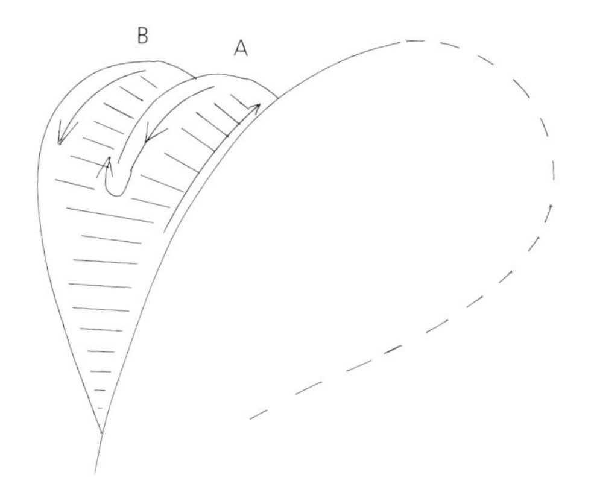

Diagram 36

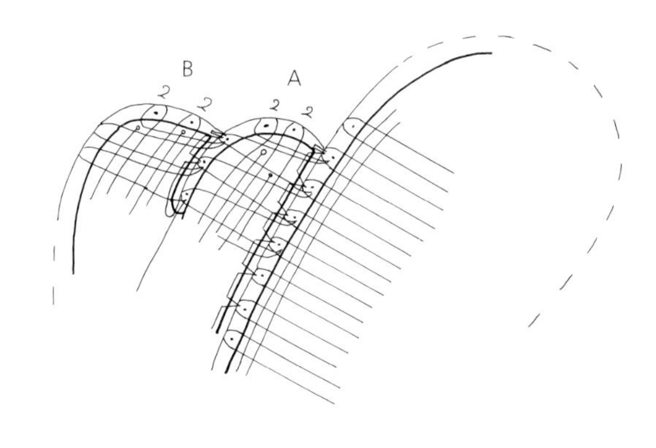

Diagram 37

Gerollter Nerv: 2 (Fig. 36-37)
Es ist wichtig vorher festzustellen wie die Fadenrichtung sein soll. Am Ende des Nerves müssen nämlich beide Hälften zusammen weiter geklöppelt werden.

Das Blättchen (A) wird bis zum Ende des Nerves geklöppelt. Das Lp liegt an der anderen Seite. Die zwei Paare beim Nerv machen einen L und mit diesen beiden Paaren wird gerollt (im zweiten Nadelloch anfangen) bis das zweite Blatt (B) anfängt. Im letzten Loch wird 2x eingehäkelt um ein Wegziehen zu vermeiden.

Neue Anfangsnadeln setzen mit je zwei Paaren. Gerader Anfang mit dem Paar des Bündels und dem neuen Paar (Seite 41). Das K wird auch durchgeklöppelt.

Unten im Nerv wird das Lp eingehäkelt und als Rp benutzt. An der anderen Seite wartet das Lp zum Weiterklöppeln.

Gerolde nerf: 2 (tek. 36-37)
Van te voren goed bekijken welke draadrichting gewenst is. Onderaan de nerf moeten namelijk beide helften gelijk verder geklost worden.

Klos tot onder aan de nerf. Het lp ligt aan de buitenkant. De twee prn bij de nerf maken een lsl en met deze twee prn wordt teruggerold, te beginnen in het 2e speldengaatje, tot waar het tweede blad begint. In het laatste speldengaatje wordt 2x aangehaakt om wegtrekken te voorkomen.

Nu worden op nieuwe opzetspelden elk 2 prn gehangen en de rechte opzet gewerkt (blz 41), te beginnen met het pr van de bundel. Het cp wordt ook doorgeklost.

Onderaan de nerf wordt het lp aangehaakt en als staand pr gebruikt. Het lp ligt aan de andere kant gereed om gebruikt te worden.

Nervure centrale en rouleau n°2
(Voir diag 36 & 37).
Déterminez la direction des voyageurs, sachant qu'il faut réunir les 2 moitiés de la feuille à la base de la nervure centrale.

Commencer le travail jusqu'au bout de la nervure centrale. Les meneurs sont en attente sur le bord. Avec les 2 passives côté veine, faire un point toile. Ces fils deviennent rouleau et remontent jusqu'au départ de la seconde moitié. Faire des accrochages relief dans le dernier trou d'épingle pour sécuriser le rouleau.

Placer des épingles de départ avec 2 paires et faire le départ droit (page 41) en commençant par la paire du rouleau. Ajouter la paire avec cordon en point toile. Elle traverse toutes les passives et prend sa place.

A la fin de la nervure les meneurs deviennent passives. Les voyageurs sur l'autre coté sont prêts à l'emploi.

Rolled vein: 3
(See diagram 38.) At the top of the vein one of the passive pairs is used as an edge pair. The first time this pair is **not** twisted, because a small hole would appear. Continue to the end of the vein.

Roll the vein (see diagram 37) to the point at which it started. One pair of the bundle now becomes a passive pair. With the other pair, a sewing is made into the top side bar of the same pinhole, before it becomes the weavers for the second half of the leaf. The next sewing will be made into the lower side bar of the same pinhole. Note that 3 sewings are made into the same pinhole (diagram 39).

At the bottom of the vein, the weavers have to be sewn into the last pinhole. They are then used as passives (diagram 40).

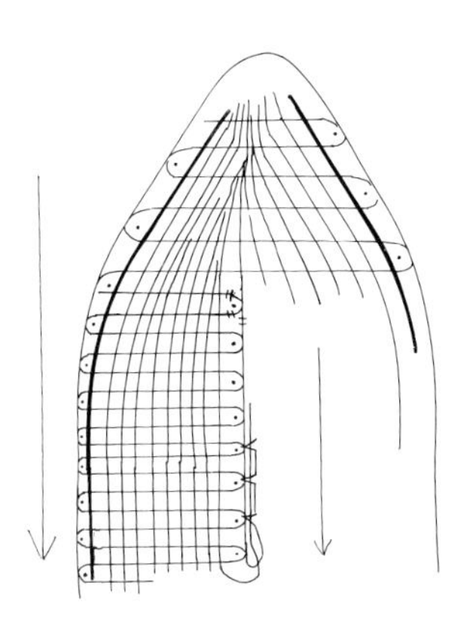

Diagram 38

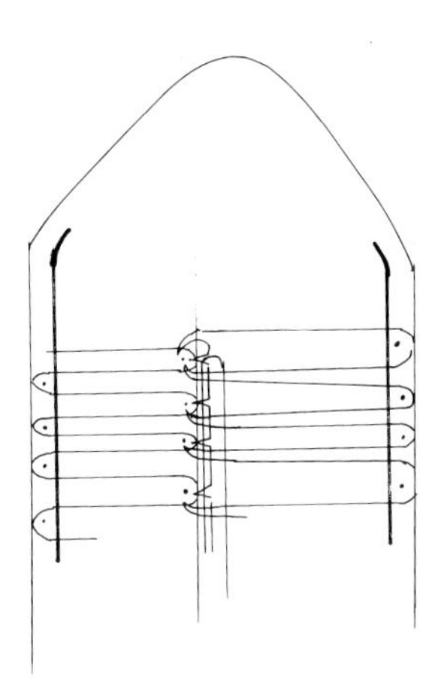

Diagram 39

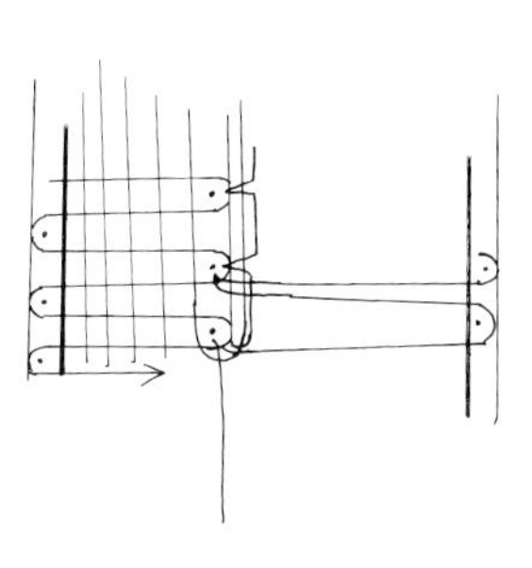

Diagram 40

Gerollter Nerv: 3 (Fig. 38)
An der Stelle wo der Nerv anfängt, wird eines der Rp Lp. Das erste Mal wird dieses Paar NICHT gedreht: es würde ein kleines Loch entstehen.

Auf dieselbe Weise wie vorher mit dem Rollen anfangen.(Fig. 37) , bis der Nerv anfängt. Ein Paar des Bündels wird von hier ab Rp. Mit dem anderen Paar wird an dem oberen Steg eingehäkelt ehe es das Lp wird von der anderen Hälfte des Blättchens. Das nächste Einhäkeln erfolgt im unteren Steg. Es wird hier also 3x eingehäkelt. Fig. 39

Am Ende des Nerves wird das Lp eingehäkelt und als Rp benutzt. Fig. 40

Gerolde nerf: 3 (tek. 38)
Op de plaats waar de nerf begint, wordt één van de staande prn randslagpr. De eerste maal wordt dit pr niet gedraaid. Dit zou een klein gaatje geven. Tot het einde van de nerf klossen.

Op dezelfde wijze als hiervoor het rollen beginnen, tek.37, tot het begin van de nerf. Één paar van de bundel wordt vanaf hier staand pr. Met het andere pr wordt in het bovenste pootje aangehaakt alvorens het lp voor de andere helft van het blad wordt. De volgende aanhaking is in het onderste pootje. Er wordt hier dus 3x aangehaakt. Tek. 39
Aan het eind van de nerf wordt het lp aangehaakt en als staand pr gebruikt. Tek. 40

Nervure centrale en rouleau n°3
(Voir diag n°38).
En haut de la nervure, une paire est utilisée comme passive de bordure. La première fois, cette paire n'a pas de torsion pour ne pas faire de trou. Continuer jusqu'à la fin de la nervure.

Remonter avec le rouleau de nervure jusqu'au départ (diag 37). Tandis qu'une des paires devient passive, l'autre fait un accrochage relief sur la barre supérieure du trou d'épingle avant de devenir meneurs de la seconde moitié de la feuille. On fera l'accrochage suivant sur la barre du bas du même trou d'épingle. On remarque qu'il a 3 accrochages dans ce même trou d'épingle (diag 39).

En fin de nervure, ces voyageurs sont accrochés dans le dernier trou et deviennent passives (diag 40).

2. Decorative short rows

The decorative holes that appear by working these short rows must be created equally distant from each other (diagram 41). This decoration is often shown as a dotted line on the pattern.

See also the chapter Curves, page 51.

3. Twisted weavers

One or – at the most – 2 twists in the weavers are sufficient (diagram 42).

4. One half stitch

One half stitch is made before and after a sewing. This is best done on an inside curve, to keep the half stitch narrow. Here there is no need to have an extra twist between the cloth stitch and the half stitch (diagram 43).

5. Two twists between the half stitch and the cloth stitch

When a motif is worked in half stitch, it is best to work 2 or 3 outside pairs in cloth stitch. Between the cloth stitch and the half stitch there are 2 twists, creating a row of small holes (diagram 44).

6. Holes

(See diagrams 45, 46, 47 & 48).

For the peacock's eye, see diagrams 74, 75, 76, 79 in the chapter Round Setting Up, page 38.

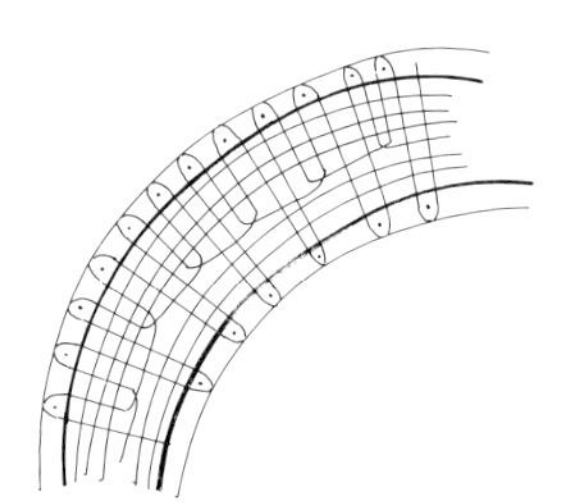

Diagram 41

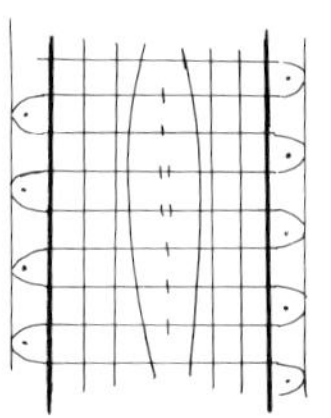

Diagram 42

2. Verkürzte Schmuckreihe

Die Löcher die entstehen durch die verküzten Schmuckreihen, sollen sich auf gleichem Abstand von einander befinden. Auch hier kann man sich ein Muster ausdenken. Diese Dekoration wird oft mit einer gestrichelten Linie angegeben. Fig. 41

Sieht auch Kapitel Bogen (Seite 51)

3. Drehung mit dem Laufpaar

Eine oder höchstens zwei Drehungen im Laufpaar genügen. Fig. 42

4. Ein Halbschlag

Ein Halbschlag ehe eingehäkelt wird. Am schönsten macht man dies an der Innenseite der Rundung , dann bleiben die Halbschläge eng. Hier braucht man keine extra Drehung zwischen Leinenschlag und Halbschlag zu machen. Fig. 43

5. 2 Drehungen zwischen Halbschlag und Leinenschlag

Wenn ein Motiv im Halbschlag geklöppelt wird, wäre es am schönsten die äusseren Paaren im Leinenschlag zu klöppeln. Der Übergang mit zwei Drehungen ergibt einen Löcherrand. Fig. 44

6. Löcher

Fig 45 - 46 - 47 - 48

Pfauenauge: Fig. 74, 75, 76, 79

Diese sind beschrieben im Kapitel Rundanfang. (Seite 38)

2. Versierende verkorte toer

De gaatjes die door de versierende verkorte toeren ontstaan, moeten zich op regelmatige afstand van elkaar bevinden. Deze versiering wordt vaak door een stippellijn aangegeven. tek. 41

Zie ook hoofdstuk Rondingen (blz 51)

3. Draaiing met het lp

Eén of hoogstens twee dr met het lp zijn voldoende. tek. 42

4. 1 netslag

Eén nsl vóór en na het aanhaken. Het mooiste is het om dit in de binnenbocht te doen, dan blijft de nsl smal. In dit geval **niet** extra dr tussen nsl en lsl. tek. 43

5. 2 dr tussen nsl en lsl

Wanneer een motief in nsl geklost wordt, is het het mooiste om de buitenste paren in lsl te klossen. Op de overgang tussen nsl en lsl 2x dr, geeft een gaatjes rand. tek.44

6. Gaatjes

Tek. 45 - 46 - 47 - 48

Pauwenoog, tek. 74, 75, 76, 79, deze zijn beschreven in hoofdstuk Ronde Opzet. (blz 38)

2. Ajours décoratifs

Les ajours décoratifs sont faits par des rangs raccourcis, par alternance (diag 41). On représente souvent ces rangs par un pointillé sur le dessin de base.

Voir aussi au chapitre Courbes (page 51).

3. Torsions des voyageurs

1 ou 2 torsions suffisent (diag 42).

4. Point grille

Un point grille est fait avant et après chaque accrochage. Il vaut mieux le faire à l'intérieur d'une courbe pour garder la grille étroite. On n'ajoute pas de torsion suplémentaire entre toile et grille (diag 43).

5. Deux torsions entre point toile et grille

Quand on travaille un motif en grille, il est préférable de faire 2 ou 3 paires de bordure en toile. Comptez 2 torsions entre le toilé et la grille. Une ligne de trou-trou se forme (diag 44).

6. Les trous

(Voir diag 45, 46, 47 & 48)

Pour les yeux de paon, voire diag 74, 75, 76, 79 dans le chapitre Départ Arrondis. (Voir page 38.)

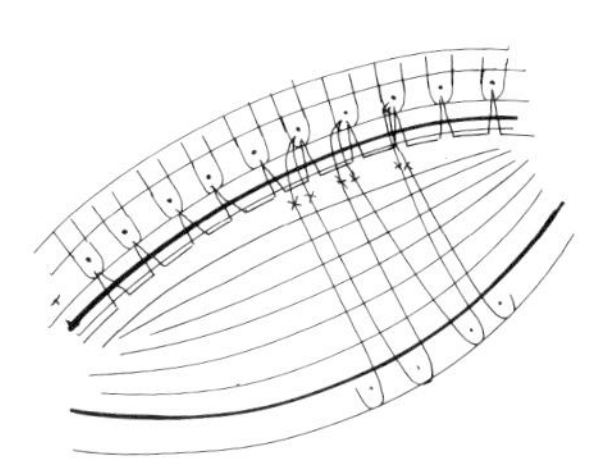

Diagram 43

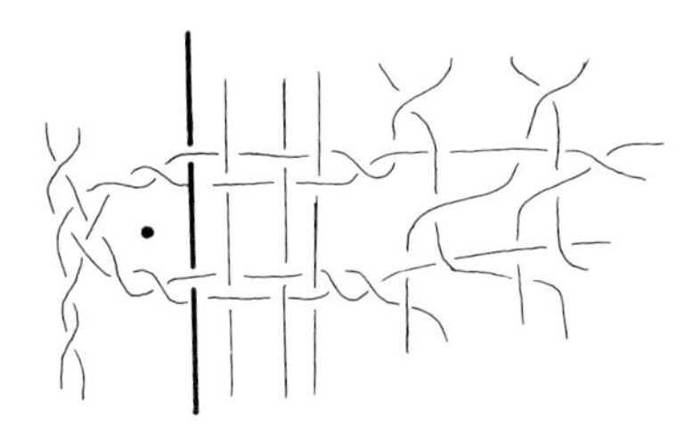

Diagram 44

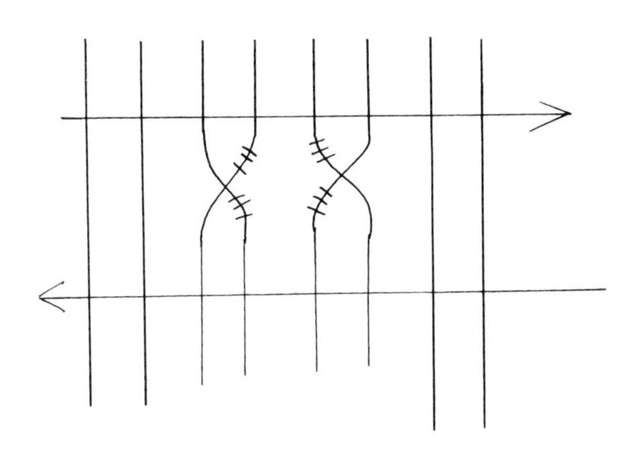

Diagram 45

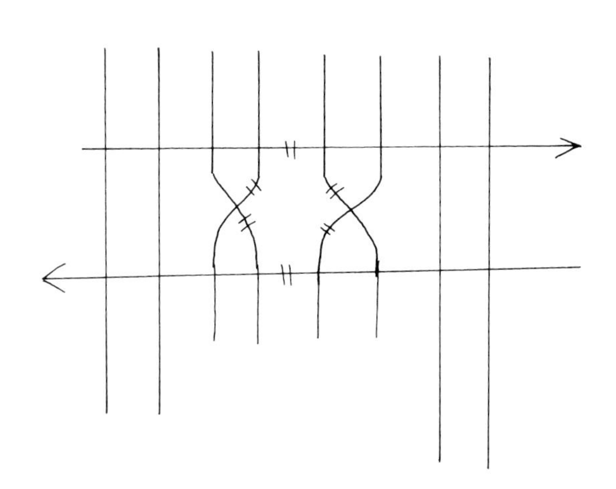

Diagram 46

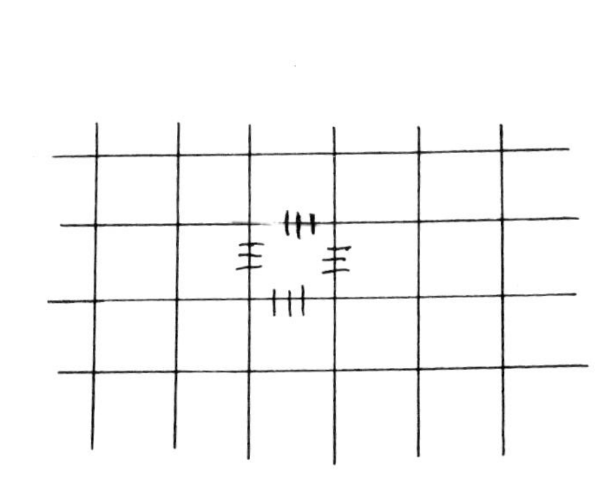

Diagram 47

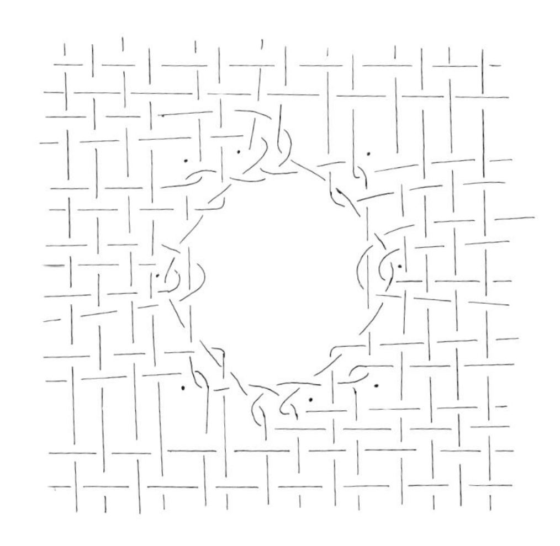

Diagram 48

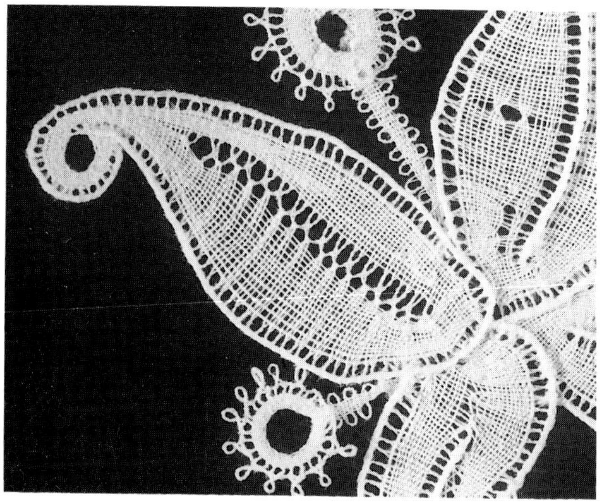

Photograph 1

7. Veins

There are a number of ways to create veins:

a. Two pairs of weavers are worked in cloth stitch (diagram 49).
2 ways to create 2 pairs of weavers (diagrams 17 and 18).

b. (See diagram 50) In the first half of leaf A, the weavers are twisted 4 times around the pin. On the other side, B, sewings are made. Before and after the sewings the weavers are twisted twice. A pin is set on the second line.

c. A gimp pair can be added (diagram 51).

d. Rolled vein (diagram 38).

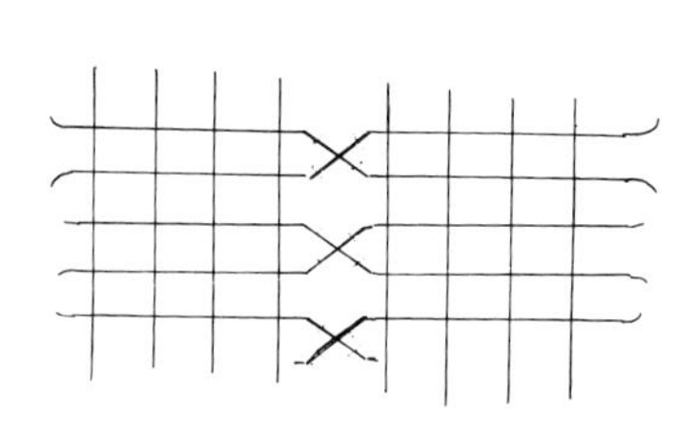

Diagram 49

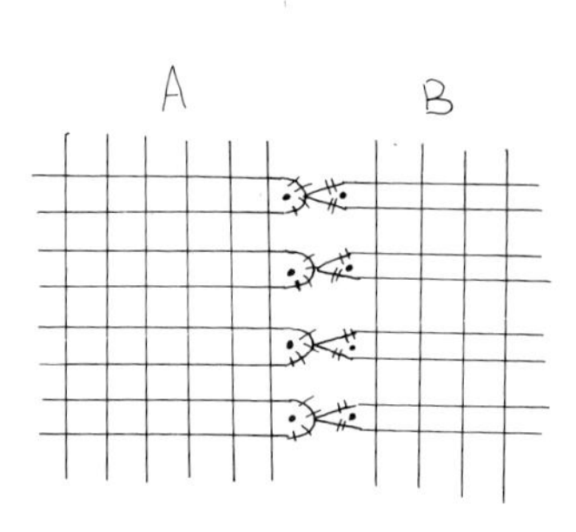

Diagram 50

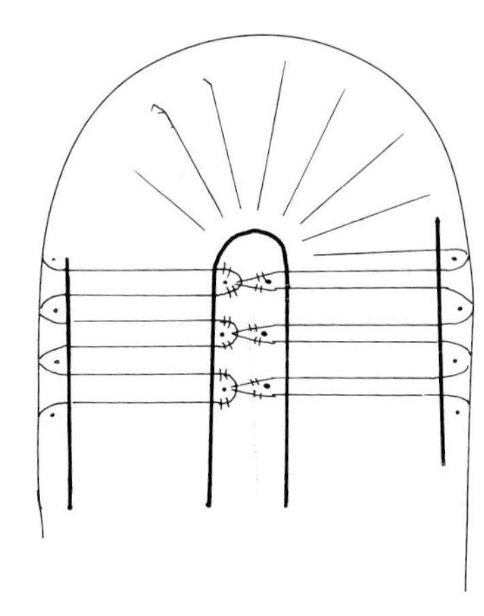

Diagram 51

7. Nerve

a. 2 Lp im L. kreuzen Fig. 49
Es gibt zwei Möglichkeiten zwei Laufpaare zu bilden Fig 17 und 18

b. Bei der ersten Hälfte des Blattes (A) wird eine Nadel unter dem Lp gesetzt Fig. 50 Das Lp wird 4x gedreht. An der anderen Seite wird eingehäkelt (B). Bevor und nachdem Einhäkeln wird 2x gedreht.

c. Ein K hinzufügen. Fig. 51

d. Gerollter Nerv Fig. 38

e. Gerollter Nerv mit offener Verbindung Fig. 52

f. Formschläge, mit oder ohne Konturpaar Fig. 53

7. Nerven

a. 2 lp in lsl klossen, tek. 49
Er zijn 2 manieren om 2 lprn te creëren tek 17 en 18

b. bij de 1e helft van het blad (A) speld onder lp zetten. (tek. 50) Het lp wordt 4x gedr. Aan de andere kant (B) hierin aanhaken. Voor en na het aanhaken 2x dr.

c. Er kan ook een cp meegewerkt worden. tek. 51

d. Gerolde nerf tek. 38

e. Gerolde nerf met open verbinding tek. 52

f. Moesjes, wel of niet geaccentueerd door contourdr tek. 53.

7. Nervures

Il y a plusieurs façons de faire des nervures:

a. Deux voyageurs se rencontrent en point toile (diag 49). Il y a 2 façons de prendre 2 paires de voyageurs (diag 17 & 18).

b. (Voir diag 50 a & b).Au cours de la première moitié A, les voyageurs sont tordus 4 fois autour de l'épingle centrale. Au retour en B on fait des accrochages plats en tordant 2 fois les voyageurs avant et après l'accrochage. Mettre une seconde ligne d'épingles.

c. Une paire cordon peut être ajoutée (diag 51).

d. La nervure est soulignée d'un rouleau (diag 38).

e. Le rouleau peut faire des ajours (diag 52).

f. Des points d'esprit carrés entourés ou non par un cordon (diag 53).

e. Rolled vein with open joining (diagram 52)
f. Tallies - accentuated, or not, by a gimp pair (diagram 53).
g. Zigzag veins
i) Zigzag vein: 1 (diagram 54).

Usually the sewings are made into the pinhole. By sewing between 2 pinholes a zigzag line is created. This is even more effective if the edge pair is twisted 3 times instead of twice.

New weavers have to be sewn in at the top of the vein. At the bottom of the vein the weavers are worked through the untwisted vein pair, sewn into the pinhole and left as passives.

ii) Zigzag vein: 2 (diagram 55).

Two weavers are used alternately. They are left twisted in the middle, supported by a pin.

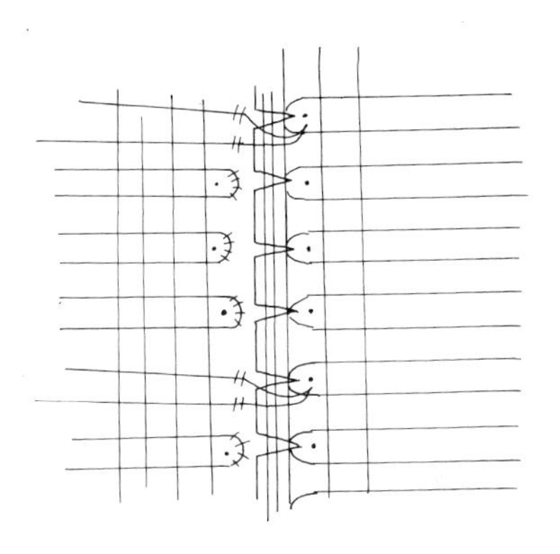

Diagram 52

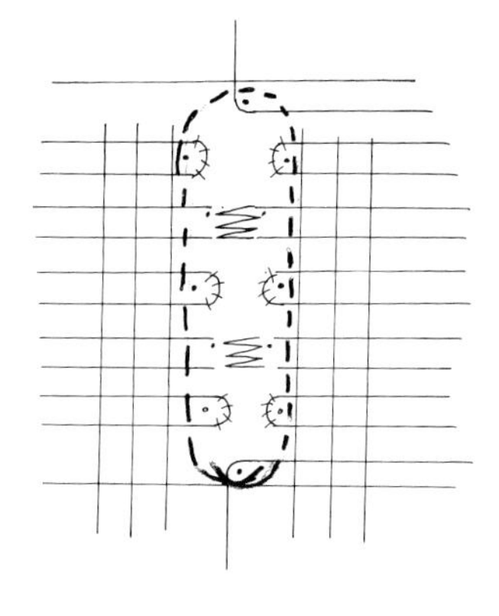

Diagram 53

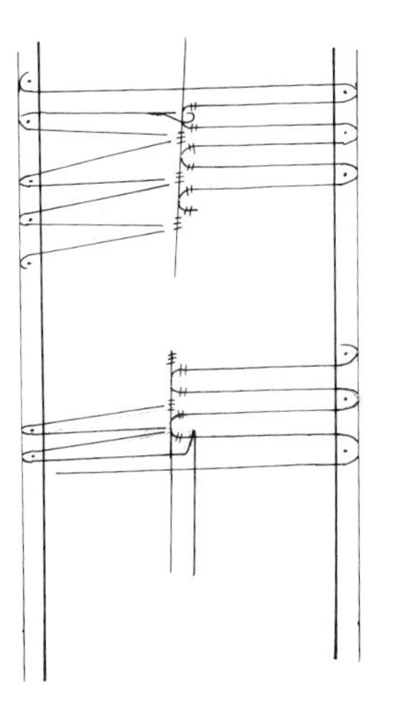

Diagram 54

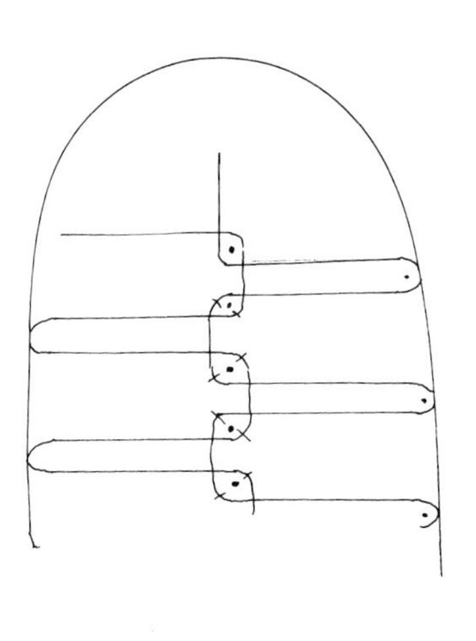

Diagram 55

g. (i) Zickzack Nerv: 1 Fig. 54

Gewöhnlich wird in einem Nadelloch eingehäkelt. Wenn man jedoch zwischen zwei Nadellöcher einhäkelt, entsteht eine Zickzacklinie. Diese Linie zeigt sich deutlicher wenn das Randpaar eine extra Drehung bekommt. Photo. Ein neues Lp muss oben im Nerv angehakelt werden. Unten wird das Lp angehakelt, nachdem die Drehungen aus dem Randpaar genommen wurden und hierdurch geklöppelt wurde.

(ii) Zickzack Nerv - 2 Fig. 55

Zwei Lp werden gebildet. Sie werden in der Mitte mit einer Nadel hintergelassen.

g. (i) Zigzag nerf: 1, tek. 54

Gewoonlijk wordt er in een speldengaatje aangehaakt. Wanneer er echter tussen de speldengaatjes aangehaakt wordt, ontstaat een zigzag lijn. Deze lijn wordt duidelijker, wanneer het randslagpr een extra draai krijgt. Een nieuw lp wordt botenaan de nerf ingehaakt. Onderaan de nerf wordt het lp door het randslagpr, waaruit de dr gehaald zijn, geklost en aangehaakt.

(ii) Zigzagnerf - 2, tek. 55

2 lopers worden afwisselend gebruikt. In het midden blijven ze 1x gedr, met een speld, liggen.

g. En zigzag

(i) Nervure zigzag n°1: (diag 54).

Contrairement à l'habitude qui veut qu'un accrochage soit fait dans le trou d'une épingle, on fera l'accrochage entre 2 épingles. Ce qui crée un zigzag. L'effet en sera renforcé lorsque la paire de bordure a été tordue 3 fois au lieu de 2.

Une nouvelle paire de voyageurs est ajoutée au départ de la nervure. A la fin de la nervure, les voyageurs traversent la paire- nervure détordue et sont accrochés dans le trou d'épingle, puis deviennent passive.

(ii) Veine zigzag n°2: (diag 55)

On utilise 2 voyageurs alternativement. On les laisse ensuite en attente, tordus, au milieu, sur une épingle de support.

h. Double gimp thread (diagram 56).
This pair is first worked in cloth stitch. Then the weavers are laid between the gimp threads and the gimp threads are twisted once.

i. Passive pairs are used as a vein (diagram 57).
With both veins h. and i., the weavers may be twisted once after the neighbouring pair has been worked.

8. Round-topped leaves

A leaf with a round top can be worked in various ways:

a. Cloth stitch, with or without extra twists (diagrams 58 & 59).
b. Half stitch (diagram 60).
c. Cloth stitch with decorative short rows (diagram 61).

A leaf can be interpreted in different ways. See diagram 62 and photographs 2, 3, 4.

Withof – Corners

There are 2 ways to work precise corners.

1. In a braid

(See diagrams 63, 64 & 65).

The braid is worked up to the dotted line. From this point until the corner, setting up pins are inserted, each with 2 pairs. The pairs are joined (diagram 72). The gimp pair is worked through the new pairs and the passive pairs are worked through as in the diagram. It is important to keep the structure in the corner similar to the structure in the braid.

2. In a clover leaf

For an example of this working, see pattern 11 and photograph 50.
(See diagram 66.)

h. **DK Faden einlegen** fig. 56
Dieses Paar wird zuerst im L geklöppelt. Danach wird das Lp zwischen den Fäden gelegt, und die K Fäden werden 1x gedreht.
i. **Paare aus dem Motiv als Nerv benutzen** Fig. 57
In den beiden Nerven (h und i) kann das Lp nochmal gedreht werden, wie gezeigt.

8. Ein Blatt mit rundem Kopf kann auf verschiedenen Weisen geschmuckt werden

a. Leinenschlag, mit oder ohne extra Drehungen Fig. 58-59
b. Halbschlag Fig. 60
c. Leinenschlag mit verkürzten Schmuckreihen Fig.61

Ein Blatt kann auf verschiedenen Weisen interpretiert werden. Fig. 62, Photo 2, 3, 4

ECKEN

Es gibt zwei Möglichkeiten schöne Ecken zu klöppeln:

1. In einem Bändchen Fig. 63-64-65
Das Bändchen wird bis an die gestrichelte Linie geklöppelt. Von dieser Linie bis zur Spitze werden Anfangsnadeln gesetzt mit je 2 Paaren. Die Paaren werden verbunden (Fig. 82). Das K und die Rp werden geklöppelt wie gezeigt. Es ist wichtig die Struktur in der Ecke ebenso wie vorher zu behalten.

2. In einem Kleeblatt wie im Muster 11 Fig. 66

h. **Dubbele contourdraad inleggen tek. 56**
Het contour wordt eerst met lsl vastgelegd. Daarna wordt het lp tussen de contour draden gelegd, waarna de contour 1x gedraaid wordt.
i. Paren uit het werk als nerf gebruiken tek. 57
Bij beide nerven (i en j) kan n· het naastliggende staande pr het lp 1x gedraaid worden.

8. Blaadjes met ronde kop
Een blaadje met ronde kop kan ook op verschillende manieren versierd worden.

a. Linnenslag met of zonder extra draaien tek. 58-59
b. Netslag tek. 60
c. Linnenslag met versierende verkorte toer tek. 61

Een blaadje kan op verschillende manieren geïnterpreteerd worden. Tek 62 foto 2, 3, 4

HOEKEN

Op twee manieren kunnen we mooie hoeken klossen.

1. In een bandje. Tek. 63-64-65
Het bandje wordt tot de stippellijn geklost. Vanaf hier tot aan de punt worden opzetspelden gezet met elk 2 pr. De prn worden verbonden (tek. 82). Het cp wordt doorgevoerd en de st prn zoals de tekening het laat zien. Het is belangrijk om de structuur in de hoek net zo te houden als in de rest van het bandje.

2. In een klaverblaadje zoals in patr. 11 Tek. 66.

h. **Nervure en double cordon** (diag 56)
Au départ, cette paire est traversée en point toile. Ensuite on fait un passage des voyageurs entre les 2 cordons qui seront tordus 1 fois.
i. Une passive peut faire cet usage (diag 57)
Pour ces deux exemples, on peut ajouter 1 torsion sur les voyageurs après et avant la passive adjacente.

8. Sommets de feuille arrondis
Plusieurs façons:

a. Point toile avec ou sans ajout de torsion (diag 58 & 59)
b. Grille (diag 60)
c. Point toile et rangs raccourcis décoratifs (diag 61)

Une feuille peut être interprétée de différentes manières. Voir diag. 62 et photo 2, 3, 4.

LES ANGLES

Il y a 2 façons de tourner un angle précis.

1. Dans un lacet Voir diag 63, 64, 65.
Travailler le lacet jusqu'à la ligne pointillée. Ajouter des épingles de départ sur la pointe avec 2 paires chacune. Commencer le montage en ligne (diag 82). La paire cordon traverse les nouvelles paires, et les passives aussi, comme sur le diagramme. On garde la même densité de tissage par le rejet de certaines passives.

2. Dans une feuille de trèfle
Voir modèle 11 et diag 66.

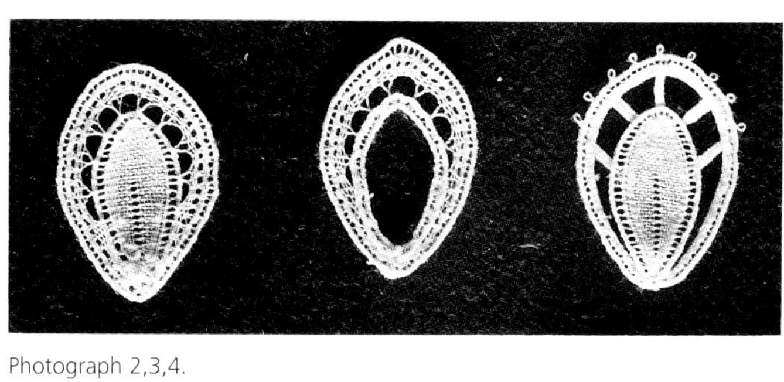

Photograph 2,3,4.

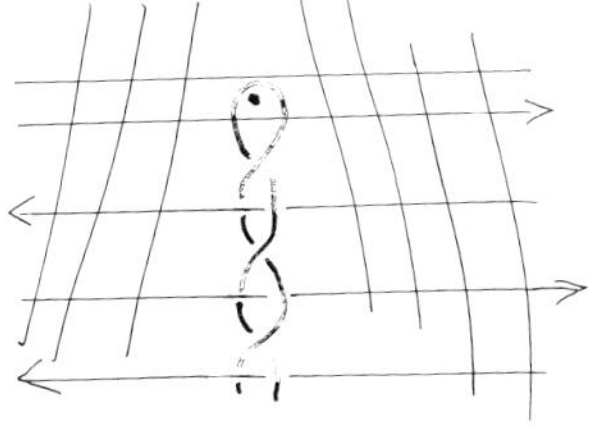

Diagram 56

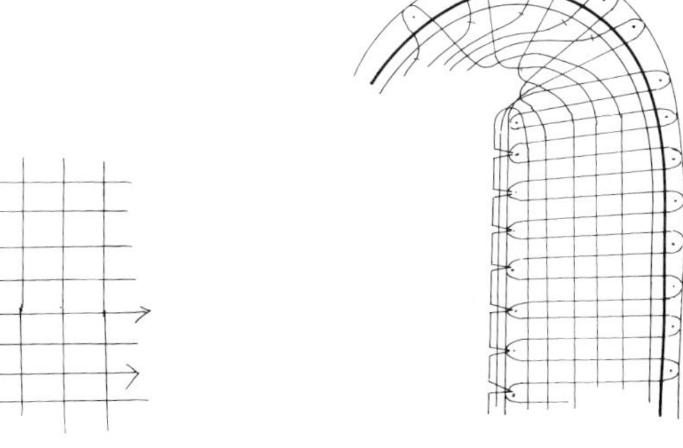

Diagram 57

Diagram 58

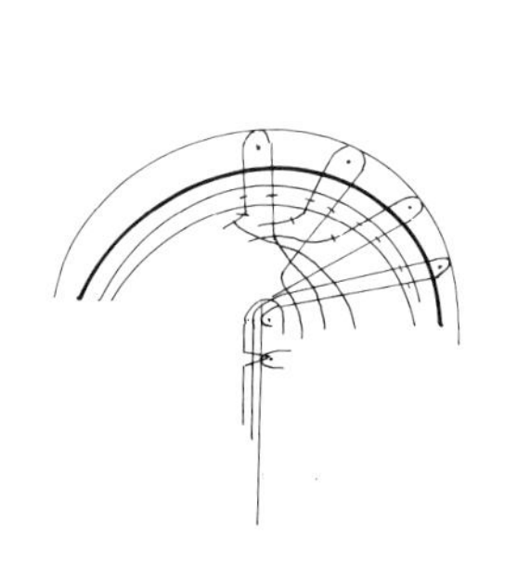

Diagram 59

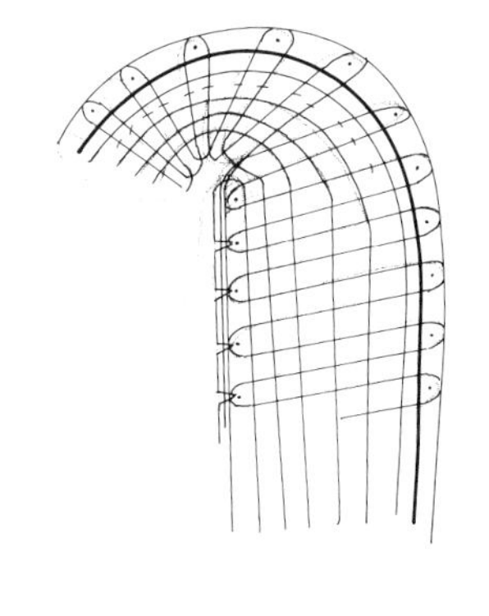

Diagram 60

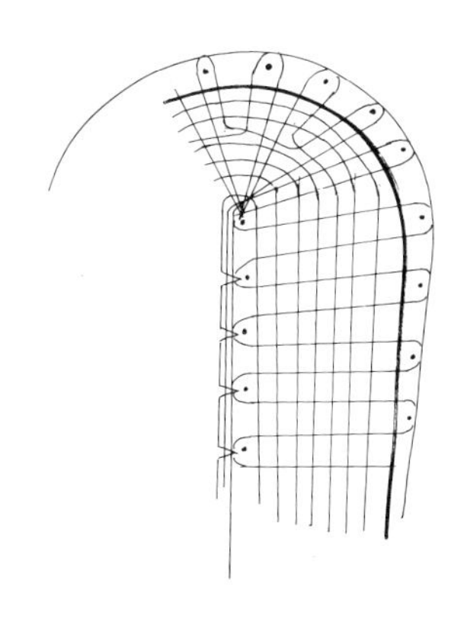

Diagram 61

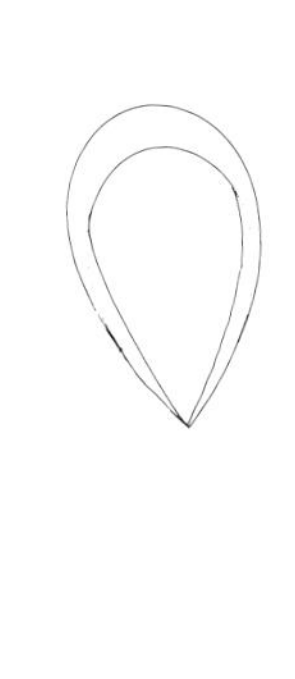

Diagram 62

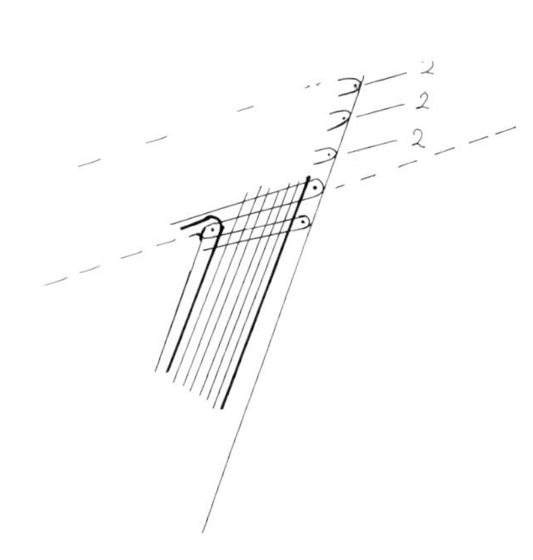

Diagram 63

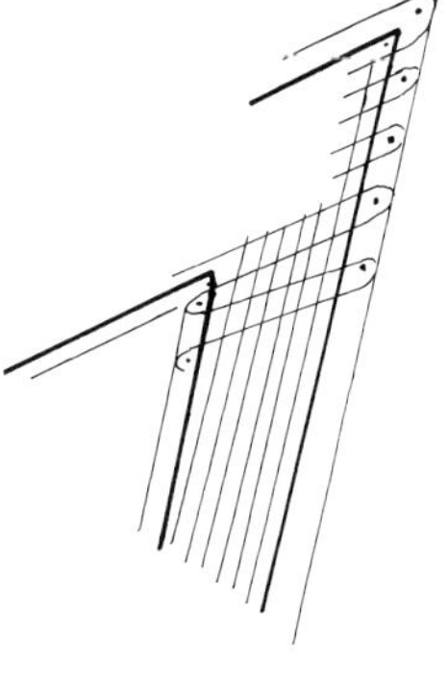

Diagram 64

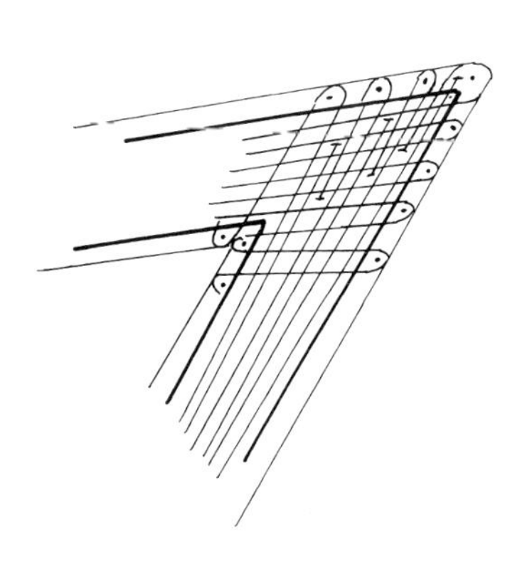

Diagram 65

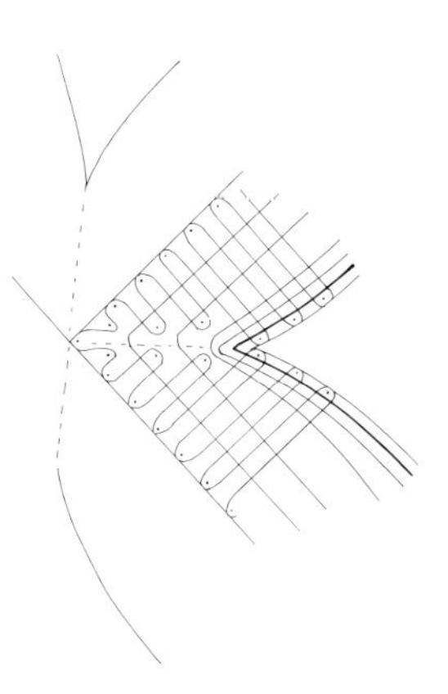

Diagram 66

Withof – Round Setting Up

This technique applies only to Withof, and has therefore been included with the other Withof techniques. Please note, however, that lacemakers should be confident with straight setting up before embarking on round setting up.

The pins are set between the marked points. The pairs are joined as they are for the straight setting up. All pairs are twisted once more. This prevents the pinholes from closing.

A double gimp pair is added, and also passive pairs in the same way as the double gimp pair (diagram 67). There are various ways to start the curve. This depends on the shape (diagram 68). Add as many pairs as needed.

Double-sided setting up: 1

Often it is more attractive to start a curve with a double-sided setting up, if for example a head with an eye has to be worked (diagram 69). See pattern 19. The unattached bird has a round setting up (photograph 5). The same bird in the pattern Courtship, page 102, has a double-sided setting up.

Pins are set from the edge to the eye.The pairs are laid between the pins (diagram 70). See also double sided setting up (page 50, diagram 117).

An edge stitch is worked with the two outer pairs. Set a pin and work through the passives; make an edge stitch at the eye. Decorative short rows have to be made to work the curve.

Continue until the bottom of the eye.

Take out the setting up pins and work the other side until the whole width can be worked. If needed, new pairs may be added.

Underneath the eye, the two inner edge pairs make an edge stitch with a pin. These pairs become passive pairs.

One of the weavers becomes a passive pair.

Continue the motif.

Double-sided setting up: 2

The same setting up is used as in Double-sided setting-up: 1, but on the marked spot (diagram 71) decorative short rows are needed to work the curve of the head. The eye can be worked with an edge stitch (diagram 72). After the eye has been closed, the pairs that have not yet been worked must be taken out, as there is no use for those extra pairs (diagram 73).

By setting up in this way, there is no joining and the structure appears seamless (photograph 25).

RUNDER ANFANG

Diese Technik wird nur in Withof benutzt, daher ist die hier aufgenommen. Es est aber zu empfehlen zuerst die Gerade Anfang sich eigen zu machen.

Die Nadeln werden gesetzt zwischen den angegebenen Stellen. Verbinden wie beim geraden Anfang. Alle Rp werden 1x extra gedreht um zu vermeiden dass die Löcher verschwinden.

Es wird ein DK hinzugefügt und 2 Rp wie das DK. Fig. 67. Durch die Form bedingt können wir auf verschiedenen Weisen mit der Rundung anfangen. Fig. 68. Sofort Paare hinzufügen.

Offener Anfang - 1

Wenn z.B. ein Kopf mit einem Auge geklöppelt werden muss (Fig. 69), fängt man so an. Muster 19. Das einzelne Vögelchen hat einen runden Anfang (Photo 5). Dasselbe Vögelchen, im Muster Courtship hat einen offenen Anfang.

Vom Rand bis zum Auge werden Nadeln gesetzt über welche die benötigte Anzahl Paare gehängt wird. Fig. 70. Sehen Sie auch Offener Anfang (Seite 50, Fig 117).

Ein Randschlag mit den beiden äusseren Paaren - Nadel - L durch alle Rp und einen Randschlag beim Anfang des Auges. Verkürzte Reihen mit Schmucklöcher sind wegen der Rundung notwendig!

RONDE OPZET

Deze techniek wordt alleen in Withof gebruikt en daarom is dit hoofdstuk hier geplaatst. Het is echter raadzaam eerst de Rechte Opzet te werken alvorens hieraan te beginnen.

De spelden worden tussen de aangegeven plaatsen gezet. Vastleggen zoals bij de rechte opzet. Alle paren worden 1x extra gedr. Dit voorkomt het dichtslibben van de speldengaatjes.

Er wordt een dcp toegevoegd en gewone staande paren op dezelfde manier als het dcp. tek.67. Afhankelijk van de vorm kunnen we op verschillende manieren de ronding beginnen (tek. 68). Paren toevoegen zoveel als nodig.

Tweezijdige opzet -1

-Wanneer er b.v. een kop met oog geklost moet worden, (tek. 69) is het vaak mooier een ronding met tweezijdige opzet te beginnen. Zie patroon 19. Het losse vogeltje heeft een ronde opzet. (foto 5). Hetzelfde vogeltje in het patroon Courtship (blz 50) is met tweezijdige opzet begonnen.

Van de rand tot aan het oog worden spelden gezet. Hierom worden de paren gehangen. Tek. 70. Zie ook tweezijdige opzet (tek. 117, biz 50).

Klos een randslag met de 2 buitenste paren. Zet een speld en klos door de rest van de paren - een randslag bij het oog.

DÉPARTS ARRONDIS

C'est une caractéristique typique des techniques en Withof. Il vaut mieux être tout à fait à l'aise dans le départ droit en Withof avant d'essayer le départ arrondi.

Placer les épingles entre les astérisques. On relie les paires comme en départ droit. Les paires sont tordues une fois de plus. Ce qui donne un peu de marge entre les épingles.

Traverser les paires avec une paire cordon double (diag 67). Ensuite il y a plusieurs façons de commencer l'arrondi. Tout dépend de sa forme (diag 68). Ajoutez des passives autant que nécessaire.

Départ en double sens n° 1

Il est souvent préférable de faire un départ double sens sur un arrondi comme dans le cas d'un profil avec un oeil (diag 69). Voir le modèle 19. L'oiseau en bas a un départ en rond (photo 5). Le même oiseau, sur le modèle Courtship page 102, a un départen double sens.

Les épingles sont placées du bord extérieur jusqu'au niveau de l'oeil. Les paires sont posées à l'horizontale (diag 70). Voir aussi le départ à l'horizontale (diag. 117, page 50).

Faire le point de bordure avec les 2 paires extérieures au sommet. Mettre une épingle et traverser les passives pour aller faire un point de bordure à l'oeil. Travailler en rangs raccourcis en fonction de la courbe.

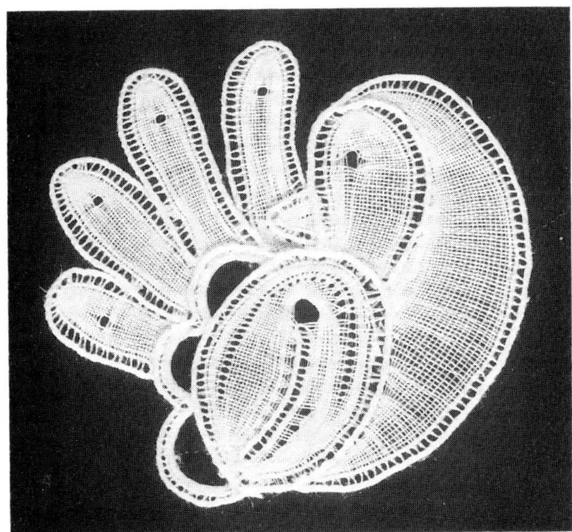

Photograph 5

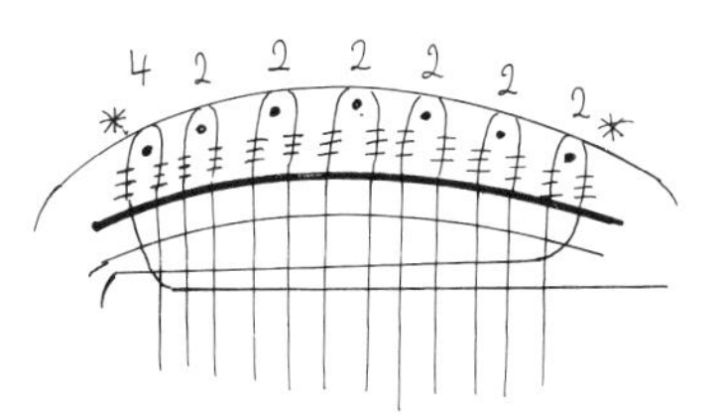

Diagram 67

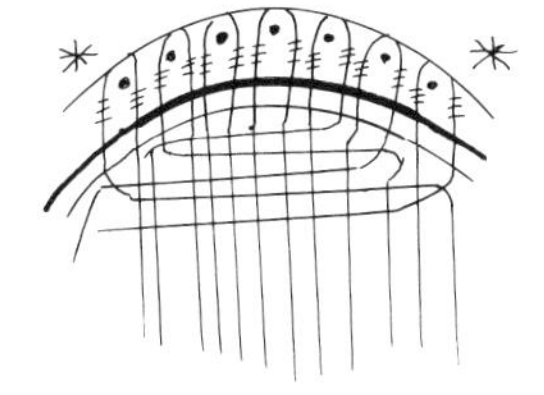
Diagram 68

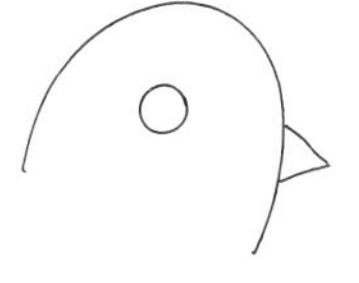
Diagram 69

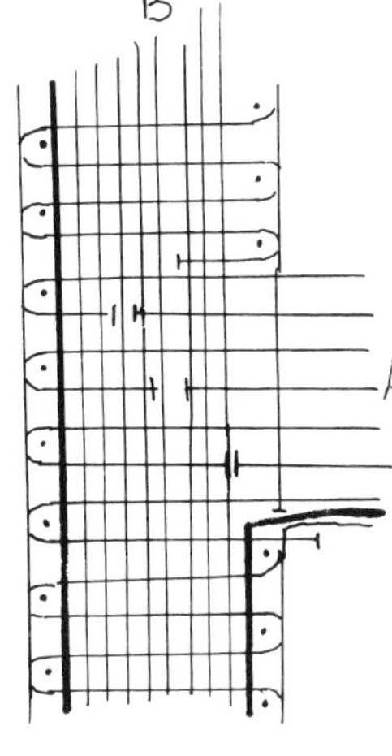

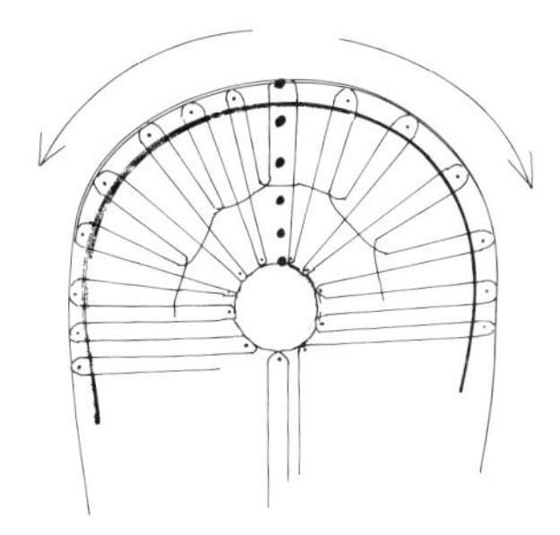
Diagram 70

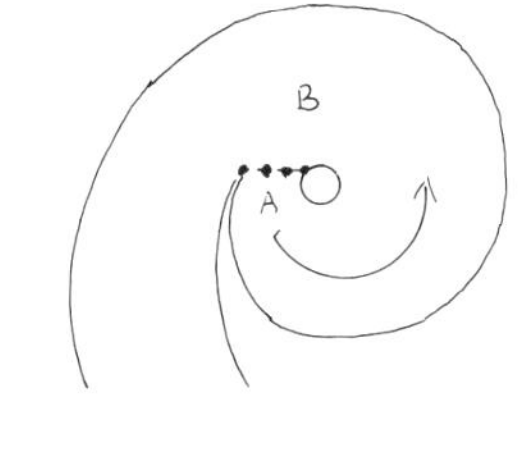

Diagram 71

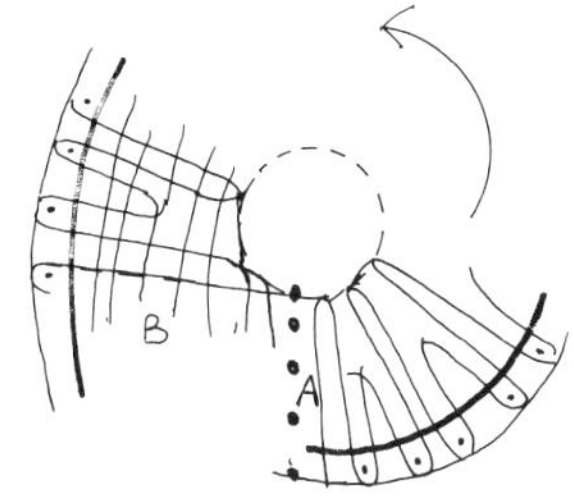

Diagram 72

Diagram 73

Bis zum Ende des Auges klöppeln.

Anfangsnadel herausziehen und die andere Seite auf dieselbe Weise klöppeln, bis man unter dem Auge die ganze Breite klöppeln kann.

Inzwischen muss gut aufgepast werden ob neue Paare hinzugefügt werden müssen. Unter dem Auge werden die beiden Randpaare verbunden mit einem Randschlag mit Nadel. Diese Paare werden Rp.

Eines der Laufpaare wird Rp.

Die Fortsetzung des Motives wird keine Probleme geben.

Offener Anfang: 2

Es wird auf dieselbe Weise angefangen wie bei -1, aber auf der angegebenen Stelle (Fig. 71). Auch hier braucht man verkürtzte Reihen mit Schmucklöcher um die Rundung des Kopfes klöppeln zu können.

Das 'Auge' kann auf dieselbe Weise geklöppelt werden (Fig. 72). Nachdem das Auge geschlossen ist, müssen die Paare mit denen noch nicht geklöppelt wurde, herausgenommen werden. Es wären sonst zu viele Paare im Bändchen. Wenn man anfängt wie angegeben, entsteht keine Naht in der Arbeit. Es ist wichtig die Struktur zu behalten. Fig. 73, Photo 25

Versierende verkorte toeren moeten geklost worden om de ronding te kunnen werken.

Tot aan de onderkant van het oog klossen.

Opzetspelden weghalen en de andere kant klossen tot waar over de hele breedte gewerkt kan worden. Intussen opletten of nieuwe paren toegevoegd moeten worden. Onder in het oog worden de randslagparen verbonden met een randslag en speld. Deze paren worden staande paren (tek. 131.)

Eén van de lp wordt staand pr.

Het vervolg van het motief brengt geen problemen met zich mee.

Tweezijdige opzet: 2

Er wordt op dezelfde manier opgezet als bij -1, maar op de aangegeven plaats. (Tek. 71) Ook nu moeten versierende verkorte toeren geklost worden om de ronding van de kop te klossen. Het 'oog' kan op dezelfde manier geklost worden (met een rechte randslag), tek. 72. Nadat het oog gesloten is, moeten de paren waarmee nog niet is geklost, uitgelegd worden omdat al die extra paren niet in het bandje gebruikt kunnen worden. Alleen door zo op te zetten, komt er geen naad in het werk. De structuur moet gelijk blijven. tek. 73. foto 25

Continuer jusqu'à la base de l'oeil.

Retirer les épingles temporaires de départ et travailler de l'autre coté jusqu'à travailler sur toute la largeur. Si besoin, ajouter des passives.

Sous l'oeil, les 2 paires de bordure se travaillent en point de bordure avec une épingle. Ces paires deviennent passives.

Un des voyageurs est accroché et devient passive.

Continuez le motif.

Départ en double sens n° 2

Même départ qu'en n° 1 mais on commence par un rang raccourci sur la ligne pointillée (diag 71). Faire des rangs raccourcis pour tourner. On peut faire un point de bordure pour marquer l'oeil (diag 72). Une fois l'oeil fermé, sortir les paires qui deviennent superflues (diag 73).

De la sorte il n'y a pas d'accrochage, et la densité est uniforme (photo 25).

Double-sided setting up: 3

Peacock's eye: 1

(See diagram 74 and photograph 6.)

(a) A rib with 6 pairs is worked. Set up on 2 pins as in diagram 74. The rib is closed and may be rolled (diagrams 107 and 108, photograph 7). Four pairs are left at the setting up pin. The remaining 2 pairs are sewn on either side of the pin in the pinholes and are left (diagram 75).

If the rib has been rolled, the sewings have to be made in the side bars.

The double-sided setting up can now be started. The weavers should be sewn into the rib (diagram 75). Decorative short rows should be worked to go around the curve. Pairs should be added as needed. Continue until both sides meet. One of the weavers is sewn in and used as passive pair and the other weavers are worked through all the pairs once. In the next rows, the 4 pairs in the centre of the rib will form a vein when they are laid between the weavers, after which these pairs are twisted (diagram 76).

When you are happy with the length of the vein, these pairs may be worked in cloth stitch.

(b) A rib could be worked with 4 pairs (set up on one pin). After the rib has been closed, 2 pairs are left for the vein. The other 2 pairs are sewn in on either side of the setting up pin.

(c) Instead of working a gimped vein, the part underneath the eye could be worked as the rolled vein, as in diagram 38.

Peacock's eye: 2

The edge pair of the rib is twisted 3 times.

The sewing into the rib is made between the edge stitches (diagram 77).

In pattern 12 the rib has an oval shape. The edge pair is twisted 3 times. (Photograph 7.)

Double-sided setting up in braids

A more beautiful finishing is obtained if one uses double-sided setting up, when a braid forms a circle. Take careful note of where the braid has to be finished.

Some pairs can be taken out. Other pairs have to be tied, using one thread with an opposite thread. The edges should be rolled (diagram 78).

Offener Anfang: 3
Pfauenauge: 1

Fig. 74, Photo 6

(a) Zuerst wird eine Rippe (6 Paare) geklöppelt, wobei an der Unterseite angefangen wird. Die Rippe wird geschlossen. Eventuell kann die Rippe gerollt werden. Fig. 107–108, photo 7.

Bei der Anfangsnadel bleiben 4 Paare liegen. Diese Paare werden im Nerv benutzt Die beiden anderen Paare werden in den Rand auf beider Seiten der Anfangsnadel eingehäkelt und liegen gelassen. Fig. 75

Falls die Rippe gerollt wurde, werden diese Paare natürlich an den Stege eingehäkelt.

Offener Anfang. Es wird immer in die Rippe eingehäkelt, Fig. 75. Auch müssen wegen der Rundung die schmückenden verkürzten Reihen geklöppelt werden. In der Rundung an der Unterseite der Rippe, werden neue Paare eingehäkelt.
Weiterklöppeln bis beide Seiten einander begegnen. Ein Lp wird eingehäkelt und als Rp benutzt. Mit dem anderen Lp wird einmal durch alle Rp geklöppelt. Bei den nächsten Reihen werden die 4 Paare der Rippe zwischen das Lp gelegt und gedreht. Fig. 76. So entsteht der Nerv.
Nach beenden des Nerves werden die 4 Paare als Rp weiterverwendet.

(b) Die Rippe kann mit 4 Paaren geklöppelt werden (1 Anfangsnadel). Nach dem Schliessen der Rippe bleiben 2 Paare übrig für den Nerv. Die anderen zwei Paare werden links und rechts eingehäkelt.

(c) Statt Rp als Nerv zu benutzen, kann eine

Tweezijdige opzet -3
Pauwenoog: 1 Tek. 74 + foto 6

(a) Er wordt eerst een ribje (6 prn) geklost. Aan de onderzijde wordt opgezet. Het ribje wordt gesloten. Eventueel kan het ribje gerold worden. Tek. 107–108, foto 7. 4 prn blijven bij de opzetspeld hangen. De overige 2 prn worden aan weerszijden van deze speld in de speldengaatjes aangehaakt en laten liggen. tek. 75.

Indien het ribje gerold wordt, wordt er natuurlijk aan de pootjes aangehaakt.

Nu de tweezijdige opzet beginnen, waarbij steeds aan het ribje aangehaakt wordt. tek. 75. Ook nu weer versierende verkorte toeren klossen. In de ronding aan de onderkant van het ribje worden nieuwe paren ingehangen. Doorklossen tot beide zijden bij elkaar komen. Eén lp wordt ingehaakt en als staand paar gebruikt, met het andere wordt 1 keer door alle paren geklost. Bij de volgende toeren worden de 4 prn van het ribje als nerf tussen het lp gelegd en gedraaid. tek. 76.
Na verloop van tijd kunnen deze paren weér gewoon in lsl geklost worden.

(b) Er kan natuurlijk ook een ribje met 4 prn (op 1 speld opzetten) geklost worden. Na het sluiten, blijven 2 paren voor de nerf over. De andere twee prn worden links en rechts aangehaakt.

(c) In plaats van de paren van het ribje te gebruiken als herf, kan een deel hiervan gebruikt worden om de rechte randslag te klossen–deze te rollen en aan de andere zijde aan te haken. Zie tek. 38.

Départ en double sens n° 3
L'oeil de paon n°1

(Voir diag 74 et photo 6).

(a) Faire un lacet contour avec 6 paires (diag 74). Le lacet peut être fermé et serti d'un rouleau (diag 107 & 108, photo 7).
On garde 4 paires sur l'épingle de départ.
Les autres paires sont accrochées à plat d'un côté ou de l'autre de cette épingle (diag 75). Elles restent en attente.

Si on a fait un rouleau, on fera bien sûr un accrochage relief.

On peut alors commencer le départ en double sens. Les voyageurs s'accrochent sur l'oeil (diag 75).
Utiliser les rangs raccourcis. Ajouter autant de passives que nécessaire. Continuer jusqu'au point de jonction des deux côtés. Un des voyageurs devient passive après accrochage. L'autre traverse toutes les paires.
Puis, avec les 4 paires centrales, former une veine façon double cordon (voir diag 76).

Les travailler ensuite en point toile quand vous le jugez bon.

(b) Un lacet contour peut être fait avec 4 paires (montées sur la même épingle). Une fois le rond fini, 2 paires font la nervure, les 2 autres sont accrochées d'un côté ou de l'autre.

(c) Au lieu de faire une nervure avec un cordon, la partie sous l'oeil peut être travaillée comme une nervure avec rouleau (diag 38).

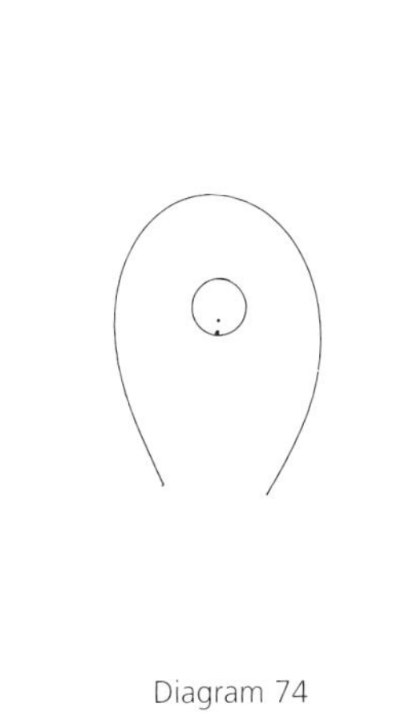

Diagram 74

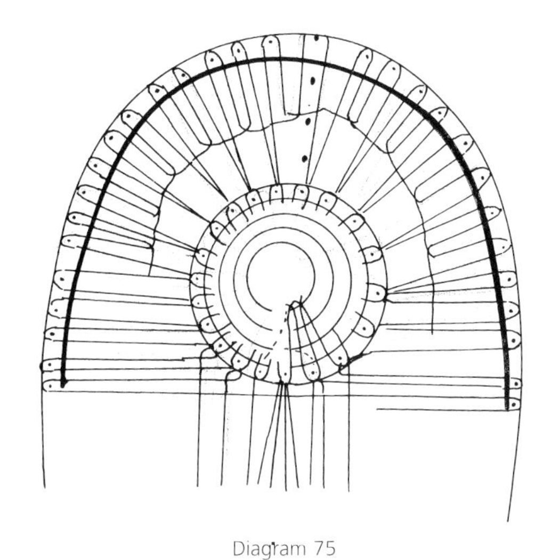

Diagram 75

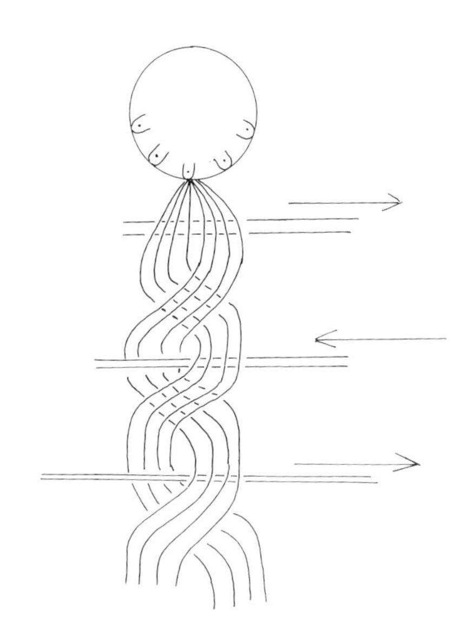

Diagram 76

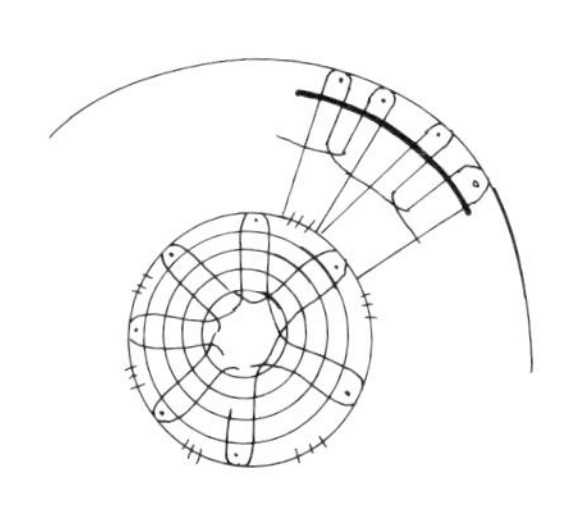

Diagram 77

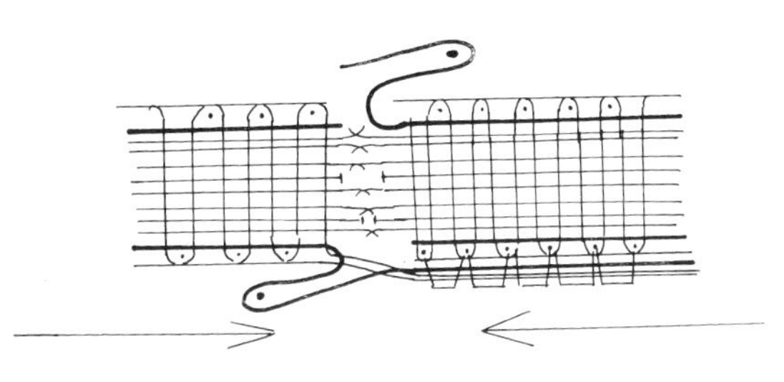

Diagram 78

Hälfte mit einem Randschlag geklöppelt werden, zurückgerollt und danach wird die zweite Hälfte geklöppelt, wie in Fig. 38.

Pfauenauge: 2
Eine Variation auf der Rippe: beim Randschlag wird das Paar das liegen bleibt 3x gedreht. Beim einhäkeln in der Rippe wird zwischen den Randschlägen eingehäkelt Fig. 77

Im Muster 12 hat die Rippe eine ovale Form.

Offener Anfang in Bändchen
Wenn, wie in einem Kreis, ein Bändchen beendet werden soll im Anfang, so ist es schöner offen anzufangen. Aufpassen wo geendet werden soll.
Wenn die beiden Seiten zusammen kommen, werden manche Paare herausgelegt. Andere werden verknotet und abgeschnitten; jeweils: ein Faden mit einem gegenüberliegenden Faden. Dann wird gerollt. Fig. 78

Pauwenoog: 2
Het ribje kan ook geklost worden met een randslag waarvan het paar dat blijft liggen, 3x gedraaid wordt.
Bij het inhaken in het ribje wordt tussen de randslagen ingehaakt. tek. 77.

In patroon 12 heeft het ribje een ovale vorm.

Tweezijdige opzet in Bandjes
Wanneer, zoals in een cirkel, een bandje afgehecht moet worden in de opzet, is het mooier tweezijdig op te zetten. Goed opletten waar het bandje geëindigd moet worden.
Een aantal paren kan uitgelegd worden.
Andere paren worden afgeknoopt. Per draad steeds met een tegenoverliggende draad. Dan wordt gerold. tek. 78.

L'oeil de paon n°2
Tordre 3 fois la paire bordure du lacet contour.
Les accrochages se feront entre les trous d'épingles (diag 157).
Dans le modèle 12, le lacet contour a une forme ovale. La paire de bordure est tordue 3 fois.

Départ en double sens avec lacets
Pour faire un cercle choisir de préférence le départ en double sens. Bien situer la jonction.
On peut sortir des paires. D'autres peuvent être nouées en prenant un fil et un fil opposé. Ensuite, il est possible de faire un rouleau de bordure (diag 78).

Corners

Setting up pins should be set on both sides of the corner, so that an imaginary straight line runs from the inner corner to the outside edge.

Hang 4 pairs around the centre pin, 2 pairs round the other pins (diagram 79). From the centre to the left, work as for straight setting up, beginning with cloth stitch, twist twice, and so on, and to the right twist twice,and so on. See pages 41 and 42.

The pairs are joined and a double gimp pair is added. From the centre the pairs are worked in cloth stitch until the inner corner is reached. Here a double gimp pair and 2 edge pairs are added (diagram 80).

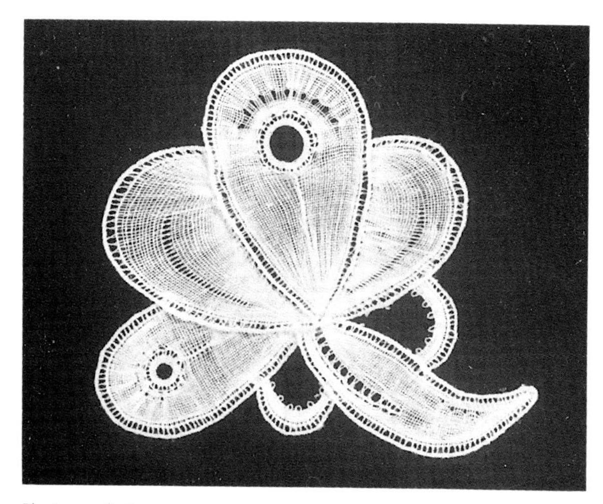

Photograph 6

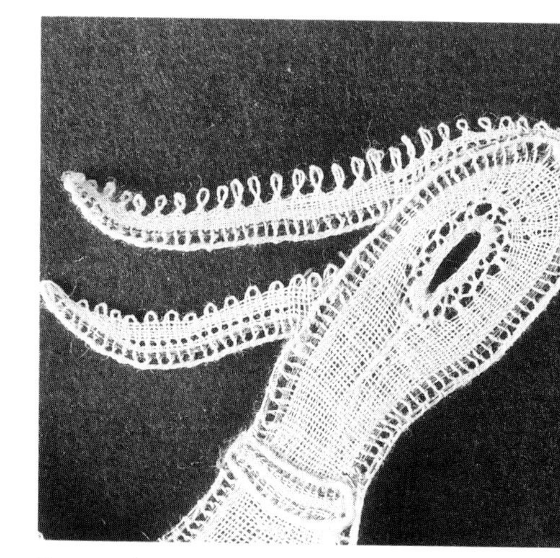

Photograph 7

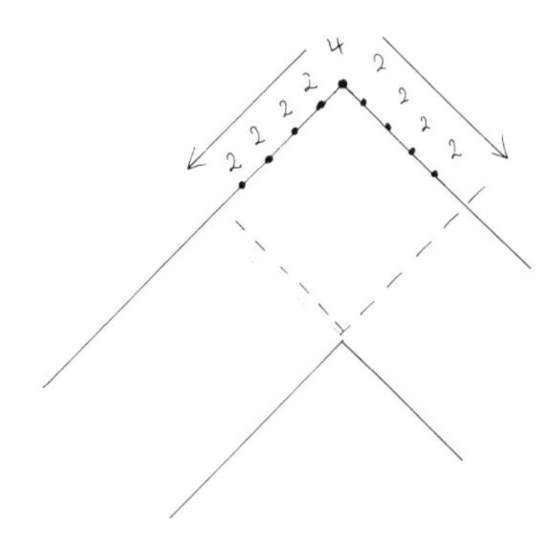

Diagram 79

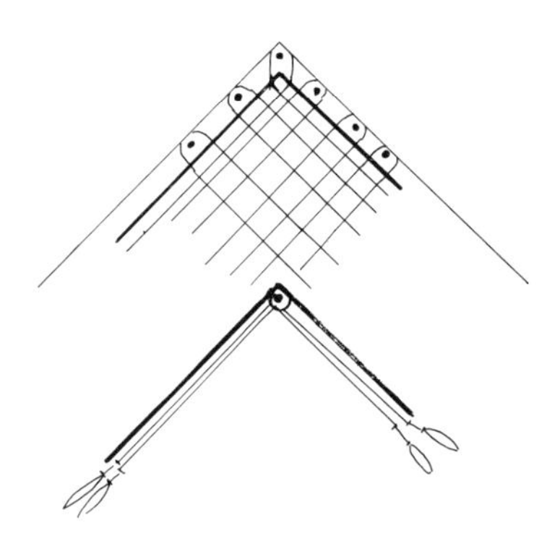

Diagram 80

Ecken

An beiden Seiten einer Ecke werden Anfangsnadel gesetzt, derartig, dass von der Innenecke aus nach der Aussenecke eine gerade eingebildete Linie gezogen werden kann.

4 Paare auf der Mittelnadel. 2 Paare auf den Übrigen (Fig. 79). Von der Mitte aus nach links (L 2x dr) und nach rechts (2x dr) wird verbunden. Ein DK hinzufügen (Seite 41, 42).

Von der Mitte aus werden die Paare im L geklöppelt bis die Innenecke erreicht ist. Hier wird ein DK und 2 Randpaare hinzugefügt. Fig. 80

Hoeken

Aan beide zijden van de hoek worden opzetspelden gezet, zodat vanuit de binnenhoek naar de buitenrand een een rechte denkbeeldige lijn getrokken kan worden.

4 paren om de middelste speld, 2 paren om de andere spelden. (tek. 79). Vanuit het midden naar links (lsl 2x dr enz.) en naar rechts (2x dr enz.) worden de paren vastgelegd en een dcp wordt toegevoegd (biz 41, 42).

Vanuit het midden worden de prn in lsl door elkaar geklost tot de binnenhoek bereikt wordt. Hier wordt een dcp toegevoegd en 2 randslagprn. Tek. 80

Départ sur les angles

Mettre des épingles de départ au carré sur les 2 côtés de l'angle. Une ligne pointillée imaginaire vous guide.

Au sommet mettre 4 paires, 2 sur les autres (diag 79). Du centre vers la gauche, faire un départ droit. Commencer par le point toile, 2 torsions, etc. A droite commencer par 2 torsions, etc. Voir pages 41 et 42.

Faire le point de départ, ajouter la paire avec cordon. On travaille en point toile jusqu'à atteindre l'angle intérieur. Ajouter alors une paire avec cordon double sens (diag 80).

Withof & Duchesse – Straight Setting Up

Set the pins in a horizontal line (diagram 81).

Pin 1	4 prs
Pin 2 and following pins	2 pairs on each

All hung astride

1st and 2nd pair	cloth stitch, twist both pairs twice
3rd and 4th pair	twist both pairs twice
4th and 5th pair	cloth stitch, twist both pairs twice
5th pair	is placed around second pin
6th pair	twist twice
6th and 7th pair	cloth stitch, twist both pairs twice
7th pair	is placed around third pin
8th pair	twist twice

Continue as before until all the pins have been worked (diagram 82).

If a gimp pair is needed, it should be introduced now. A gimp pair has to be worked inside the edge pairs.

Decide which side the first pin has to be set and take the weavers from that side. Work in cloth stitch through the passives to the last pair and leave. (Where there is a gimp pair, leave it in front of the gimp pair). These weavers are left behind to keep the last pinhole small. The last worked passives are then worked back to the beginning in cloth stitch. Work the edge stitch and set the pin (diagram 83).

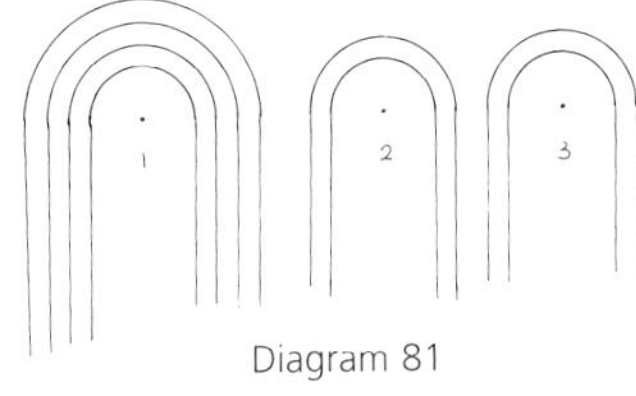

Diagram 81
Each line represents a thread.

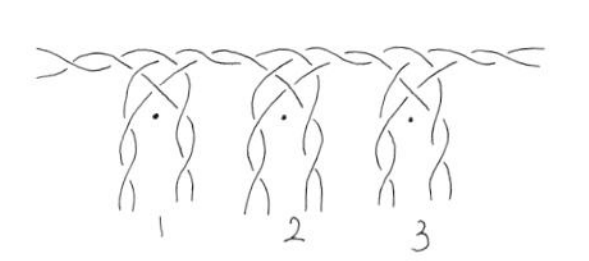

Diagram 82
Each line represents a thread.

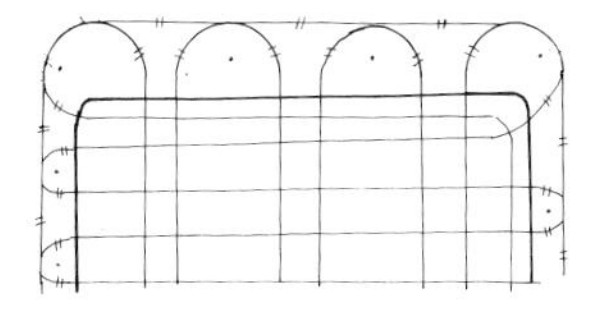

Diagram 83

GERADER ANFANG

Nadel verteilen auf einer horizontalen Linie Fig. 81

1e Nadel:	4 Paare
2e und weitere Nadeln:	2 Paare (alle Paare werden offen aufgehängt)
Paare 1 und 2	L, beide Paare 2x dr
Paare 3 und 4	2x dr
Paare 4 und 5	L, beide Paare 2x dr
Paar 5 wird um die zweite Nadel gelegt	
Paar 6	2x dr
Paare 6 und 7	L, beide Paare 2x dr
Paar 7 wird um die dritte Nadel gelegt	
Paar 8	2x dr Fig. 82.

Falls ein K benutzt wird, soll das jetzt eingelegt werden.
Das K liegt innerhalb der Randpaare (äussere Paare).

Das Lp wird von der Seite genommen wo der erste Randschlag geklöppelt wird. Es wird bis zum Randpaar der anderen Seite geklöppelt und das Paar bleibt liegen (damit das letzte Nadelloch klein bleibt). Falls es ein K gibt, bleibt das Lp vor dem K liegen.
Das zuletzt geklöppelte Rp wird im L zurück geklöppelt. Der Randschlag wird geklöppelt und die Nadel gesteckt. (Fig. 83)

RECHTE OPZET

Spelden verdelen over horizontale lijn tek. 81

1e speld:	4 prn
2e en verdere spelden:	2 prn (alle prn worden open gehangen)
pr 1 en 2	lsl, beide prn 2x dr
pr 3 en 4	2x dr
pr 4 en 5	lsl, beide prn 2x dr
pr 5 wordt om 2e speld gelegd	
pr 6	2x dr
pr 6 en 7	lsl, beide prn 2x dr
pr 7 wordt om 3e speld gelegd	
pr 8	2x dr tek. 82

Indien een cp gebruikt wordt, moet dat nu ingelegd worden.
Een cp ligt binnen de randslagprn (buitenste prn).

Van de kant waar de eerste randspeld gezet moet worden, wordt het lp genomen. Er wordt tot aan het randpaar van de andere kant geklost. Daar blijft het lp liggen. Zo blijft het laatste speldengaatje klein. (in geval er een cp is, blijft het lp voor het cp liggen). Het laatst gekloste staande pr wordt in lsl teruggeklost. Nu wordt de randslag geklost en de speld gezet (tek. 83)

DÉPART DROIT

Posez les épingles en ligne (diag 81). Quatre paires à cheval sur la première, deux paires à cheval sur les suivantes.

Paires 1 & 2 :	point toile, 2 torsions sur chaque paire
Paires 3 & 4:	2 torsions sur chaque paires
Paires 4 & 5 :	point toile, 2 torsions sur chaque paire
Paire 5 :	mettre une épingle de soutien
Paire 6 :	2 torsions
Paires 6 & 7 :	point toile, 2 torsions sur chaque paire
Paire 7 :	mettre une épingle de soutien
Paire 8 :	2 torsions

Continuer autant de fois que nécessaire (diag 82).

Si on utilise une paire avec cordon, c'est maintenant qu'on la prend. Elle traverse toutes les passives.

Déterminer où la première épingle sera placée. Prendre les voyageurs de ce côté. Traverser toutes les paires et laisser en attente. (En cas de paire cordon, laisser en attente devant la paire avec cordon). Afin de réduire l'espace entre les rangs de départ, on prend la dernière passive traversée comme nouveaux voyageurs, et elle traverse jusqu'à l'autre bord en toile. Faire le point de bordure, épingler à 4 (diag 83).

Work back to the other side and make an edge stitch there too.

When pairs have to be added to a completed motif, new pairs must be set up following the line of the new motif (diagram 84).

In **Withof** an edge is always rolled and therefore new pairs must be sewn into the bars.

In **Duchesse** the pairs are normally sewn into pinholes, but, depending on where the pairs have to come from, they may be sewn into bars.

One can also finish on a straight edge, for instance at the side of a leaf (see diagram 85).

Straight setting up starting with pairs from another motif

Withof

• From pairs that were rolled

Taking the 2 pairs that have been rolled – one of which is usually a gimp pair – as far as the point at which the next motif begins. Make 2 sewings into that last pinhole to avoid pulling away.

Set new pins on the line with 2 pairs around each pin. Begin the straight setting up using one pair from the bundle plus the right-hand pair of the new pin. The gimp pair is worked through the passives as far as the edge pair. Continue the motif with the weavers (third pair from the left) and add new pairs straight away (diagrams 36 and 37).

Duchesse

• From a rib (in a flower)

New pins are set in a horizontal line. Hang 2 pairs round each pin (diagram 86).

Follow the straight setting up from right to left, starting with the pair that is already there plus the right-hand pair from the new pin.

The gimp pair is hung on a pin outside the work and from there is worked through the passives as far as the edge pair.

Continue the motif with the weavers (third pair from the left) as in the half stitch flower.

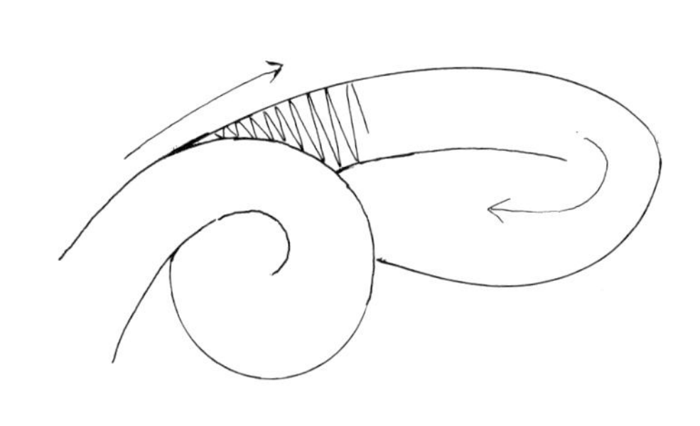

Diagram 84

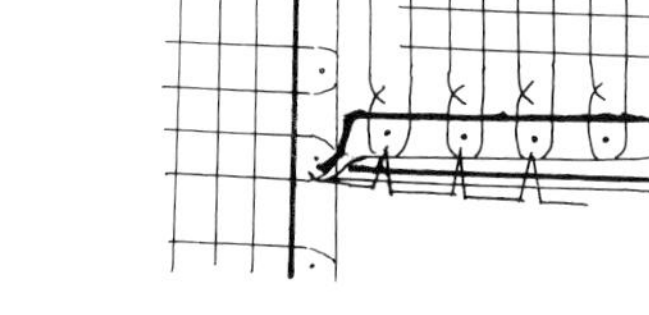

Diagram 85

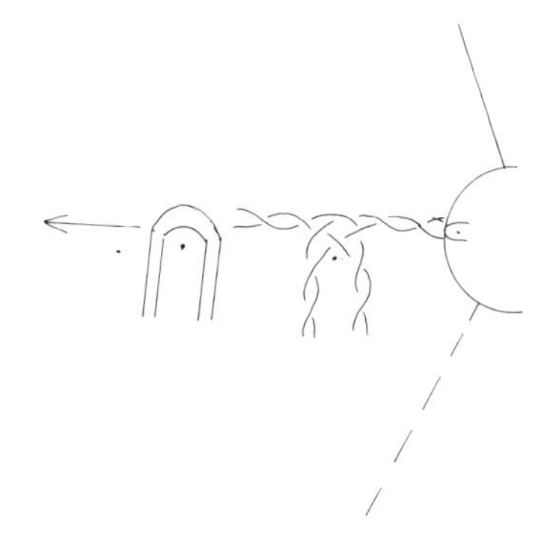

Diagram 86

Withof & Duchesse – Setting Up in a Point

Depending on the width of the top, setting up may be done with one, 2 or 3 pins.

1 pin

(Used only in Withof.)

4 pairs round the pin:

1st and 2nd pairs	cloth stitch, twist both pairs twice
3rd and 4th pairs	twist both pairs twice (diagram 87).

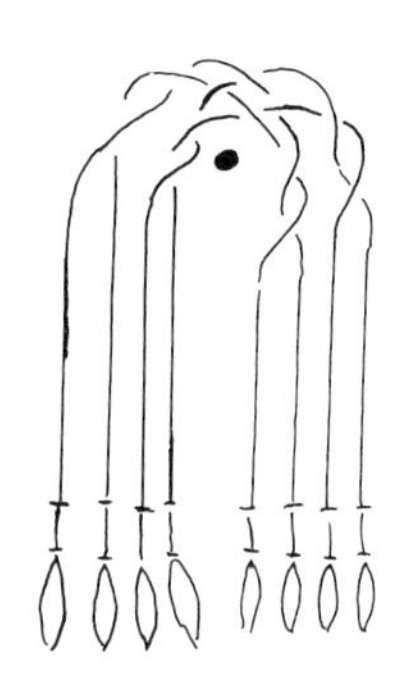

Diagram 87

Zurückklöppeln nach der anderen Seite und auch da wird der Randschlag geklöppelt.

Dieser gerade Anfang bezieht sich auf beide Spitzenarten.

Wenn an einem geklöppelten Motiv hinzugefügt wird, soll man immer mit der Linie das neue Motiv anfangen. Fig. 84

Bei **Withof** wird in den Stege eingehäkelt so bald der Rand gerollt ist.

Bei **Duchesse** werden die Rp in den Rand eingehäkelt, und bei Bedarf auch in den Stege.

Es kann auch auf einer geraden Linie geendet werden, z.B. an der Seite eines Blattes. Fig. 85

Gerader anfang mit Hilfe von Paaren eines anderen Motives
Withof
Paare womit gerollt wurde
Es wird gerollt mit zwei Paaren – ein Paar davon ist das K – bis zur Stelle wo das nächste Motiv anfängt. Hier wird zwei mal eingehäkelt um ein Wegziehen zu verhindern. Anfangsnadeln werden gesetzt. Zwei Paare um jede Nadel. Gerader Anfang mit dem Paar der Rolle und dem danebenliegenden neuen Paar. Dann wird das K im L bis zum Randpaar geklöppelt. Mit dem Lp (3es Paar) das Motiv weiterklöppeln und sofort neue Paare einlegen. Fig. 36-37

Duchesse
Rippe (in einer L. Blume)
Die Anfangsnadeln werden auf einer horizontalen Linie gesetzt. Zwei Paare um jede Nadel (Fig. 86) Gerader Anfang von rechts nach links. Angefangen wird mit dem Paar das schon da ist und dem rechten Paar der Anfangsnadel. K auf einer Nadel ausserhalb der Arbeit stecken und im L durch die Rp klöppeln bis zum Randpaar. Mit dem Lp (3es Paar links) das Motiv klöppeln wie im Netzschlag Blümchen.

Terug naar de andere kant klossen en ook daar de randslag maken.

Wanneer aan een geklost motief wordt toegevoegd, wordt er altijd met de lijn mee het nieuwe motief opgezet, tek. 84

Bij **Withof** wordt er, zodra de rand gerold is, aan de pootjes aangehaakt.

In **Duchesse** worden de staande prn meestal in de rand aangehaakt, en indien nodig, ook in de pootjes.

Er kan ook op een rechte lijn geëindigd worden, b.v. aan de zijkant van een blaadje. Tek. 85

Rechte opzet met behulp van paren van een ander onderdeel.
Paren waarmee gerold werd (Withof)
Er wordt gerold met twee prn – waarvan het ene pr een cp is – tot waar het het volgende motief begint. Hier wordt twee maal aangehaakt om wegtrekken te voorkomen. Opzetspelden zetten. Om elke speld 2 prn hangen. Rechte opzetten beginnen met het paar van de rol en het naastliggende nieuwe paar. Vervolgens cp in lsl tot aan het randslagpr klossen. Met lp (3e pr) het motief vervolgen en direct nieuwe paren inleggen. tek. 36-37

van een ribje (in een 1st bloem) (Duchesse)
Opzetspelden zetten op de horizontale lijn. Om elke speld 2 prn hangen (tek. 86)

Rechte opzet van rechts naar links, te beginnen met het pr dat er al ligt en het rechter paar van de opzetspeld. Cp op speld buiten het werk zetten en door de staande prn klossen tot aan de randslag. Met het lp (3e pr links) het motief vervolgen zoals in de nsl. bloem.

Revenir de l'autre côté et faire le point de bordure.

Ajoutez des paires en fonction du dessin (diag 84).

En **Duchesse**, on ajoute ces nouvelles passives par accrochage dans les trous d'épingle. Il arrive parfois qu'on les accroche sur les barres.

En **Withof**, on ajoute un rouleau sur un bord et on accroche alors sur les barres.

On peut arrêter droit, par exemple sur le côté d'une feuille. Voir diag 85.

Départ droit en partant d'un motif précédent.
En Withof
Prendre 2 passives du rouleau, dont l'une est généralement la paire avec cordon et démarrer aussi haut que possible ce nouveau motif. Faire 2 accrochages pour sécuriser le travail.

Ajouter des épingles en ligne quand c'est nécessaire. Mettre 2 paires par épingle. Démarrer le départ droit en prenant 1 paire du rouleau et la paire de droite de la nouvelle épingle. La paire avec cordon va jusqu'à la paire de bordure. Continuer le motif avec les voyageurs (3ème paire à droite) et ajouter les nouvelles passives si nécessaire (diag 36 & 37).

En Duchesse
Départ sur un lacet contour (coeur d'une fleur). Les nouvelles paires sont ajoutées en ligne horizontale. Deux paires par épingle (diag 86).

Suivre la méthode du départ en ligne en partant de la droite. Reprendre une des paires en attente et la paire de droite de la première épingle ajoutée.

La paire avec cordon est placée sur une épingle temporaire hors du travail. Elle traverse toutes les passives jusqu'à la paire de bordure.

Continuer (avec la 3ème paire de gauche) comme pour la fleur en grille.

SPITZER ANFANG

Abhängig von der Spitze des Motives, wird mit 1, 2 oder 3 Nadeln angefangen.

1 Nadel: nur in Withof
4 Paare um die Nadel:

Paar 1 und 2	L, beide Paare 2x dr
Paar 3 und 4	2x dr Fig. 87

PUNTOPZET

Afhankelijk van de scherpte van de punt beginnen we met 1, 2 of 3 spelden

1 speld: alleen in Withof
4 paren om de speld:

Paar 1 en 2	lsl, beide prn 2x dr
paar 3 en 4	2x dr tek. 87

DÉPART EN POINTE

Selon le modèle on peut démarrer avec 1, 2 ou 3 paires.

Sur 1 épingle
(Seulement en Withof).
Mettre 4 paires à cheval l'une dans l'autre.
Paires 1 & 2:
point toile, 2 torsions sur chaque paire
Paires 3 & 4: 2 torsions sur chaque paire
(voir diag 87).

A double gimp pair is hung on a pin outside the work and laid in the middle of the 4 pairs. Work one cloth stitch with the gimp pair to the left and to the right (diagram 88).

One cloth stitch with the 2 centre pairs and continue to the left or to the right; work an edge stitch.

In the point, always begin from the centre: this keeps the gimp pair in the point. Pairs are added straight away.

After 2 or 3 edge pins have been set, carefully pull the gimp pair down (diagram 89).

2 pins

(Used only in Withof.)
4 pairs on the top pin
2 pairs on the second pin
(see diagram 90).

1st and 2nd pairs	cloth stitch, twist both pairs twice
3rd and 4th pairs	twist both pairs twice
4th and 5th pairs	cloth stitch, twist both pairs twice
5th pair is placed around the second pin	
6th pair	twist twice

Add a double gimp pair, as for 1 pin (above), and continue (diagram 91).

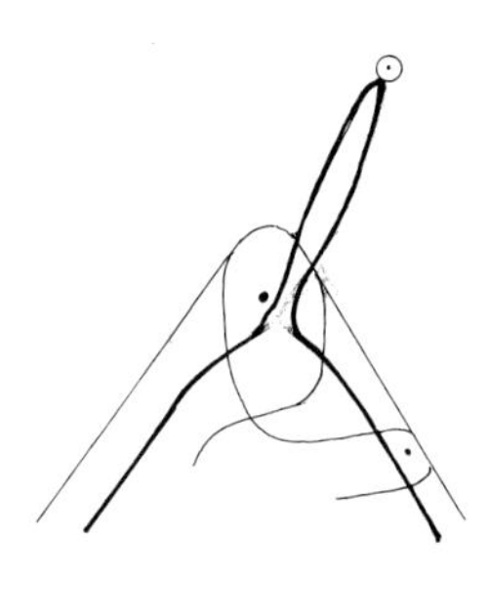

Diagram 88

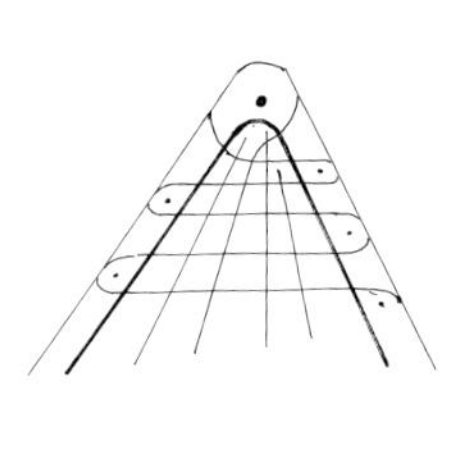

Diagram 89

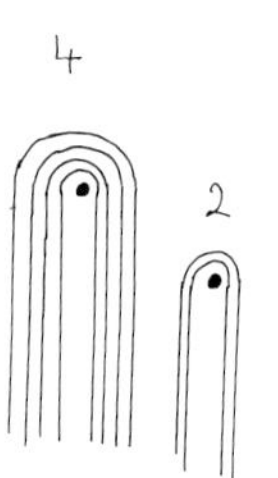

Diagram 90

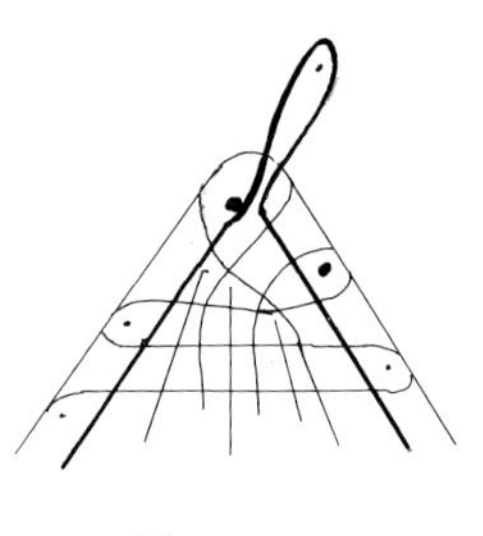

Diagram 91

- Ein DK wird auf einer Nadel ausserhalb der Arbeit gehängt und zwischen den 4 Paaren in der Mitte gelegt. Nach beiden Seiten macht das K 1 L nach aussen. Fig. 88
- 1 L mit den 2 mittleren Paaren und gleich nach links oder rechts zum Randschlag.
- Bei einem spitzen Motiv fängt man immer in der Mitte an. So bleibt das K hoch liegen. Es müssen sofort Paare hinzugefügt werden.
- Nach 2 oder 3 Nadel vertikal wird das K nach unten gezogen. Jetzt sitzt es schön in der Spitze. Fig. 89

2 Nadel, nur in Withof

4 Paare um der Kopfnadel
2 Paare um die Zweite. Fig. 90

Paar 1 und 2	L, beide Paare 2x dr
Paar 3 und 4	2x dr
Paar 4 und 5	L, beide Paare 2x dr
Paar 5 um die 2e Nadel legen	
Paar 6	2x dr.

Auf dieselbe Weise ein DK einlegen und weiter klöppeln. Fig. 91

- Een dcp wordt op een speld buiten het werk gezet en tussen de 4 prn in het midden gelegd. Beide zijden van het cp doen 1 lsl naar buiten. tek. 74
- 1 lsl met 2 middelste paren en direct door naar links of rechts om de randslag te maken.
- Bij een punt wordt altijd vanuit het midden met klossen begonnen: dit houdt het cp hoog.
- Er moeten gelijk prn bijgehangen worden.
- Na 2 of 3 spelden vertikaal wordt het cp bijgetrokken. Nu zit het mooi in de punt. tek. 89

2 spelden. alleen in Withof

4 prn om de top speld
2 prn om de tweede tek. 90

pr 1 en 2	lsl, beide prn 2x dr
pr 3 en 4	2x dr
pr 4 en 5	lsl, beide prn 2x dr
pr 5 om 2e sp leggen	
pr 6	2x dr

Op dezelfde manier dcp inleggen en verder klossen. tek. 91

Mettre une paire avec cordon à cheval sur une épingle temporaire un peu plus haut et la placer au milieu des 4 passives.
De chaque côté, une paire avec cordon traverse une passive adjacente en point toile (diag 88).

Faire un point toile avec les 2 paires centrales, et aller faire le point de bordure vers la gauche ou vers la droite.

N'oubliez pas ce travail au centre pour avoir un sommet bien pointu avec une paire cordon en bonne place. On ajoute les paires au fur et à mesure.

Après 2 ou 3 épingles en place, retirer l'épingle temporaire de la paire cordon et la descendre doucement en place (diag 89).

Sur 2 épingles

(Seulement en Withof).
4 paires sur le sommet
2 paires sur une épingle à côté (voir diag 90)

Paires 1&2 :	point toile et 2 torsions sur chaque paire
Paires 3&4 :	2 torsions
Paires 4&5 :	point toile et 2 torsions sur chaque paire
Paire 5 :	sur l'épingle de soutien à côté
Paire 6 :	2 torsions

Ajoutez une paire avec cordon double et comme pour le départ sur 1 épingle, continuer (diag 91).

3 pins

(Used in both Withof and Duchesse.)
4 pairs on the first pin
2 pairs on the second and third pins
(see diagram 92).

1st and 2nd pairs	cloth stitch, twist both pairs twice
3rd and 4th pairs	twist both pairs twice
4th and 5th pairs	cloth stitch, twist both pairs twice
5th pair is placed around second pin	
6th pair	twist twice
6th and 7th pairs	cloth stitch, twist both pairs twice
7th pair is placed around third pin	
8th pair	twist twice

Add a double gimp pair in the same way as for pin 1 (diagram 93).

Withof

Finishing in a point: 1

As the motif becomes narrower, pairs must be taken out. Before the last pin has been set 2 edge pairs, 2 gimp pairs and 1 pair of weavers are left.

The weavers are worked through all the pairs and remain (diagram 94).

Cloth stitch both gimp pairs and set the pin in the point. The gimp pairs are laid between the edge pairs. Then a cloth stitch is made with the edge pairs (diagram 91).

On the left-hand side there are 3 pairs and on the right-hand side there are 2 pairs. From the left-hand side take one bobbin to bundle both groups. With these pairs, roll both edges (diagram 95).

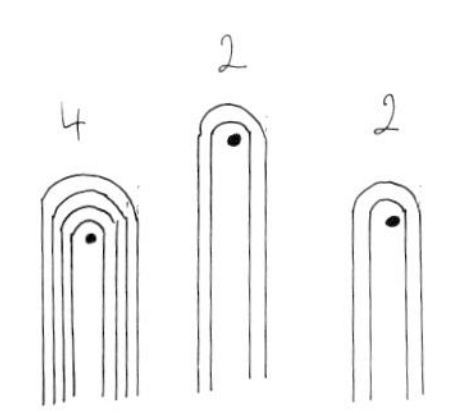

Diagram 92

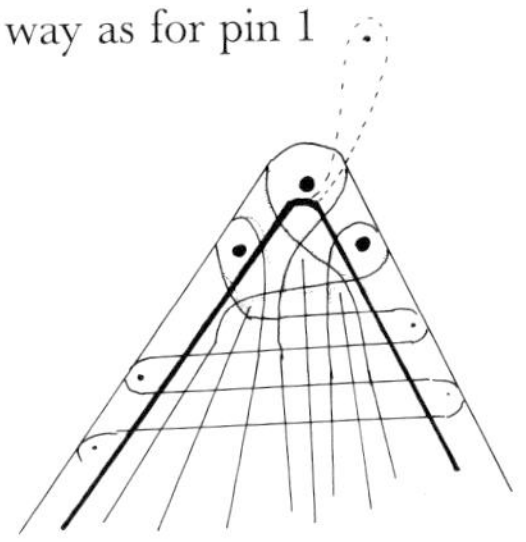

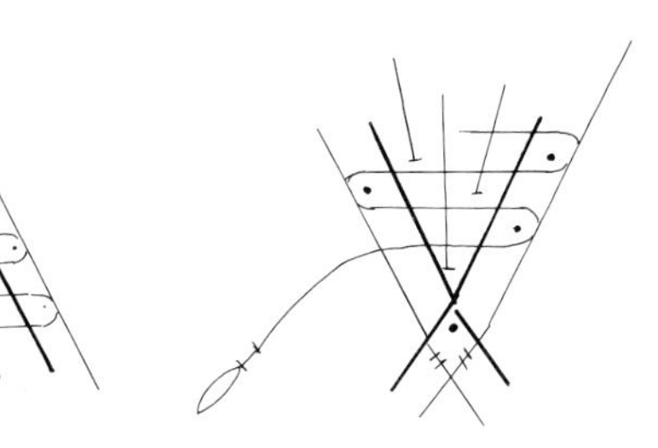

Diagram 93

Diagram 94

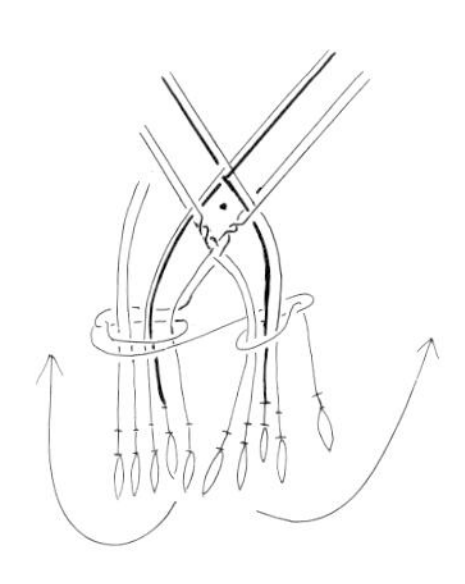

Diagram 95

3 Nadel, in Withof und Duchesse benutzt

4 Paare um der ersten Nadel
2 Paare um der zweiten und dritten Nadel.
Fig. 92

Paare 1 und 2	L, beide Paare 2x dr
Paar 3 und 4	2x dr
Paar 4 und 5	L, beide Paare 2x dr
Paar 5 wird um die zweite Nadel gelegt	
Paar 6	2x dr
Paar 6 und 7	L, beide Paare 2x dr
Paar 7 wird um die dritte Nadel gelegt	
Paar 8	2x dr

Ein DK wird im L durch die Rp geklöppelt (innerhalb der Randpaare). Fig. 93

Withof
In der Spitze enden: 1

Je enger das Motiv wird, werden Paare herausgelegt.

Bevor die letzte Nadel gesetzt wird, müssen noch: 2 Randpaare, 2 K, 1 Lp übrig sein.

Das Lp wird durch alle Paare nach der anderen Seite geklöppelt und herausgelegt. Fig. 94

Ein L mit den beiden K und die Nadel wird darunter gesetzt.

Beide K werden zwischen die Randpaaren gelegt. Fig. 95

Links gibt es 3 Paare, rechts 2 Paare. Beide Seiten werden gebündelt. Hiermit können wir nach beiden Seiten rollen. Fig. 95

3 spelden, in Withof en Duchesse gebruikt

4 pr om de 1e speld
2 pr om de 2e en 3e speld tek. 92
Paren vastleggen.

Pr 1 en 2	lsl, beide prn 2x dr
pr 3 en 4	2x dr
pr 4 en 5	lsl, beide prn 2x dr
pr 5 wordt om 2e speld gelegd	
pr 6	2x dr
pr 6 en 7	lsl, beide prn 2x dr
pr 7 wordt om 3e speld gelegd	
pr 8	2x dr

Een dcp wordt in lsl door de staande prn geklost (binnen randslag prn). Tek 93

Withof
Eindigen in een punt: 1

Naarmate het motief smaller wordt, worden paren uitgenomen als de structuur te dicht wordt.

Vóór de laaste speld gezet wordt, zijn er over: 2 randslagparen, 2 countourparen, 1 lp. Het lopend paar wordt door alle paren naar de andere kant geklost en uitgelegd. tek. 94

1 lsl met cprn en speld in punt zetten. De cprn worden tussen de randslagparen gelegd. tek. 95

Links hebben we 3 prn en rechts 2 prn. Hiermee kunnen we naar beide zijden rollen, nadat deze paren gebundeld zijn. tek. 95.

Sur 3 épingles
(En Withof et en Duchesse).

4 paires sur la première épingle
2 paires sur la seconde et la troisième (voir diag 92)

Paires 1&2 :	point toile, 2 torsions sur chaque paire
Paires 3&4 :	2 torsions
Paire 5 :	sur seconde épingle
Paire 6 :	2 torsions
Paires 6&7 :	point toile, 2 torsions sur chaque paire
Paire 7 :	sur troisième épingle
Paire 8 :	2 torsions

En Withof

Ajouter une paire avec cordon en double sens (diag 93).

En Withof
Finir en pointe, méthode n° 1

Quand le motif s'amenuise on retire les paires au fur et à mesure. On ne garde que 2 passives de bordure, 2 paires avec cordon et une paire de voyageurs sur l'avant-dernier trou.

Les voyageurs traversent toutes ces paires citées et restent en attente (diag 94).

Fermer en point toile les 2 paires avec cordon. Placez une épingle au centre.Ces passives sont entourées par les paires de bordure que vous fermez dessous en point toile (diag 95).

If a bundle is waiting, as with the rolled scroll, there are 2 possibilities:

1. On one side the new bundle is put along the edge (diagram 96). The gimp threads of the 2 bundles have been taken out. The 2 bundles pass, in opposite directions. Two sewings are made into the point. On the other side a thread of the bundle is taken out after every sewing until the original number has been reached.
2. The scroll has been rolled until *. Where the scroll becomes a braid, these pairs are used as a gimp pair and an edge pair. In this manner the motif can be rolled with the 2 bundles from the point (diagram 97).

Finishing in a point: 2

A motif can be finished in the point, joining another motif. Passive pairs are taken out as needed until a gimp pair, an edge pair and a pair of weavers are left.

The weavers are on the inside, sewn in and tied. The gimp pair is taken out and the edge pair has to be sewn in, following the line of the motif (diagram 98).

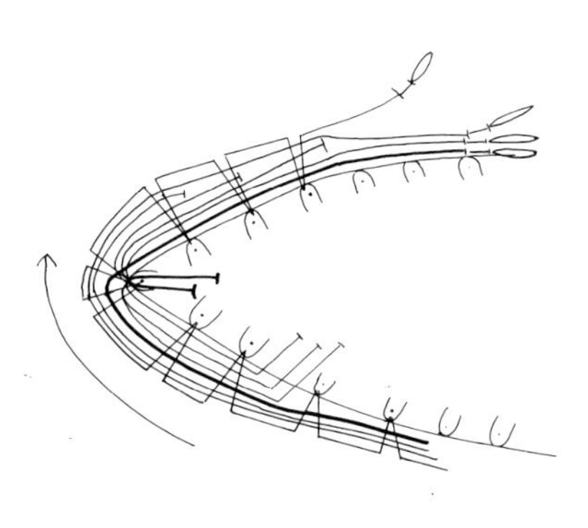

Diagram 96

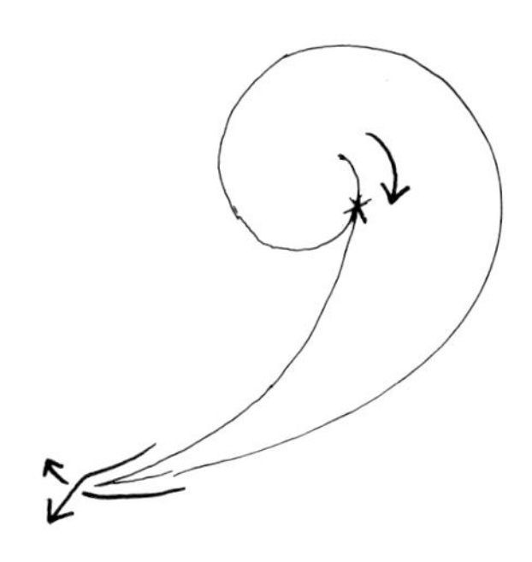

Diagram 97

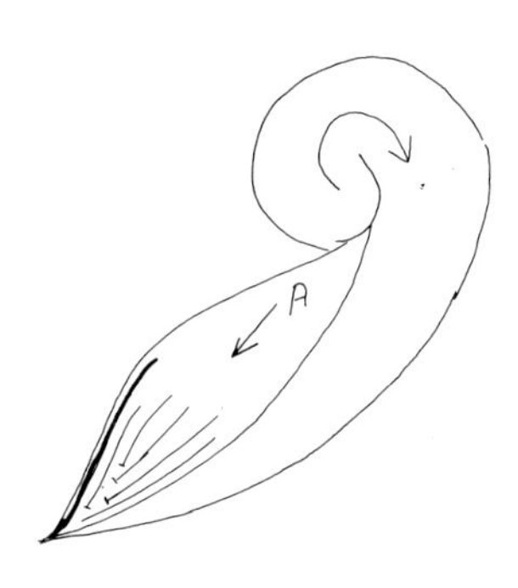

Diagram 98

Wenn schon ein Bündel vorhanden ist, z.B. in einem gerollten Schnörkel, gibt es zwei Möglichkeiten:

1 an einer Seite kann das Bündel zurückgelegt werden wie in Fig. 96 (das K. wird sofort herausgelegt). Hier kommen also 2 Bündel zusammen. Im Punkt wird 2x eingehäkelt. An der anderen Seite wird das K herausgelegt (es macht Platz für das K aus dem Bündel das wartet.
Bei jeder nächsten Einhäkelung wird ein Faden aus dem Bündel genommen bis die ursprüngliche Anzahl erreicht ist.
2 der Schnörkel wird gerollt bis zum *. Dann werden die Paare des Bündels benutzt als K und Randpaar. Wenn das Motiv unten beendet ist, wird gerollt mit den beiden Bündeln. Fig. 97

In der Spitze enden: 2

Ein Motiv kann auch beendet werden an der Spitze eines schon geklöppelten Motives. Allmählich werden die Rp herausgelegt bis nur noch ein K, Randpaar und Lp gibt. Das Lp wird nach innen geklöppelt, eingehäkelt und verknotet. Das K wird herausgelegt und das Randpaar wird so eingehäkelt, dass die Linie des Musters schön weiter verläuft. Fig. 98

De dunne draden van het cp kunnen eventueel uitgelegd worden.

Als er al een bundel klaar ligt, zoals bij een gerolde krul, dan zijn er twee mogelijkheden:

1 aan één zijde wordt de nieuwe bundel teruggelegd (tek. 96). Het contour is dan al uitgelegd. Nu komen twee bundels samen, in twee verschillende richtingen. In de punt wordt 2x aangehaakt. Aan de andere zijde (ook daar is het contour uitgelegd), wordt na elke aanhaking een draad uitgelegd tot het oorspronkelijke aantal weer bereikt is.
2 de krul wordt gerold tot *. Wanneer het bandje loskomt van de krul worden deze paren als cp en randslagpaar gebruikt. Zo kan toch vanuit de punt het hele motief teruggerold worden. tek 97

Eindigen in een punt: 2

Een motief kan ook eindigen aan een ander motief. Er wordt aan één zijde aangehaakt. Langzaamaan worden staande prn uitgenomen tot er een cp, randslagpr en lp over zijn. Het lp kan weer naar binnen geklost, aangehaakt en afgeknoopt worden. Het cp wordt uitgelegd en het randslagpr wordt zodanig aangehaakt dat de lijn van het patroon mooi doorloopt. tek 98

A gauche: 3 paires, à droite: 2 paires.

A gauche prenez un fil et fagoter les fils qui remontent de chaque côté en rouleau (diag 86).

Quand un fagot est en attente, comme pour la volute,il y a 2 possibilités :

1 Le fagot forme le rouleau sur un bord (diag 96). On a pris soin de retirer les paires avec cordon des 2 fagots. Les 2 fagots se croisent en direction opposée. Faire 2 accrochages. De l'autre côté, on retire un fil à chaque accrochage jusqu'au nombre initial.
2 Le rouleau de la volute a atteint *. Quand la volute devient lacet, ces paires deviennent paire de bordure et paire avec cordon. On peut ainsi faire le rouleau des 2 côtés (diag 97).

Finir en pointe, méthode n° 2

On peut finir sur la pointe d'un motif joignant un autre motif. On retire les paires au fur et à mesure jusqu'à garder une paire bordure, une paire avec cordon et les voyageurs.

On accroche les voyageurs sur le bord opposé. Les nouer. On écarte la paire avec cordon, on accroche la paire de bordure, en respectant la courbe du motif (diag 98).

Finishing in a point: 3

When a motif appears to disappear behind another motif, pairs must be taken out from the inside (diagrams 99 and 100).

Duchesse

Finishing at a point can either be completed into another motif, or the threads may be incorporated into another pattern.

Where there is no gimp pair, as in patterns 39-41 (coffee bean), the setting up is as shown in diagrams 101–105.

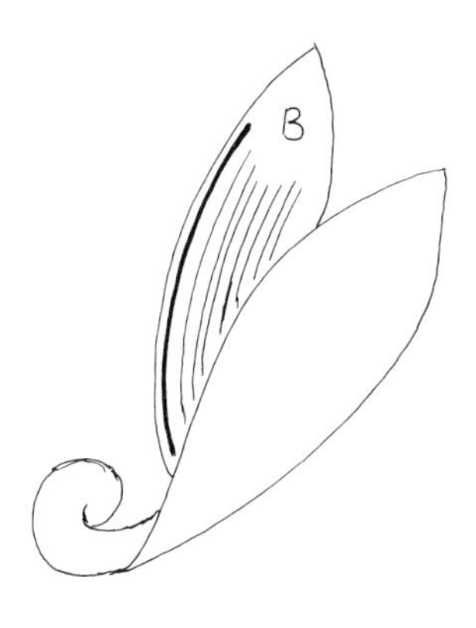

Diagram 99

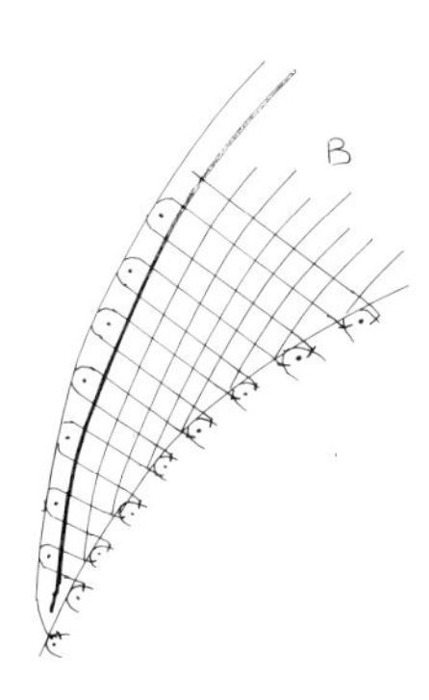

Diagram 100

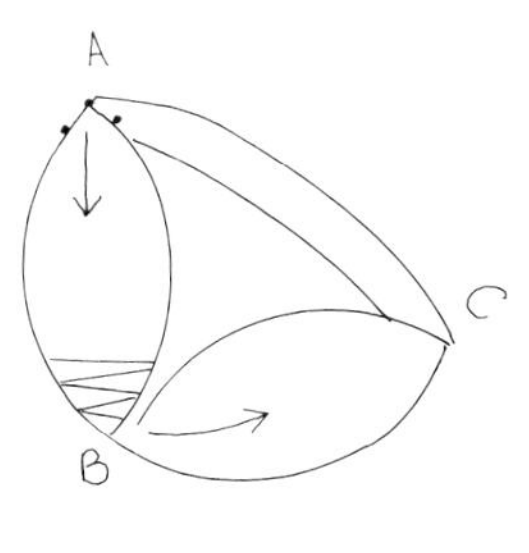

Diagram 101

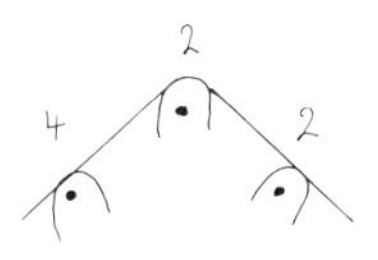

Diagram 102

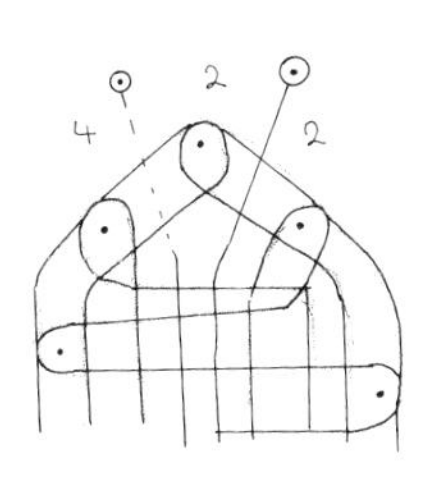

Diagram 103

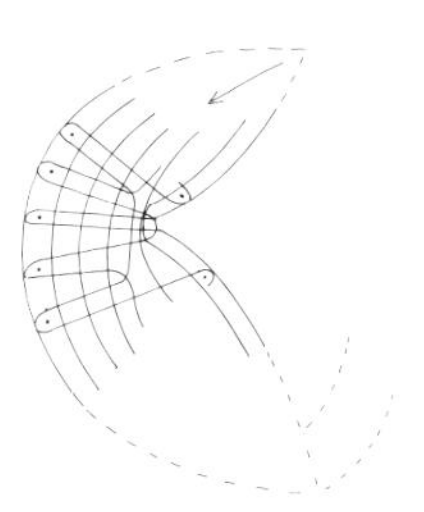

Diagram 104

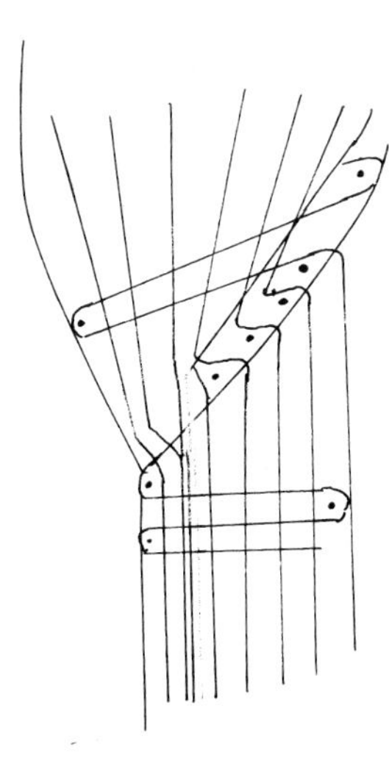

Diagram 105

In der Spitze enden: 3

Manchmal sieht es aus als ob ein Motiv hinter einem anderen Motiv verschwindet. In diesem Fall können Paare an der Innenseite herausgenommen werden. Fig. 99–100

In **Duchesse** endet man nie spitz ohne eine Verbindung oder einen Übergang in ein anderes Motiv.

Falls kein K benutzt wird, wie im Muster 39-40-41 (Kaffeebohne), dann sieht der Anfang wie folgt aus: Fig. 101–105.

Eindigen in een punt: 3

Soms lijkt het alsof een motief achter een ander motief "wegloopt". Er kunnen dan paren aan de binnenkant uitgenomen worden. Tek. 99–100.

In **Duchesse** wordt er niet in de punt geïndigd zonder een verbinding met of een overgang te maken in een ander motief.

Indien geen cp wordt gebruikt, zoals in patroon 39-40-41 (koffieboon), dan ziet de opzet er als volgt uit: tek. 101–105.

Finir en pointe, méthode n° 3

Quand on travaille un motif qui doit s'effacer sous un autre, il faut retirer les paires internes (diag 99–100).

En Duchesse

On finit en pointe soit sur un autre motif, soit en s'ajoutant à un autre.

S'il n'y a pas de paire avec cordon comme dans les modèles 39 à 41 (en grain de café), on suit les diag 101 à 105.

Withof & Duchesse – Ribs

A rib is usually worked with 6 pairs. It is, of course, possible to use more or fewer pairs, or to include a gimp pair.

In a rib the pins are set on one side only, on the outside of the curve. The pins are set head to head.

The **setting up** is worked on 2 pins, with 4 pairs on the first pin and 2 pairs on the second. The first pin is set on the line; the second pin is placed close to the first one on the inside of the line. Follow the straight setting up (diagram 106).

After the first edge pin has been set, the weavers have to be worked through all passives and left on the inside.

The last-worked passives become the new weavers.

Closed rib

This is worked as follows:

After the last edge stitch has been made, the weavers are left on the inside.

The fifth pair from the edge is sewn through the second pinhole; the fourth pair is taken through the loop.

With the fourth pair from the left, cloth stitch through all the pairs without making the edge stitch.

The third pair is taken through the first pinhole and the second pair through the loop (diagram 107).

If necessary, the first pair is also sewn into the first pinhole.

Each pair is then tied.

In **Withof** the ribs are usually rolled (diagram 108).

After the rib has been closed, it is possible to decide how many pairs should be rolled. The other pairs are sewn in and tied, or are left to be used later.

Changing an edge stitch

(See diagram 109.) This technique is used when a rib changes direction.

Rib crossings

(See diagram 110.) When a curved rib crosses, one has to sew into the edge stitch to join the two ribs.

The two ribs are not rolled: the result would not be as pleasing. They can, however, be decorated with picots.

Wide rib: 1

(See diagram 111.) To obtain a wider rib, set up 4-2-2 pairs on 3 pins.

To keep the width, a support pin has to be set in front of the last-worked passives, which are then used as the next weavers.

It is important to remove the support pin and use it again.

Wide rib: 2

(See diagram 112.) Alternatively, a gimp thread on a pin outside the work may be used, to keep the width.

RIPPE

Eine Rippe wird meistens mit 6 Paaren geklöppelt. Man kann auch mehr oder weniger Paare benutzen.

Bei einer Rippe werden die Nadel nur an einer Seite gesetzt, der Aussenseite. Die Nadeln werden Kopf an Kopf gesetzt.

Anfang auf 2 Nadeln (4-2 Paare). Die erste Nadel steht auf der Linie, die zweite dicht daneben auf der Innenseite. Gerader Anfang folgen (Fig. 106)

Nachdem die erste Randschlagnadel gesetzt ist, wird das Lp durch alle Rp geklöppelt und liegen gelassen. Laufpaarwechsel.

Geschlossene Rippe

Wenn eine geschlossene Rippe geklöppelt wird, dann wird wie folgt geschlossen: Nachdem der Randschlag geklöppelt und die Nadel gesetzt ist, wird das Lp nach innen geklöppelt und da liegen gelassen.

Das 5e (!) Paar (vom Randschlag) wird durch das zweite Nadelloch hervorgezogen und das 4e Paar geht durch die Schlaufe. Mit dem 4en Paar im L nach aussen, durch alle Paare ohne einen Randschlag zu klöppeln. Das 3e (!) Paar wird durch das erste Nadelloch

RIB

Ribjes worden meestal met 6 paren geklost. Er kunnen echter ook meer of minder paren gebruikt worden, of een cp inleggen.

De spelden worden aan één kant gezet, de buitenkant. De spelden worden kop aan kop gezet.

Opzet op 2 spelden (4-2 prn). De eerste speld staat op de lijn, de tweede dicht ernaast aan de binnenkant.

Rechte opzet volgen. (tek. 106)

Nadat de eerste randslagspeld gezet is, wordt het lp door alle staande prn geklost en dan laten liggen. Met het laatst gekloste staande pr. terugklossen om de randslag te maken.

Gesloten ribje

Wordt er een gesloten ribje gemaakt, dan wordt de rib als volgt gesloten:

Nadat de randslag geklost en de speld gezet is, wordt het lp naar de binnenkant geklost en daar laten liggen.

Het 5e (!) pr (gerekend van de randslag) wordt door het tweede speldengaatje naar boven gehaald en het 4e pr wordt door de lus gehaald. Met het 4e pr in lsl naar de buitenrand klossen, door alle paren, zonder een randslag te maken. Het 3e (!) pr wordt

LACET CONTOUR

Un lacet contour se fait généralement avec 6 paires. On peut en mettre plus ou moins et même ajouter un cordon.

Dans un lacet contour on ne met les épingles que d'un côté, sur la courbe extérieur. Les épingles sont mises tête contre tête.

On part sur 2 épingles, avec 4 paires sur la première et 2 sur la seconde. La première est placée sur la ligne et la seconde à côté, à l'intérieur de la ligne.Suivre la séquence de départ droit (diag 106).

La première épingle prête, les voyageurs traversent toutes les passives et restent en attente de l'autre côté.

La dernière passive travaillée devient les nouveaux voyageurs.

Lacet fermé

Procéder comme suit:

Une fois le point de bordure fait, laisser les voyageurs en attente au centre.

La 5ème paire à partir du bord s'accroche dans le trou de la seconde épingle et la 4ème paire passe dans la boucle. La 4ème paire depuis la gauche passe en point toile toutes les paires sans faire le point de bordure.

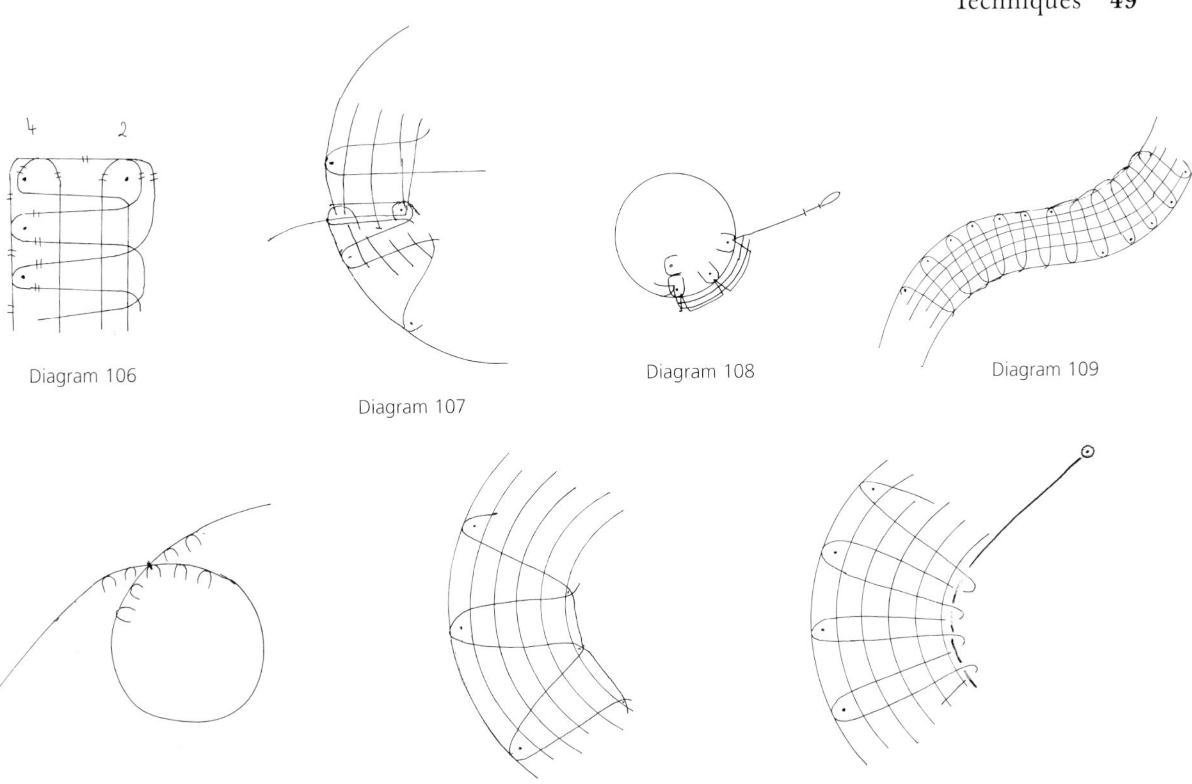

Diagram 106

Diagram 107

Diagram 108

Diagram 109

Diagram 110

Diagram 111

Diagram 112

hervor gezogen und das 2e Paar geht durch die Schlaufe (Fig. 107). Falls nötig, wird das erste Paar auch angehäkelt.

Jedes Paar wird verknotet.

In **Withof** wird die Rippe meistens gerollt. Fig. 108

Nach dem Schliessen der Rippe wird entschieden mit wievielen Paaren gerollt wird. Die anderen Paaren werden eingehäkelt und verknotet.

Wechselnder Randschlag

Wenn eine Rippe hin und her schwingt. Fig. 109

Übereinandergehende Rippe

Wenn eine Rippe übereinander läuft, wird im Randschlag eingehäkelt um die Verbindung herzustellen. Fig. 110

Hier wird nicht gerollt. Der Erfolg wäre nicht schön. Sie können aber mit Picots geschmückt werden.

Breite Rippe: 1

Die Rippe kann auch mit 3 Nadeln angefangen werden (4-2-2 Paare). Eine Hilfsnadel wird unter das Lp gesetzt um die Breite zu behalten. Bei der nächsten Reihe wird die Nadel weggenommen. Fig. 111

Breite Rippe: 2

Nach dem Anfang auf mehr als 2 Nadeln kann ein Konturfaden auf einer Nadel ausserhalb der Arbeit gehängt werden.

Das Lp wird immer um diesen Faden gelegt. Fig. 112

door het eerste speldengaatje naar boven gehaald en het 2e pr gaat door de lus. Tek. 107. Als het nodig is, wordt het 1e pr ook in het 1e speldengaatje aangehaakt.

Afknopen per paar!

In **Withof** wordt een ribje meestal gerold. Tek. 108

Na het sluiten van de rib wordt besloten met hoeveel prn gerold wordt. (tek. 135) De andere paren worden aangehaakt en geknoopt of blijven liggen om later opnieuw gebruikt te worden.

Wisselende randslag

Als een ribje heen en weer slingert. Tek. 109

Over elkaar lopende ribjes

Als een ribje in een boog over zichzelf heenloopt, wordt er in de randslag aangehaakt om een verbinding te maken. Ze worden niet gerold. Het resultaat zou niet mooi zijn. Ze kunnen wel met picots versierd worden. Tek 110

Breed ribje: 1

Het ribje kan ook breder gemaakt door bijv. op 3 spelden op te zetten. (4-2-2 prn),

Er kan een hulpspeld gezet worden onder het lp om de breedte te houden. Bij de volgende toer halen we de speld weg. Tek. 111

Breed ribje: 2

Na de opzet op meer dan twee spelden kan een contourdraad op een speld buiten het werk gezet worden. Het lp wordt steeds om dit paar gelegd. Tek. 112

La 3ème s'accroche dans le premier trou d'épingle et la 2ème passe avec dans la boucle (diag 107).

Si besoin, accrocher la 1ère paire dans le 1er trou.

Chaque paire est nouée.

En **Withof**, les lacets sont souvent soulignés d'un rouleau (diag 108).

Une fois le lacet fermé, on détermine le nombre de fil à prendre pour le rouleau. On accroche et noue les autres paires qui peuvent ainsi rester en attente.

Changer le point de bordure.

Cette technique est utilisée quand un lacet contour change de direction (diag 109).

Croisement de lacets contour

Faire un accrochage dans un trou d'épingle au croisement de 2 lacets (diag 110).

Il n'est pas souhaitable d'avoir des rouleaux à cet endroit. On peut cependant prévoir des picots.

Large lacet contour 1

Monter 4-2-2 paires sur 3 épingles.

Pour garder la largeur, mettre une épingle temporaire de soutien devant la dernière passive travaillée qui devient alors voyageurs.

Il est important de retirer cette épingle de soutien et de l'utiliser à nouveau (diag 111).

Large lacet contour 2

On peut aussi prévoir un passage de cordon pour maintenir la largeur (diag 112).

Wide rib: 3

On an imaginary inner circle, a turning stitch is worked, alternately the weavers are twisted 4 times and laid around the pin (diagram 113).

Ribs can be started on 1 pin, with 4 pairs. Add a pair on every new pin until there are 6 pairs (diagram 114).

Pairs can be hung around the pairs of the first pin and set aside in order to roll the edge later (diagram 114).

Changing from the rib into the braid

See diagram 115, page 42.

Double-sided setting up – Withof & Duchesse

A rib is worked on both sides, bringing them round to meet and forming a circle (diagram 116).

They are set up double-sided.

In **Withof** they are rolled.

Eight and 4 pairs are looped around 2 pins in such a manner that one bobbin of each pair is set to one side and one to the other side (diagram 117).

Where both circles meet, the pins are set as close together as possible to give the circle a firm, precise shape. The passives are worked through in cloth stitch (diagram 117b, page 53).

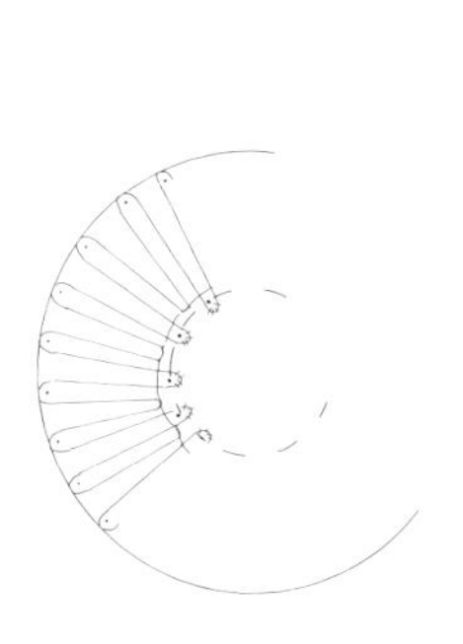

Diagram 113

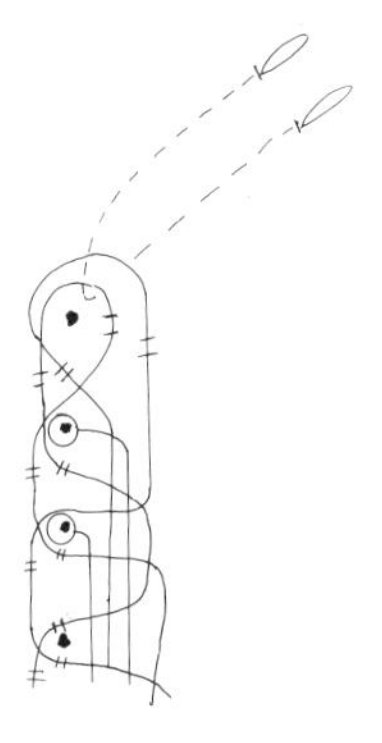

Diagram 114

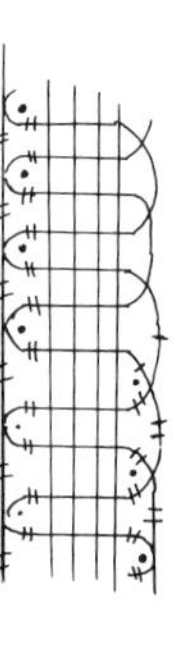

Diagram 115

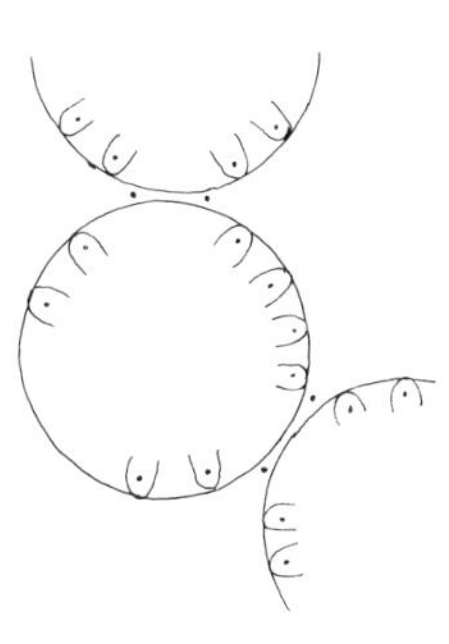

Diagram 116

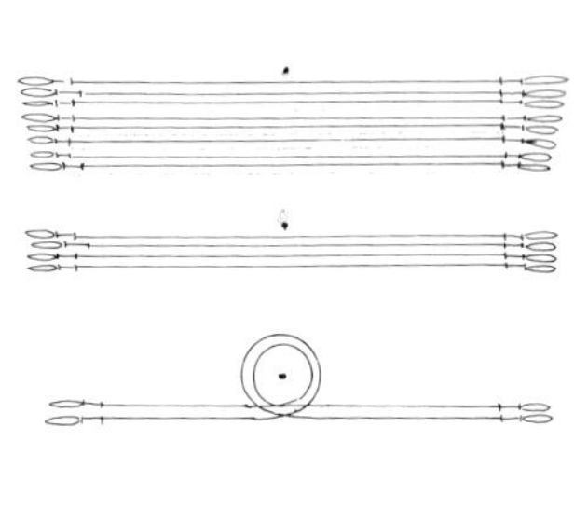

Diagram 117

Breite Rippe: 3

Auf einem eingebildeten Innenzirkel wird abwechselnd ein Umkehrschlag geklöppelt und das L 4x um die Nadel gedreht. Fig. 113

Eine Rippe kann auch auf einer Nadel angefangen werden, also mit 4 Paaren. Bei jeder nächsten Nadel wird ein Paar hinzugefügt, bis es 6 Paare sind. Fig. 114

Es können zum Rollen 2 Paare hinzugefügt werden, damit gleich vom Anfang an gerollt werden kann. Fig. 114

Der Übergang von den Rippe in ein Bändchen. Fig 115, Seite 42

Offener Anfang

Diese Technik wird für **Withof** und **Duchesse** benutzt.

Eine Rippe kann auch zweiseitig aufgesetzt werden, um ein Kreis zu bilden. Fig. 116.

In **Withof** wird gerollt.

Es werden 12 Paare um zwei Nadeln gehängt (8-4 Paare), so dass der eine Klöppel eines Paares nach einer Seite liegt und der zweite Klöppel nach der anderen Seite. Fig. 117

Die beiden Seiten klöppeln bis zur Kreuzung. Die Nadeln beider Seiten auf der Kreuzung stehen so nahe wie möglich an einander. So bekommt man eine schöne Form. Die Rp werden im L durch geklöppelt. Fig.117b, Seite 53.

Breed ribje: 3

Op een denkbeelde binnencirkel wordt afwisselend een omkeerslag geklost en het lp 4x om de speld gedraaid. Tek. 113

Ribjes kunnen ook op 1 speld begonnen worden, dus met 4 paren. Om elke volgende speld wordt een nieuw paar gehangen tot er 6 paren zijn. tek. 114

Er kunnen om de paren van de 1e speld paren voor de rol gehangen worden. Zo kan vanuit de punt gerold worden. tek. 114.

Van ribje overgaanin bandje en omgekeerd. Tek 115, blz 42

Tweezijdige opzet

Deze techniek wordt voor **Withof** en **Duchesse** gebruikt.

Een ribje kan ook tweezijdig opgezet worden, om bv. een cirkel te vormen. Tek. 116

In **Withof** wordt gerold.

8 en 4 prn om de spelden hangen, zo dat de ene klos van een paar naar één zijde ligt en de tweede klos naar de andere zijde. Tek. 117

Met beide zijden een rib werken tot ze kruisen. De spelden op de kruising worden zo dicht mogelijk bij elkaar gezet. Zó blijft de vorm mooi. De staande prn worden in lsl geklost. Tek. 117b, blz 53.

Large lacet contour 3

On trace un rond imaginaire à l'intérieur du cercle. Une fois on place une épingle que l'on contourne de 4 torsions des voyageurs, une fois on fait un point tournant (diag 113).

On peut commencer un lacet contour avec 4 paires seulement et ajouter les autres paires sur les prochaines épingles, jusqu'à 6 (diag 114).

Des paires peuvent être ajoutées sur les paires de la 1ere épingle et mises en attente pour faire le rouleau plus tard (diag 114).

Passer d'un lacet contour à un lacet

Voir diag 115, page 42

Départ en double sens

Le lacet contour se travaille dans 2 directions et forme un cercle (diag 116).

Suivre le départ en double sens.

On ajoute un rouleau en **Withof**.

Monter 8 paires à l'horizontale sur une épingle et 4 sur l'autre avec un fuseau partant de chaque coté (diag 117).

Bien serrer les épingles au croisement de 2 cercles pour garder la forme en place. Les passives se traversent en point toile (diag 117b, page 53).

Withof & Duchesse – Curves

With straight braids the vertical pins are set head to head. There are several ways to create curved braids.

The pins may be set a little further apart on one side, but never so wide apart that there is room for another pin (diagram 118).

In **Withof** a particularly ornamental curve may be produced by working a decorative short row.

The weavers are worked through a set number of pairs. A support pin is set in front of the last-used passive pair which is then used as the weavers. Repeat this every second row. The same pin is used all the time. The hole appears when the new weavers are picked up (diagram 41).

As the curve lessens, it is important gradually to increase the distance between the decorative short rows in order to form a pattern. This is far more attractive than having to start the decorative rows again.

In **Duchesse** a pin may be used twice (diagram 119). Alternatively, a turning stitch may be used (diagrams 120 and 121).

Here a support pin is used, and it is important to use the same one each time, in order to prevent unwanted holes from appearing.

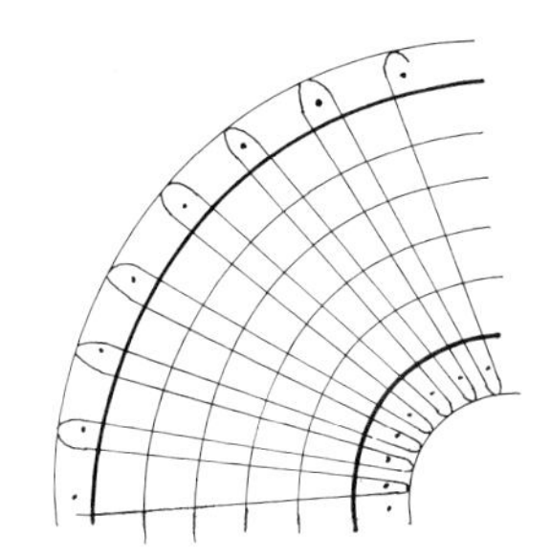
Diagram 118

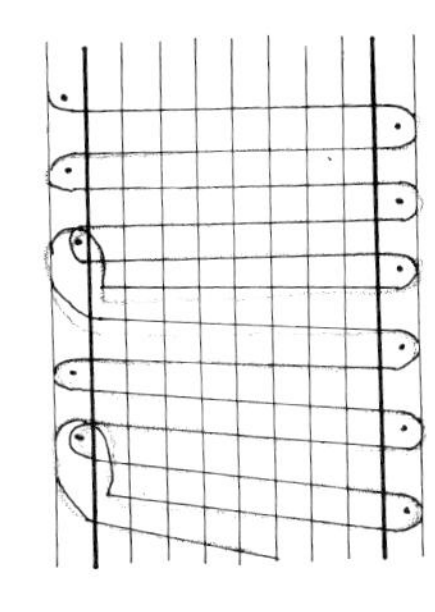
Diagram 119

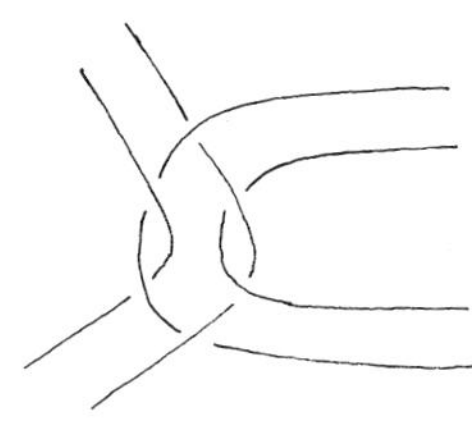
Diagram 120

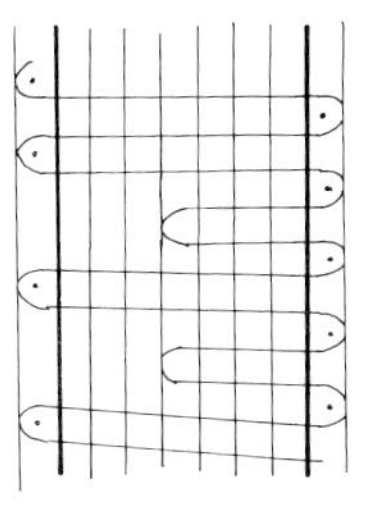
Diagram 121

BOGEN

Bei geraden Bändchen werden die Randschlagnadeln Kopf an Kopf gesetzt. In einem Bogen gibt es verschiedene Möglichkeiten:

In beiden Techniken: Die Nadeln werden an einer Seite etwas weiter auseinander gesetzt, jedoch nie so weit, dass es Platz gibt für noch eine Nadel. Fig. 118

In Withof ist die schmückende verkürzte Reihe besonders dekorativ. Sie erleichtert die Rundung.

Das Lp wird durch eine vorher festgestellte Anzahl Paare durchgeführt. Es wird eine Hilfsnadel gesetzt vor dem letzten Rp das jetzt als Lp benutzt wird. Dieses kann in jeder zweiten Reihe wiederholt werden. Die gleiche Nadel wird jedesmal benutzt. Das Löchlein wird etwas aufgezogen wenn mit dem neuen Lp weiter geklöppelt wird. Fig. 41.

Je schwächer die gebogene Linie wird, desto grösser kann der Abstand zwischen den verkürzten Reihen sein. Es ist aber wichtig ein bestimmtes Muster beizubehalten.

In Duchesse

a. Eine Nadel wird zweimal benutzt. Fig. 119

b. Ein Umkehrschlag. Es wirdt eine Hilfsnadel gesetzt die später weggenommen wird. So entstehen keine Löcher. Fig. 120–121

RONDINGEN

Bij rechte bandjes worden de randslagspelden kop aan kop gezet. In een ronding zijn er drie mogelijkheden:

In beide kantsoorten: de spelden worden aan één kant wat verder uit elkaar gezet, echter nooit zo ver dat er ruimte is voor een andere speld. tek. 118

In Withof

is de versierende verkorte toer bijzonder decoratief en vergemakkelijkt het een ronding mooi te klossen.

Het lp wordt door een van te voren bepaald aantal st prn geklost. Er wordt een hulpspeld gezet vóór het laast gekloste st pr dat dan als lp wordt gebruikt. Dit kan elke tweede toer herhaald worden. De speld wordt steeds opnieuw gebruikt. Het gaatje trekt enigszins open als met het nieuwe lp verder geklost wordt. Tek. 41

Naarmate de bocht flauwer wordt, kan de afstand tussen de verkorte toeren groter worden. Het is belangrijk een patroon hierin aan te houden.

In Duchesse

- een speld wordt 2x gebruikt Tek. 119

- een omkeerslag. Er wordt een hulpspeld gezet die later weggenomen wordt. Zo ontstaan geen gaatjes. Tek. 120–121

LES ARRONDIS

En ligne droite, les épingles se posent tête contre tête.

Il y a plusieur techniques pour suivre les courbes aussi bien en Withof qu'en Duchesse:

Mettre un intervalle entre les épingles de la courbe extérieure mais jamais suffisamment pour y placer une épingle (diag 118).

En Withof

Une courbe du plus bel effet est obtenue par des rangs raccourcis.

On détermine un nombre de passives que traverse les voyageurs. On place une épingle temporaire de soutien devant la dernière paire travaillée qui devient alors nouveaux voyageurs. Se fait un rang sur deux. Réutilisez la même épingle temporaire. Un trou-trou apparaît avec les nouveaux voyageurs (diag 41).

Bien suivre l'évolution des courbes pour éventuellement écarter les rangs raccourcis, ce qui sera plus joli.

En Duchesse

a. Prendre 2 fois la même épingle (diag 119).

b. Faire un point tournant (diag 120 & 121).

On prend alors une épingle temporaire de soutien qui sera toujours la même pour éviter la formation de petits trous.

Withof & Duchesse – Scroll

Depending on the size of the scroll, the motif is set up on 2 or 3 pins (diagram 122).

On 3 pins: 4-2-2 pairs.

1st and 2nd pairs	cloth stitch, twist both pairs twice
3rd and 4th pairs	cloth stitch, twist both pairs twice
4th and 5th pairs	cloth stitch, twist both pairs twice
5th pair is placed around the second pin	
6th pair	twist twice
6th and 7th pairs	cloth stitch, twist both pairs twice
7th pair is placed around the third pin	
8th pair	twist twice (diagram 123)

It is clear that the setting up around the first pin is stronger. Many sewings have to be made into this pinhole. By setting it up in this way, and in addition taking one twist out of pairs 1 and 2, it becomes a neat round hole.

To prevent the pinholes from closing, pairs 3 to 8 must be twisted once more.

Withof

A double gimp pair must be added.
There are various scrolls:

Scrolls that change into a braid

A scroll is always worked with decorative short rows in order to form a beautiful curve (diagram 41).

The two pairs at the centre hole are not worked, but laid between the weavers before and after a sewing (diagram 124). With these 2 pairs the scroll is rolled as soon as * is reached.

After the edge has been rolled, top sewings should be made. A new gimp pair and edge pair have to be added. From this point, the gimp pair is worked in cloth stitch. The inner edge pair is still laid between the weavers (diagram 125). This is used as an edge pair as soon as an edge stitch is required on that side (diagram 126).

When working the scroll, the pillow should be turned with it. It is very important that the weavers follow the curve of the scroll.

Continue working the decorative short rows as far as necessary. If after finishing this, another decoration is needed in the braid, such as a vein, it is best to work that within the lines of the same passive pair.

SCHNÖRKEL

Mit 2 oder 3 Nadeln wird ein Schnörkel angefangen (abhängig von der Grösse) Fig. 122.

3 Nadel mit 4- 2- 2 Paare

Paar 1 und 2	L, beide Paare 2x dr
Paar 3 und 4	L, beide Paare 2x dr
Paar 4 und 5	L, beide Paare 2x dr
Paar 5 wird um die zweite Nadel gelegt	
Paar 6	2x dr
Paar 6 und 7	L, beide Paare 2x dr
Paar 7 wird um die dritte Nadel gelegt	
Paar 8 2x dr	Fig. 123

Es ist klar dass der Anfang um die erste Nadel rum kräftiger ist. In diesem Loch muss oft eingehäkelt werden. Auf dieser Weise anzufangen wird das Löchlein schön und rund.

Zur Vorbeugung des Verschwindens der Löcher, werden die Paare 3-8 einmal extra gedreht.

Jetzt wird eine Drehung aus den Paaren 1 und 2 genommen.

In **Withof** wird ein DK eingeklöppelt.
Man kann sich verschiedene Schnörkel ausdenken:

KRUL

Een krul wordt met 2 of 3 spelden opgezet (afhankelijk van de grootte) tek. 122

3 spelden met elk 4 - 2 - 2 paren

pr 1 en 2	lsl, beide prn 2x dr	
pr 3 en 4	lsl, beide prn 2x dr	
pr 4 en 5	lsl, beide prn 2x dr	
pr 5 wordt om 2e speld gelegd		
pr 6	2x dr	
pr 6 en 7	lsl, beide prn 2x dr	
pr 7 wordt om 3e speld gelegd		
pr 8	2x dr	tek. 123

Het is duidelijk dat de opzet rond de 1e speld steviger is. In dit gaatje moet vaak worden aangehaakt. Door op deze manier op te zetten wordt het een mooi rond gaatje.

Om dichtslibben van de gaatjes te voorkomen, hebben de prn 3-8 één extra draai gekregen. Voor een mooie aansluiting om het middelste gaatje wordt één draai uit de prn 1 en 2 genomen.

In **Withof** wordt een dcp ingelegd.
Er zijn verscheidene mogelijkheden met een krul:

VOLUTES

Même départ pour le Withof ou la Duchesse.

En fonction de sa largeur, on prendra 2 ou 3 épingles de départ (diag 122).

Sur 3 épingles: 4-2-2 paires

Paires 1&2: sur chaque paire	point toile, 2 torsions
Paires 3&4 : sur chaque paire	point toile, 2 torsions
Paires 5&6: sur chaque paire	point toile, 2 torsions
Paire 5 :	épingle de soutien n° 2
Paire 6 :	2 torsions
Paires 6&7 : sur chaque paire	point toile, 2 torsions
Paire 7 :	épingle de soutien n° 3
Paire 8 :	2 torsions (diag 123)

Il apparaît que le début sur la 1ère épingle est renforcé. C'est à cause des multiples accrochages qui viendront se faire dans ce trou d'épingle. On peut aussi marquer le petit trou en supprimant une torsion sur les paires 1 & 2.

Pour mieux voir les trous, ajouter 1 torsion aux paires 3 à 8.

En Withof

Ajouter une paire avec cordon double.
Différentes versions de volute:

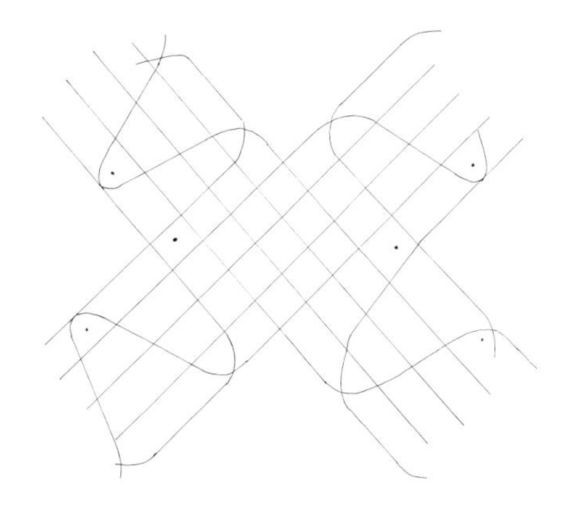

Diagram 117b

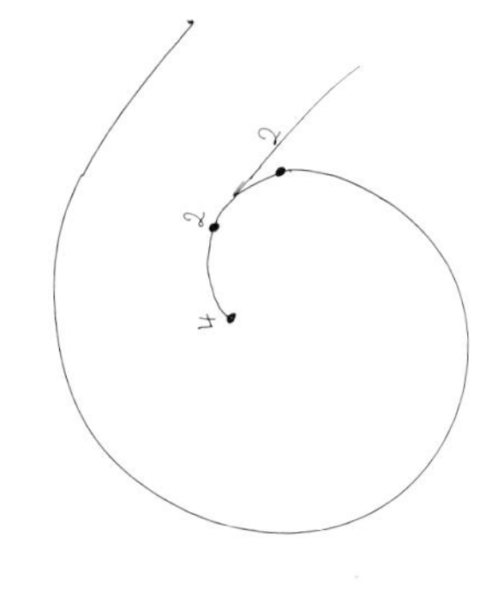

Diagram 122

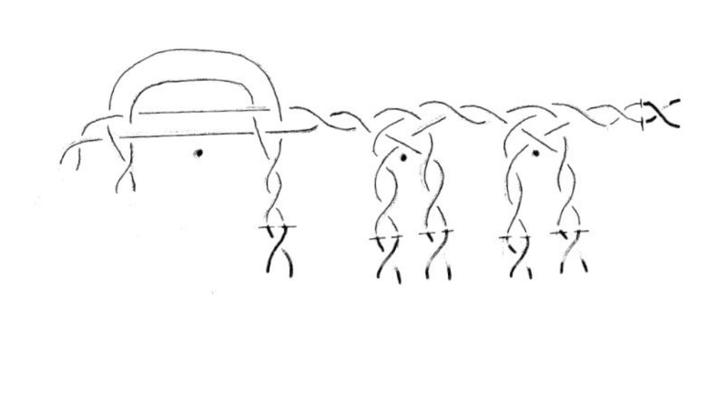

Diagram 123

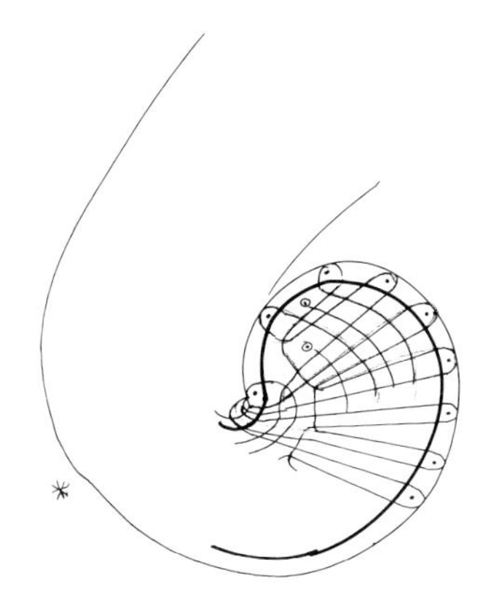

Diagram 124

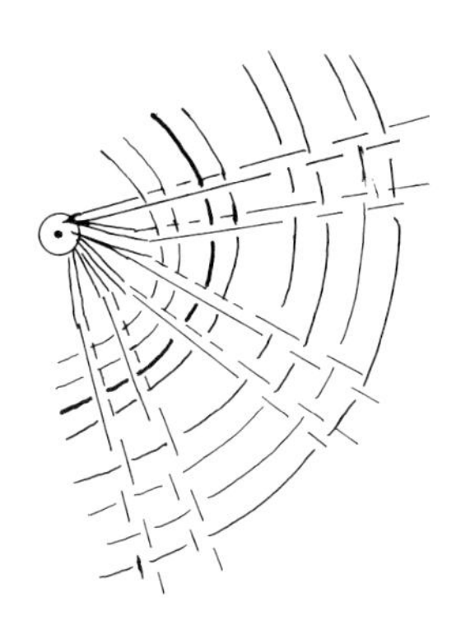

Diagram 125

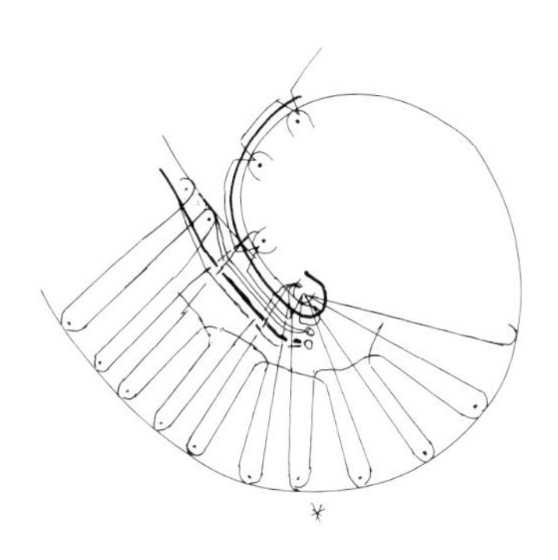

Diagram 126

Schnörkel die in einem Bändchen übergehen

Der Schnörkel wird immer mit der verkürzten Schmuckreihe geklöppelt um eine bessere Rundung zu geben. Fig. 41

Die beiden letzten Paaren zum Mittelloch hin werden nicht geklöppelt sondern zwischen dem Lp gelegt – einhäkeln – wieder dazwischen legen – weiterklöppeln. (Fig. 124). Mit diesen beiden Paaren wird der Schnörkel gerollt sobald * erreicht ist.

Nachdem gerollt ist, soll an den Stegen eingehäkelt werden. Ein neues K und Randpaar muss eingelegt werden. Das K wird jetzt in L geklöppelt. Das Randpaar wird noch immer zwischen dem Lp gelegt (Fig. 125) und erst für den Randschlag benutzt wenn nicht mehr eingehäkelt wird. Fig. 126

Beim Schnörkel muss die ganze Zeit das Kissen gut mitgedreht werden. Die Richtung des Lp ist wichtig, es soll mit dem Schnörkel mitgehen.

Die verkürzte Schmuckreihe wird so lange geklöppelt wie sie gebraucht wird. Falls es auch Dekoration im Bändchen gibt, z.B. ein Nerv, wäre es am schönsten diese an der gleichen Stelle in den Rp zu klöppeln.

Krullen die in een bandje overgaan

Een krul wordt altijd met de versierende verkorte toer gewerkt om een mooie ronding te krijgen. tek. 41

De beide prn bij het middelste gaatje worden niet geklost, maar tussen het lp gelegd wanneer aangehaakt wordt en nadat aangehaakt is. Tek. 124 Met deze twee prn wordt de krul gerold zodra * bereikt is.

Nadat gerold is, moet aan de pootjes aangehaakt worden. Er moet dan ook een nieuw cp en randslagpaar ingelegd worden. Nu wordt wel het cp in lsl geklost. Het randslagpaar wordt nog steeds tussen het lp gelegd. Tek. 125. Dit wordt pas echt gebruikt zodra er een randslag geklost gaat worden aan die zijde. Tek. 126

Tijdens het werken van de krul moet het kussen goed meegedraaid worden. Het is erg belangrijk dat het lp met de krul meeloopt.

De versierende verkorte toer wordt zo lang gewerkt als nodig. Als er dan ook nog in het bandje versierd wordt, zoals een nerf, is het het mooiste om dat op dezelfde plaats in de staande prn te werken.

Volute qui évolue en lacet

On utilise toujours les rangs raccourcis pour former un beau rond (diag 41).

Au centre, ne pas travailler les 2 dernières paires et les passer entre les voyageurs avant et après accrochages (diag 124). On les utilise alors pour démarrer le rouleau jusqu'à *.

Sur le bord avec rouleau, faire des accrochages relief. Ajouter une nouvelle paire de bordure et une avec cordon. Démarrer à partir d'ici la paire avec cordon en point toile. On passe la paire bordure entre les voyageurs (diag 125). Elle sortira en paire bordure dès que le dessin le permettra (diag 126).

On tourne le carreau au fur et à mesure pendant le travail. Il faut absolument que les passives soient entraînées par le mouvement. Utiliser les rangs raccourcis aussi longtemps qu'il le faut. S'il faut poursuivre la décoration par une nervure, continuer dans la lignée du trou-trou.

Scrolls that curve around themselves

The braid of the scroll may continue into another motif, but can also curve around itself. In this case, it is very important to finish the work as one flowing line (diagram 127 and see photograph 19).

There are several possible ways to work such a scroll:

a. Closed

In this case it is not necessary to add a new gimp pair and edge pair after the edge has been rolled.

A small decoration can be worked: one half stitch before a sewing is made and one after.

Another possibility is to work all passives between the decorative short rows and the sewings in half stitch. Two twists between half stitch and cloth stitch will be unnecessary in this case, as the decorative holes are already there.

b. A little more open

Either:

1. make a sewing every third row. Between the sewings the weavers can be twisted 4 times around the pin diagram 128). For this technique, see also diagram 52; or
2. work an edge stitch with sewings at regular intervals; or
3. work turning stitches, with sewings at regular intervals.

c. Scrolls that are formed by ribs

See patterns 21–23, diagram 129, and photograph 27.

The rib is set up on one pin and 2 extra pairs are added to roll with.

At *, the pairs for the second rib are sewn in. Both ribs are continued, and tallies are worked with the weavers or are sewn in as elongated tallies (diagram 188).

Big scroll

This is started with 3 pins. See Scroll No. 1. Apart from the double gimp pair, passive pairs can be added in the same way to fill the scroll quickly (diagram 130).

Finishing in a scroll – Withof

Some patterns are best worked by finishing in a scroll. The difference between this and the setting up of a scroll is that the roll is on the other side than with the setting up of a scroll (diagram 131).

The braid is worked to the end. Turn the pillow. The edge pair and the gimp pair are rolled back (diagram 132). The decorative short rows are worked to follow the curve and sewings are made every second row.

When about one-eighth of the scroll is left, * the weavers are taken out in the centre, the last-used passive pair is sewn into the centre and used as the weavers to the outside edge*. Repeat from * to * until there are 2 passive pairs, an edge pair and a gimp pair remaining. The gimp pair is worked to the centre. Both passive pairs and the edge pair are sewn in and tied (diagram 133).

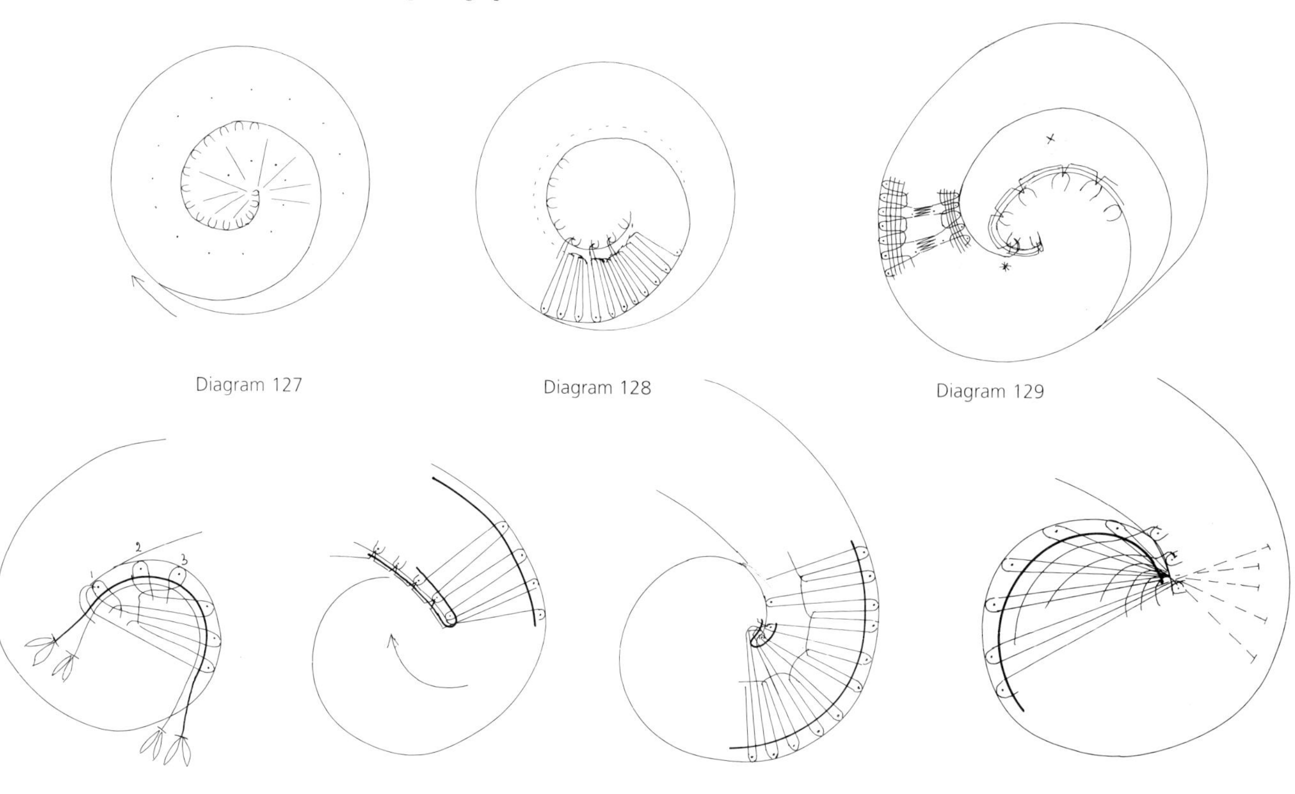

Diagram 127 Diagram 128 Diagram 129

Diagram 130 Diagram 131 Diagram 132 Diagram 133

Schnörkel die sich um sich selber drehen

Das Bändchen des Schnörkels kann übergehen in ein anderes Motiv, aber auch zurückkommen zum Schnörkel. Es ist dabei sehr wichtig fliessend in die Linie des Schnörkels überzugehen (Fig. 127, Photo 19).

Es gibt verschiedene Möglichkeiten der Schnörkel zu klöppeln.

a. ganz dicht

dann braucht man kein neues K und Randpaar einzulegen, nachdem gerollt wurde.
Als Dekoration kann z.B. ein Halbschlag vor und nach dem Einhäkeln geklöppelt werden.

Eine andere Möglichkeit wäre: zwischen den verkürzten Schmuckreihen und dem Einhäkeln alle in Halbschlag zu klöppeln. Mann braucht dann nicht die 2 Drehungen zwischen H und L weil es Schmucklöcher gibt.

b. etwas offen

1. jede dritte oder vierte Reihe einhäkeln. Dazwischen wird um die Nadel 4x gedreht. Fig. 128 (auch Fig. 52).
2. Randschlag mit offener Verbindung
3. mit Umkehrschlägen

c. Schnörkel als Rippe

Muster 21–23, Fig. 129, Photo 27
Die Rippe wird auf einer Nadel angefangen. Zwei Paare extra werden um die 4 Paare gehängt, zum Rollen.

Bei *, werden die Paare für die zweite Rippe angehäkelt. Beide Rippen werden gleichzeitig geklöppelt. Mit den Lp werden Formschläge geklöppelt oder es werden später 2 Paare eingehäkelt um längliche Formschläge zu klöppeln. Fig. 188

Grosser Schnörkel

Anfangen auf 3 Nadeln wie vorher. Ausserhalb des doppelten Konturpaares können auch Rp auf dieselbe Weise hinzugefügt werden um den grossen Schnörkel schnell zu füllen.
Fig 130

Enden im Schnörkel – Withof

Es gibt Muster bei denen es schöner ist mit einem Schnörkel zu enden. Der Unterschied in diesem Schnörkel ist, dass die Rolle anderes liegt als beim Anfang des Schnörkels. Fig. 131

Das Bändchen wird bis zum Ende geklöppelt. Das Kissen gut mitdrehen. Es wird mit dem Randpaar und K gerollt (Fig. 132). Die verkürzte Schmuckreihe wird geklöppelt um die Rundung zu bekommen. Jede zweite Reihe wird eingehäkelt.

Wenn noch ungefähr ein Achtel übrig ist, *wird das Lp herausgelegt, das letzte Rp wird eingehäkelt in der Mitte und als Lp zum Rand geklöppelt*. Von * bis * wiederholen, bis nur noch 2 Rp, Randpaar und K übrig sind. Das K wird nach innen geklöppelt. Beide Rp und Randpaar einhäkeln und verknoten. Fig. 133

Krullen die om zichzelf heen draaien

Het bandje van de krul kan uitlopen in een ander motief, maar kan ook weer terugkomen bij de krul. Het is daarbij erg belangrijk om vloeiend als één lijn met de krul te eindigen (tek. 127, foto 19).

Er zijn verschillende mogelijkheden om deze krul te werken.

a. Helemaal dicht

dan is het niet nodig om een nieuw cp en randslagpaar in te hangen, nadat gerold is. Als versiering kan er bijv. 1 nsl voor en na het aanhaken geklost worden. Een andere mogelijkheid is: geheel in netslag tussen de versierende verkorte toeren. De 2 dr tussen nsl en lsl zijn dan niet nodig, omdat er al versierende gaatjes zijn.

b. Iets meer open

1 door om de paar keer aan te haken. Daartussen kan om de speld 4x gedraaid worden. Tek. 128, (zie ook tek. 52)
2 een rechte randslag met op regelmatige afstanden, aanhakingen.
3 omkeerslagen

c. Krullen die beginnen als ribje

Patronren 21–23, tek. 129, foto 27
Ribje wordt met 1 speld opgezet. Er worden 2prn extra om deze prn gehangen om te rollen.

Bij *, worden prn voor het tweede ribje aangehaakt. Beide ribjes worden samen opgewerkt. De moesjes kunnen met de lprn gelijk gewerkt worden of later als langwerpige moesjes aangehaakt worden. Tek. 188

Grote krul

Er wordt op 3 spelden opgezet. Zie boven. Buiten het dcp worden er ook staande prn toegevoegd om de krul snel vol te krijgen. Tek. 130

Eindigen in de krul – Withof:

Er zijn patronen waarbij het mooier is om met een krul te eindigen. Het verschil is dat de rol aan de andere kant ligt dan bij de opzet van een krul. tek. 131

Het bandje wordt tot het einde geklost. Kussen goed meedraaien. Met het randslagpr en cp wordt gerold (tek. 132.) De versierende verkorte toer wordt geklost om de ronding te werken. Er wordt elke tweede toer aangehaakt.

Als er nog ca een achtste over is, * wordt het lp in het midden uitgelegd, het laatst gekloste st pr wordt aangehaakt en als lp naar de buitenrand geklost*. Van * tot * herhalen tot er nog 2 st prn, rand pr en cp over zijn. Het cp wordt naar het midden geklost. Beide st prn en het randpr worden aangehaakt en afgeknoopt. Tek. 133

Volute en colimaçon

Si la volute peut s'envoler vers d'autre motif, elle peut aussi s'enrouler sur elle-même. Dans ce cas il faut finir parfaitement le cercle (diag 127). Voir photo 19.

Il y a plusieurs manière de faire une volute :

a. Forme fermée

Dans ce cas,il n'est pas nécessairee d'ajouter une paire avec cordon et une paire de bordure lorsqu'on a fini le départ de rouleau.

On peut faire un léger décor par un point grille avant et après chaque accrochage.

On peut aussi faire de la grille sur les passives centrales déterminées par les rangs raccourcis. Mais ne pas ajouter de torsions supplémentaires entre toile et grille ici. On a déjà des petits trous.

b. Petit écartement

Au choix:
1. Faire l'accrochage un trou sur trois. Entre les accrochages, tordre 4 fois les voyageurs autour d'une épingle (diag 128). Pour cette technique voir aussi diag 52.
2. Point de bordure et accrochages espacés régulièrement.
3. Faites des points tournants et des accrochages irréguliers.

c. Volute à partir de lacet contour

Voir les modèles 21–23, diag 129, photo 27.

Départ du lacet contour sur 1 épingle. On ajoute 2 paires pour souligner d'un rouleau.

Quand * est atteint on accroche les nouvelles paires pour le second lacet contour en vis à vis. Des points d'esprit carrés relient ces 2 lacets (diag 188, 191).

Grosse volute

Départ sur 3 paires. Voir 1ère explication des volutes sans la paire avec cordon. Utilisez cette méthode pour ajouter rapidement les passives (diag 130).

Terminer par une volute

Il est parfois plus joli de finir par une volute. On fait le chemin inverse du départ pour finir (diag 131).

Aller jusqu'au bout du lacet. Tourner le carreau. Faire le rouleau avec la paire de bordure et la paire avec cordon (diag 132). Travailler en rangs raccourcis pour suivre la courbe et faire des accrochages tous les 2 rangs.

Quand il n'y a plus qu'un 8ème de volute à faire, * sortir les voyageurs au centre, utiliser la dernière passive travaillée pour faire l'accrochage et retourner comme voyageurs sur l'autre bord *.Répéter de * à *. Il doit rester 2 passives, la paire de bordure et la paire avec cordon. Ramener la paire avec cordon au centre. Accrocher et nouer les autres paires (diag 133).

Duchesse

The gimp pair has to be worked in from the centre (diagram 134).

The weavers (from the outside) are worked past the second pin. This pair then becomes a passive pair. The last-used passive pair is worked to the outside as the weavers.

If necessary pairs should be added.

Now the weavers are worked past the third pin in the same way. The last-used passive pair is worked to the outside as the weavers. (There is one pair left in the centre.) The weavers are worked back to the centre, past the last pair which is now taken to the outside to make the edge stitch. From this point, sewings have to be made in the centre pinhole.

Alternately:
- leave the weavers in the centre, and use the last-used passive pair as the weavers;
- make a sewing into the centre pinhole.

To avoid bulging threads, a turning stitch should be made (diagram 135).

As soon as the centre pin is passed, sewings should be made in the second pin. Where the braid comes loose from the scroll, a gimp pair should be added and the inside pair then used as the edge pair (diagram 136).

Finishing in the scroll

Work to the end of the line, turning the pillow all the time. Set the last pin and work back to the outside. The gimp pair in the centre has to be taken out. Untwist the edge pair. The weavers are worked through all the pairs.
The last used passive pair is taken to the outside as the new weavers. In the next row a sewing is made into the centre. The scroll is filled in the same way as the setting-up scroll. (diagram 137). All sewings have to be made into the centre.

When about one-eighth of the scroll is left, *the weavers are put aside from the centre (diagram 138) – the last used passive pair is sewn in and taken to the outside as the weavers*. This has to be repeated until there are only a gimp pair, an edge pair and perhaps a passive pair left.
If there are too many pairs to be taken out in this way, passive pairs can also be taken out in the usual way.

The pairs that remain can be sewn into the two other pinholes, tied and cut (unless they are required again). The gimp pair can be cut off.

Small scroll

If only 2 setting up pins are needed, 4-2 pairs are hung around these pins. The pairs must be joined and a gimp pair should be added. Diagram 139 shows how to start the scroll.

Duchesse

Das K wird vom Mittelpunkt aus eingeklöppelt. Fig. 134

Mit dem Lp (rechts) an der zweiten Nadel vorbei klöppeln. Dieses Lp wird Rp. Jetzt folgt ein Laufpaarwechsel. Falls notwendig, werden sofort neue Paare hinzugefügt.

Bei der dritten Nadel wird das gleiche gemacht. (In der Mitte liegt jetzt noch ein Paar).

Mit dem Lp durch alle Paare – Laufpaarwechsel – Randschlag.

Jetzt muss in der Mitte eingehäkelt werden.

Abwechselnd wird eingehäkelt oder liegengelassen. Auf Stauung muss aufgepasst werden. Wenn dies der Fall ist, wird ein Umkehrschlag geklöppelt. Fig. 135

Sobald man am Mittelpunkt vorbei ist, muss man im Loch der zweiten Anfsangsnadel einhäkeln.

Wenn das Bändchen anfängt vom Schnörkel, wird ein K eingelegt. Das Paar an der Innenseite wird Randpaar. Fig. 136

Duchesse

Het cp wordt vanaf het middelpunt ingeklost. (tek. 134)

Met het lp (rechts) tot voorbij de tweede speld klossen. Het laatst gekloste st p wordt lp. Bij de derde speld wordt hetzelfde gedaan. Als het nodig is direct prn toevoegen.

(In het midden ligt nog 1 pr.) Nu terug naar het midden en dit laatste pr als lp naar de buitenkant klossen.

Daarna moet er in het midden aangehaakt worden.

Afwisselend wordt er nu aangehaakt en blijft het lp in het midden liggen. Pas goed op dat er geen opstroppingen komen. Indien dit het geval is, wordt er een omkeerslag geklost Zie tekening 135.

Zodra de middenspeld voorbij gewerkt is, moet er in het gaatje van de tweede (opzet)speld aangehaakt worden.

Wanneer het bandje los komt van de krul, wordt een cp ingelegd en het pr aan de binnenkant wordt gebruikt als randslagpr. Tek. 136

En Duchesse

Départ de la paire avec cordon au centre (diag 134).

Les voyageurs (venant de l'extérieur) travaillent jusqu'après la seconde épingle. Puis deviennent passives.La dernière passive traversée devient voyageurs vers l'extérieur.

En cas de besoin, ajouter des passives.

La 3ème épingle est dépassée de cette manière. La dernière passive traversée devient voyageurs pour aller vers l'extérieur. (Il reste 1 paire au centre). Les voyageurs reviennent au centre, traversent la dernière paire qui devient la paire de bordure. A partir de cet endroit, les accrochages se font au centre.

Une autre possibilité:
• les voyageurs sont en attente au centre, la dernière paire traversée devient nouveaux voyageurs;
• faire un accrochage dans le trou d'épingle du centre. Pour une meilleure tension, utiliser les points tournants (diag 135).

Dès qu'on sort du centre, faire les accrochages à la seconde épingle.

Quand la volute devient lacet, ajoutez une paire avec cordon et la paire centrale devient alors paire de bordure (diag 136).

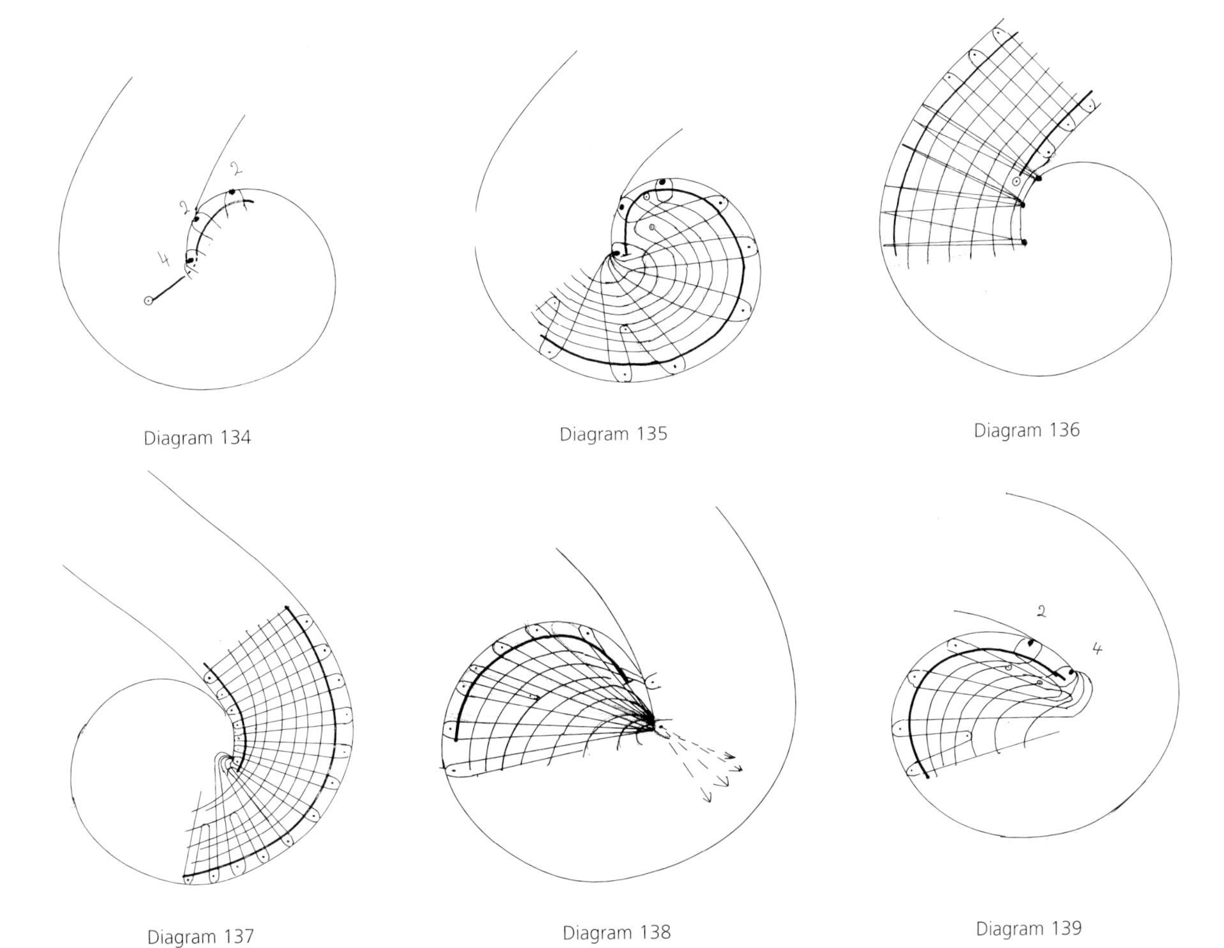

Diagram 134

Diagram 135

Diagram 136

Diagram 137

Diagram 138

Diagram 139

Enden im Schnörkel

Klöppeln bis zum Ende der Linie (Kissen mitdrehen). Die Nadel wird gesetzt, zurück nach aussen. Das K in der Mitte wird herausgelegt. Drehungen aus dem Randpaar herausnehmen. Mit dem Lp zurück zur Mitte. Laufpaarwechsel mit aufgedrehtem Randpaar. Zurück zur Mitte, durch alle Paare, dann einhäkeln. Fig. 137

Wenn noch etwa ein Achtel vom Schnörkel übrig ist, wird *das Lp in der Mitte herausgelegt. Fig. 138. Das letzte Rp wird eingehäkelt und als Lp nach aussen genommen.* Von * bis * wiederholen. Wenn nur noch ein Randpaar, ein K und eventuell ein Rp übrig sind, wird beendet.

Falls es zuviele Paare gibt um auf dieser Weise los zu werden, kann man auch Rp wie bekannt, herauslegen.

Die übrigen Paare, können an beiden anderen Nadellöchern eingehäkelt, verknotet und abgeschnitten werden (wenn sie nicht weiter benutzt werden können). Das K kann abgeschnitten werden.

Kleiner Schnörkel

Falls nur 2 Anfangsnadel nötig sind, werden um diese Nadeln 4-2 Paare aufgehängt, verbunden und ein K wird hinzugefügt. Fig.139 zeigt der Anfang des Schnörkels.

Eindigen in een krul

Tot aan het einde van de lijn werken (kussen meedraaien), speld zetten en terug naar buitenkant. Cp in het midden wegleggen. Draaiingen uit het randslagpaar uitnemen. Met lp terug naar midden. Met laatst gekloste staande pr (dit was het randslagpaar) naar de buitenkant. Daarna terug naar het midden door alle paren en aanhaken (tek. 137)

Als er nog ca. een achtste van de krul te werken is, wordt *het lp in het midden uitgelegd (tek. 138). Het laatst gekloste staande pr wordt aangehaakt en als lp mee naar de buitenkant genomen*. Dit herhalen tot er een randslagpaar en een cp en eventueel een staand paar over is. Indien er teveel prn zijn om op deze manier kwijt te raken, kunnen er ook staande prn (op de bekende manier uitgenomen worden.

De prn die over zijn, kunnen in beide andere speldengaatjes aangehaakt, afgeknoopt en afgeknipt worden (tenzij ze verder gebruikt kunnen worden). Het cp kan afgeknipt worden.

Kleine krul

Indien slechts 2 opzetspelden nodig zijn, wordt op deze 2 spelden 4-2 paren gehangen, vastgelegd en cp toegevoegd. Tek. 81 laat het begin van de krul zien. Tek. 139

Pour finir en volute

Travailler jusqu'au bout de la ligne en tournant le carreau constamment. Poser la dernière épingle et revenir à l'extérieur. Rejeter la paire avec cordon. Détordre la paire bordure. Les voyageurs traversent toutes les paires. La dernière paire traversée revient vers l'extérieur comme nouveaux voyageurs. Faire un accrochage au centre du rang suivant. Pour finir, même procédé qu'au départ (diag 137). Tous les accrochages se font au centre.

Quand il ne reste plus qu'un huitième de volute à faire, * mettre les voyageurs en attente au centre (diag 138), y accrocher la dernière passive traversée, elle devient ensuite voyageurs vers l'extérieur *.

Répéter jusqu'à ce qu'il ne reste plus que la paire avec cordon, la paire bordure et au plus une passive. S'il y en a trop à retirer, on peut prendre la méthode habituelle.

Les dernières paires sont accrochées dans les 2 trous suivants, nouer, couper (sauf si vous les réutilisez ensuite). Couper la paire avec cordon.

Petite volute

Deux épingles de départ seulement, avec 4-2 paires.

Faire le rang de montage, ajouter la paire avec cordon. Le diag 139 montre comment on commence la volute.

Withof & Duchesse – Circle

It is important to decide where to start a circle in a pattern. The join should never face the outer edge.

Setting up pins are set from the centre to the edge (diagram 140):

4 pairs around the centre pin

2 pairs around the other pins.

Like the scroll many sewings have to be made into the centre. That is why a strong hole is necessary.

1st and 2nd pairs	cloth stitch, twist both pairs twice
3rd and 4th pairs	cloth stitch, twist both pairs twice
4th and 5th pairs	cloth stitch, twist both pairs twice
5th pair is placed around the second pin	
6th pair	twist twice
6th and 7th pairs	cloth stitch, twist both pairs twice

Continue as before until all the pins have been worked.

To form a neat hole take one twist out of the first and second pairs.

The gimp pair is added (diagram 141).

The weavers are taken from the outside. It is a straight setting up: this is why the weavers are worked as far as the last pair and then the last-used passive pair is taken back as the weavers.

In the next row, the weavers are worked through all the pairs and the last passive pair is taken back.

In the next row, start with the sewings (diagram 141).

Withof

Decorative short rows in cloth stitch

These are worked every second row (diagram 143).

Decorative short rows in half stitch

When the whole circle is worked in half stitch, the weavers that are worked to the centre are twisted twice on the level of the short rows.

KUGEL

Es ist wichtig vorher zu entscheiden wo in einem Muster mit einem Kugel angefangen wird. Die naht soll nie nach aussen gerichtet sein.

Von der Mitte aus werden die Nadel zum Rand hinaus gesetzt. (Fig.140)

4 Paare auf die Mittelnadel

2 Paare auf die anderen Nadeln. Genau wie bei dem Schnörkel muss im Mittelpunkt oft angehäkelt werden. Daher soll das Mittelloch kräftig sein.

Paar 1 und 2	L, beide Paare 2x dr
Paar 3 und 4	L, beide Paare 2x dr
Paar 4 und 5	L, beide Paare 2x dr
Paar 5 wird um die zweite Nadel gelegt	
Paar 6	2x dr
Paar 6 und 7	L, beide Paare 2x dr

usw

Eine Drehung aus den Paaren 1 und 2 wird genommen. damit ein schönes Löchlein ensteht.

Withof and Duchesse

Das K wird zwischen dem 2en und 3en Paar gelegt. Fig. 141

Das Lp nehmen wir von der Aussenseite. Es ist ein gerader Anfang, das Lp bleibt also vor dem letzten Paar liegen und es wird zurückgeklöppelt mit dem zuletzt geklöppelten Rp. Bei der nuächsten Reihe durch alle Paare klöppeln, zurückgehen mit dem zuletzt geklöppelten Rp als Lp.

Das nächste Mal wird in der Mitte eingehäkelt. Fig. 141

BOL

Het is belangrijk te bepalen waar de naad van de bol zit. Deze moet nooit naar de buitenkant van een patroon gerich zijn.

Vanuit het midden worden spelden naar de rand gezet. (tek.140)

4 prn om de middenspeldn

2 om de andere spelden.

Net als bij de krul wordt er in het middelpunt vaak aangehaakt. We willen daarom een stevig gaatje.

pr 1 en 2	lsl, beide prn 2x dr
pr 3 en 4	lsl, beide prn 2x dr
pr 4 en 5	lsl, beide prn 2x dr
pr 5 wordt om 2e speld gelegd	
pr 6	2x dr
pr 6 en 7	lsl, beide prn 2x dr

enz.

Eén draai wordt uit pr 1 en 2 genomen zo dat het gaatje mooi rond wordt.

Cp wordt tussen 2e en 3e pr gelegd. tek. 141

Het lp komt van de buitenrand.

Het. is een rechte opzet, dus het lp blijft voor het laatste pr liggen en er wordt teruggeklost met het laatst gekloste staande pr. Bij de volgende toer door alle prn klossen en terug met laatst gekloste staande pr. De volgende keer wordt aangehaakt in het middelpunt. tek. 141.

LES RONDS

Il est important de savoir où commencer un rond dans un dessin. L'accrochage ne se fait jamais face à l'extérieur.

La technique de départ est commune au Withof et à la Duchesse.

Mettre en ligne les épingles de départ du centre vers l'extérieur (diag 140).

4 paires sur l'épingle du centre.

2 paires sur les autres.

Comme pour la volute, faire de nombreux accrochages au centre. Ce qui implique un trou renforcé.

Paires 1 & 2	point toile et 2 torsions sur chaque paire.
Paires 3 & 4	point toile et 2 torsions sur chaque paire.
Paires 4 & 5	point toile et 2 torsions sur chaque paire.
Paire 5	sur épingle de soutien n° 2
Paire 6	2 torsions
Paires 6 & 7	point toile et 2 torsions sur chaque paire

Continuer ainsi jusqu'à ce que toutes les épingles soient posées.

Pour faire un trou net retirer une torsion sur les 2 premières paires.

Ajouter la paire cordon (diag 141).

Ramener les voyageurs depuis l'extérieur. C'est un montage droit: c'est pourquoi les voyageurs traversent jusqu'à la dernière paire et que celle-ci revient en tant que nouveaux voyageurs.

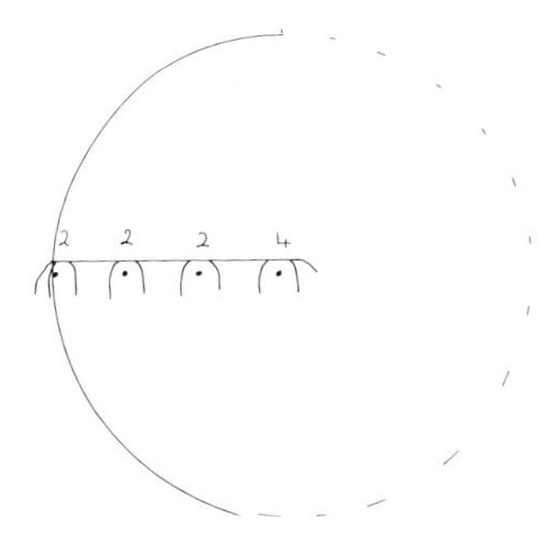

Diagram 140

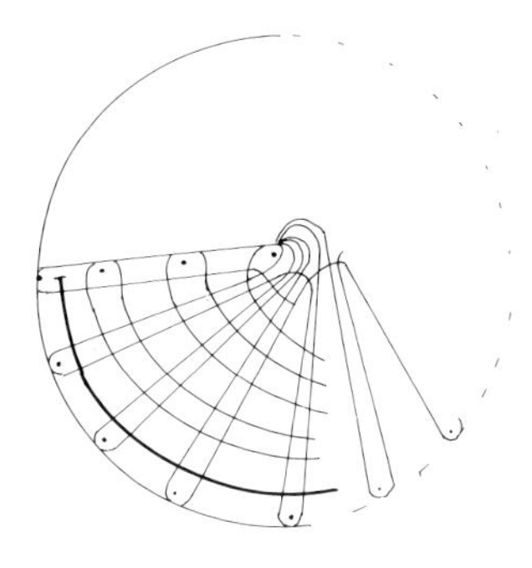

Diagram 141

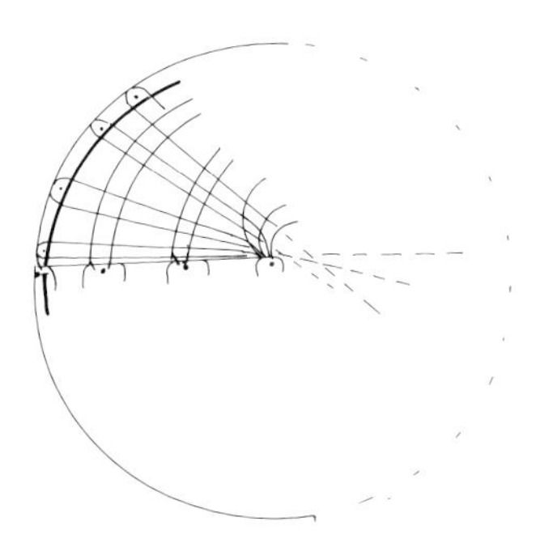

Diagram 142

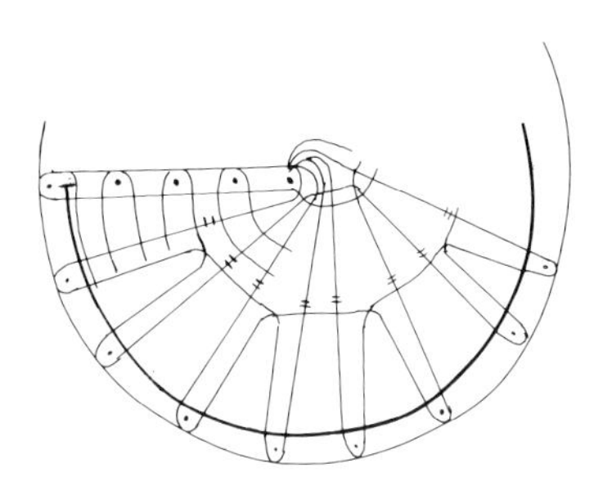

Diagram 143

Verkürzte Schmuckreihe im Leinenschlag
Hier wird regelmässig die verkürzte Schmuckreihe geklöppelt. Fig. 143

Verkürzte Schmuckreihe im Halbschlag
Wenn ganz im Halbschlag geklöppelt wird, hat das Paar das zur Mitte geht 2 Drehungen auf der Höhe der Schmuckreihe.

Withof
Versierende verkorte toer in linnenslag
Hier wordt regelmatig de versierende verkorte toer geklost. tek. 143

Versierende verkorte toer in netslag
Wanneer de bol geheel in nsl geklost wordt, heeft het lp dat naar het midden gaat 2dr op de hoogte van de versierende toer.

En Withof:
Rangs raccourcis décoratifs en point toile:
Ils se font 1 fois sur 2 (diag 143).

Rangs raccourcis décoratifs en point grille
Quand on n'utilise que la grille, faire 2 torsions des voyageurs sur les rangs raccourcis.

Decorative short rows in half stitch/ cloth stitch or cloth stitch/half stitch

1. The outer edge can be worked in half stitch, with cloth stitch in the centre;
2. the outer edge is worked in cloth stitch and half stitch in the centre. At the change-over from cloth stitch to half stitch there are 2 twists.
3. One twist next to the gimp thread

a. Hole: 1

The setting up should be on more than 2 pins. In the centre the weavers are passed around a gimp thread (diagram 112, page 49).

b. Hole: 2

In the centre the weavers are twisted 4 times around the pin, alternated by a turning stitch (see diagram 120, page 51 and diagram 113, page 50.)

Finishing a circle – Withof

When about one-eighth of the circle remains, pairs have to be taken out (diagram 142). Finish the circle as in diagram 144.

From the centre to the edge, the pairs are sewn in and tied. Take care to distribute the pairs evenly.

Roll the edge with or without a gimp pair. If a gimp pair is used, set a pin outside to form a loop (diagram 145). This will prevent the pair from being pulled away. Cut off the loop later.

Diagram 144

Diagram 145

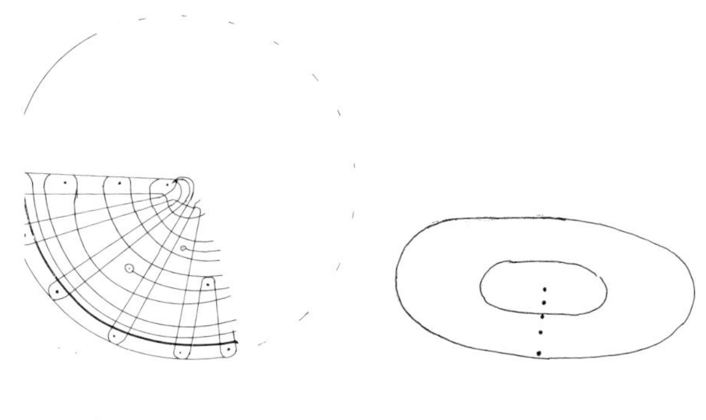

Diagram 146

Diagram 147

Verkürzte Schmuckreihe im Halbschlag/Leinenschlag oder Leinenschlag/Halbschlag

1. Der Aussenrand kann im H geklöppelt werden und L in der Mitte

oder

2. Der Aussenrand im L und H in der Mitte. Beim übergang von L nach H gibt es immer 2 Drehungen.
3. eine Drehung neben dem Konturpaar.

a. Löchlein: 1

Auf mehr als 2 Nadeln wird angefangen. Das Lp wird in der Mitte um einen K.Faden gelegt (Fig. 112, Seite 49).

b. Löchlein: 2

An der Innenseite wird das Lp um die Nadel 4x gedreht und abwechselnd ein Umkehrschlag geklöppelt (Fig.113, Seite 50).

Beenden einer Kugel – Withof

Wenn ein Achtel übrig ist, werden Paare herausgelegt wie in Fig. 142.

Der Kugel wird beendet wie im Fig. 144

Beim beenden dieser Kugel werden die Paare von der Mitte aus eingehäkelt und verknotet. Das Lp liegt innen. Mit oder ohne K kann gerollt werden. Falls das K benutzt wird, wird dieses Paar um eine Nadel gelegt (Fig. 145) damit es nicht schief wegzieht. Später wird die Schlaufe abgeschnitten.

Versierende verkorte toer in netslag/linnenslag of linnenslag/netslag

1. De buitenrand kan in netslag geklost worden en linnenslag in het midden
2. De buitenrand in linnenslag en het midden in netslag. Bij de overgang in een andere slag zijn er steeds 2 dr.
3. een draai naast het contourpaar

a. gaatje: 1

Op meer dan 2 spelden opzetten. Het lp wordt in het midden om een contourdraad gelegd (Zie tek. 112, biz 49).

b. gaatje: 2

In het midden wordt het lp om de speld 4x gedraaid, afgewisseld door een omkeerslag (biz 50, tek. 113).

Beëindigen van een bol – Withof

Als nog een achtste van de bol over is, worden er paren uitgelegd als in tek. 142. De bol wordt geïndigd als in tek. 144. De paren worden vanuit het midden, goed verdeeld, aangehaakt en afgeknoopt.

Er kan met of zonder cp gerold worden. Als er een cp gebruikt wordt, dan wordt dit pr om een speld gelegd (tek. 145). Hierdoor trekt het pr niet scheef weg. Later wordt de lus afgeknipt.

Les rangs raccourcis décoratifs en grille/toile, ou en toile/grille

1. Le bord extérieur peut se faire en point grille, et toile au centre ou
2. Au changement de point il y aura 2 torsions.

Une torsion près du cordon

a. Ajour n°1

Le départ s'est fait sur plus de 2 épingles. Au centre, les voyageurs tournent autour d'un cordon (diag 112, page 49).

b. Ajour n° 2

Une fois sur 2 au centre faire 4 torsions, 1 épingle, ou 1 point tournant (voir diag 113, page 50).

Finir un cercle

Quand il ne reste plus qu'un huitième du cercle à faire, rejeter les passives (diag 142). Pour finir suivre le diag 144.

Accrocher et nouer les passives en partant du centre. Bien reconstituer les paires.

Faire le rouleau avec ou sans la paire avec cordon. Quand on utilise une paire avec cordon, lui former une boucle sur une épingle temporaire à l'écart (diag 145). Ainsi la paire reste en place. On coupe la boucle plus tard.

Duchesse

Bulging of the threads should be avoided. This can be done either by leaving the weavers in the centre every other row (diagram 139), instead of making a sewing every time; or by making turning stitches half-way through the row; or do both.

When about one-eighth of the circle remains, pairs should be taken out in the centre.

* The weavers are taken out, the last-used passive pair is sewn into the centre and becomes the weavers *. This must be repeated until the last pin on the edge has been set. The remaining pairs are spread over the setting-up pins, sewn in one pair at a time, tied, and cut if these pairs are not needed again (diagram 142).

Decorations in a circle – Duchesse

Various decorative options are available:

1. the 'centre' pin may be placed off-centre;
2. the remaining pins are set on the short side;
3. when the circle gets wider:
   a. some extra pairs can be added (diagram 146); or
   b. the weavers may be twisted.

Remember to take out the new pairs on the other (finishing) side of the circle.

If the pairs of the circle can be used again, the pairs may be half stitch-plaited, evenly distributed, and sewn into edge stitches.

Oval

(See diagram 147.) With an oval, the centre has to be worked in half stitch to fill the shape. The setting up should be on the narrow side of the oval.

Duchesse

Stauungen sollen vorgebeugt werden. Dies kann man wie folgt erreichen: In jeder zweiten Reihe bleibt das Lp in der Mitte liegen statt jedes Mal einzuhäkeln und auf halben Weg können Umkehrschläge geklöppelt werden.

Wenn noch ein Achtel der Kugel übrig ist, müssen in der Mitte Paare herausgenommen werden.

* Das Lp wird herausgelegt, das zuletzt geklöppelte Paar wird eingehäkelt und ist Lp.* Wiederholen von * bis *. Wenn die letzte Nadel am Rand gesetzt ist, werden die übergebliebenen Paare eingehäkelt Paar für Paar, verknotet und abgeschnitten (nur wenn die Paare nicht weiter benutzt werden können. Fig. 142.

Dekorationen in der Kugel in Duchesse

1. Die Mittelnadel kann ein wenig aus der Mitte gesetzt werden.
2. Die Anfangsnadeln werden auf die kürzere Linie gesetzt.
3. Wenn die Kugel breiter wird
   a. können ein oder mehrere Paare hinzugefügt werden, Fig. 146 (nicht vergessen die neuen Paare später wieder herauszunehmen), oder
   b. kann das Lp gedreht werden.

Falls die Paare der Kugel aufs neue benutzt werden, bildet man mehrere Flechter die dann gut verteilt in den Randschlägen eingehäkelt werden.

Oval

Fig. 147

Dabei soll beachtet werden, dass die Innenseite im H geklöppelt werden muss, um der Form besser zu folgen. Es wird angefangen auf der schmäleren Seite. Fig 141

Duchesse

Opstroppingen moeten voorkomen worden. Dit kan bereikt worden door elke tweede keer het lp te laten liggen in het middelpunt, in plaats van elke keer aan te haken en door omkeerslagen te maken halverwege de toer.

Is ca een achtste van het bolletje nog te werken dan moeten er in het midden prn uitgenomen worden. * Het lp wordt weggelegd, het laatst gekloste staande pr wordt aangehaakt en wordt lp*. Dit herhalen tot de laatste speld op de rand gezet is. De overblijvende prn worden verdeeld over de opzetspelden en paar voor paar aangehaakt, afgeknoopt en afgeknipt (indien deze paren niet verder gebruikt kunnen worden). tek. 142

Versieringen in de bol in Duchesse

1. De middenspeld kan eniszins uit het midden geplaatst worden. foto
2. Op de korte kant worden de opzetspelden geplaatst.
3. Waar het bolletje breder wordt:
   a. kunnen een of meer nieuwe paren toegevoegd worden (tek. 146) Niet vergeten de nieuwe prn er later weer uit te nemen. of
   b. kan het lp gedraaid worden.

   Indien de prn van een bolletje opnieuw gebruikt moeten worden, kunnen de aangehaakte en afgeknoopte paren als vlechtjes, verdeeld over een aantal randslagen, ingehaakt worden.

Ovaal

Tek. 147

Bij een ovale vorm moet de binnenkant in nsl geklost worden, om de vorm te vullen. Er wordt aan de smalle kant opgezet. Tek 141

En Duchesse

Attention à la densité. On utilisera l'abandon des voyageurs au centre une fois sur 2 (diag 139) pour ne pas faire d'accrochage à chaque fois; ou on utilise un point tournant à mi-chemin; ou les 2 solutions.

Quand il ne reste plus qu'un huitième, rejeter les paires vers le centre.

* Les voyageurs sont abandonnés, la dernière paire traversée est accrochée au centre et devient nouveaux voyageurs *. Répéter jusqu'à la dernière épingle. Les autres paires sont accrochées et nouées puis coupées si on ne les réutilise pas (diag 142).

Décoration d'un rond en Duchesse

Il existe plusieurs solutions:

1. excentrer l'épingle centrale
2. les autres épingles sont placées sur le côté mince
3. quand le rond s'élargit:
   a. ajouter des passives (diag 146); ou
   b. faire des torsions sur les voyageurs.

Ne pas oublier de retirer ces paires supplémentaires en symétrie avant de finir.

Si on peut les réutiliser plus loin, les tresser en cordes de 4, les accrocher au mieux sur le bord, en attente.

Un ovale

(Voir diag 147).

Dans un ovale on fait le centre en grille pour remplir le motif. Le départ se fait sur le côté mince.

L'accrochage se fait le rang suivant (diag 141).

Withof & Duchesse – Raised Vein

In this motif the petals are worked from a rib. At the end of the petal a number of pairs is bundled. With one of the threads the bundle is sewn into the edge stitch of the petal. With these pairs, and – if necessary – more pairs, the next petal can be worked. This time it is necessary to do top sewings over the bundle. On the right side of the work this bundle lies on top.

The rib is worked until * (diagram 148). From that point the passives for the petals have to be made. The weavers that remain on the inside are the first pair. Hang a new pair on the pin (diagram 149) and work this pair through the passives, to be left next to the first passive pair.

This can be repeated, depending on the number of pairs that are required.

Next, the weavers are worked through all the passives and the first sewing is made into the bottom bar of the edge stitch. The direction of the weavers is important. Take care to note where the first sewing is made (diagram 150).

The pairs of a rib are sewn into an already-finished motif, or the rib is a continuation of a motif.

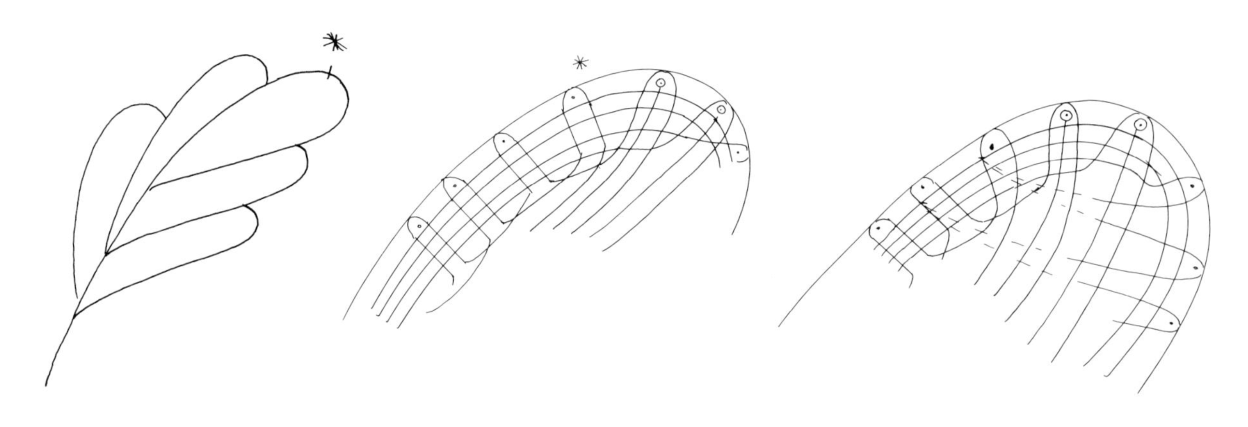

Diagram 148 Diagram 149 Diagram 150

AUFGESETZTER NERV

Bei einem aufgesetzten Nerv werden die Blättchen von einer Rippe aus geklöppelt. Am Ende eines Blattes wird eine bestimmte Anzahl von Paaren gebündelt. Diese werden im Randschlag des Blattes oder der Rippe eingehäkelt. Mit den Paaren des Bündels und eventuell extra Paaren, kann das nächste Blatt geklöppelt werden. Jetzt muss über dem Bündel im Steg eingehäkelt werden. Auf der richtigen Seite der Spitze liegt das Bündel oben drauf.

Wir klöppeln bis zum *. (Fig. 148). Von hieraus werden Rp gebildet. Das Lp, dass an der Innenseite liegengeblieben ist, ist das Erste. Ein neues Paar wird um die Nadel gehängt und durch die Rp geklöppelt. Dieses Paar bleibt neben dem vorigen Paar liegen (Fig. 149)

Abhängig von den benötigten Paaren, kann dieses wiederholt werden.

Dann mit dem Lp durch alle Paare und an dem unteren Steg einhäkeln. Die Richtung des Laufpaares im Blatt ist wichtig. Es soll gut darauf geachtet werden wo zum ersten Mal eingehäkelt wird. Fig. 150

OPGEZETTE NERF

Bij een opgezette nerf worden blaadjes geklost vanuit een ribje. Aan het einde van het blaadje bundelen we een aantal prn en haken die in de randslag van het zojuist gekloste blaadje of het ribje aan. Met de prn van deze bundel, en eventueel extra prn, kunnen we het volgende blaadje klossen waarbij we over de bundel in het onderste pootje van de randslagen inhaken. Aan de goede kant van het werk ligt deze bundel dan bovenop.

We klossen tot aan *. (tek. 148) Vanaf dat punt moeten we staande prn voor het blad maken. Het lp dat aan de binnenkant is blijven liggen is het eerste. Om de speld wordt een nieuw pr gelegd en door de staande prn geklost. Het blijft naast het vorige pr liggen (tek. 149). We kunnen dit herhalen, afhankelijk van het aantal benodigde prn. Nu met het lp door alle prn klossen. De eerste aanhaking doen in het onderste pootje van de randslag. Goed kijken waar begonnen wordt met aanhaken. tek. 150. De richting van het blaadje is belangrijk.

NERVURE EN RELIEF

Dans ces motifs les pétales commencent par un lacet contour. A la fin un certain nombre de paires sont fagotées. Le fagot est accroché par l'un de ses fils à un trou d'épingle du bord. En rajouter, si nécessaire; ces paires serviront pour l'autre pétale. Là on doit faire des accrochages relief par-dessus le fagot. Sur l'endroit, on remarque le relief.

Le lacet contour est travaillé jusqu'à * (diag 148). A cet endroit, on place les passives du pétale. La 1ère paire intérieure sera voyageurs.

Ajouter une paire sur une épingle (diag 149) et traverser avec les passives. Puis la laisser en attente à côté de la 1ère.

On répète ainsi autant de fois que nécessaire.

Ensuite les voyageurs traversent toutes les passives, et le premier accrochage est fait sur la barre inférieure du point de bordure. La direction des voyageurs est très importante. Bien se rappeler où le 1er accrochage est fait (diag 150).

Finish in the point (diagram 151).

In this point there are 6 pairs left. These pairs are bundled (diagram 152).

On the right side of the work the bundle has to appear from behind the rib. To achieve that, the sewing has to start below the last sewing (diagram 153).

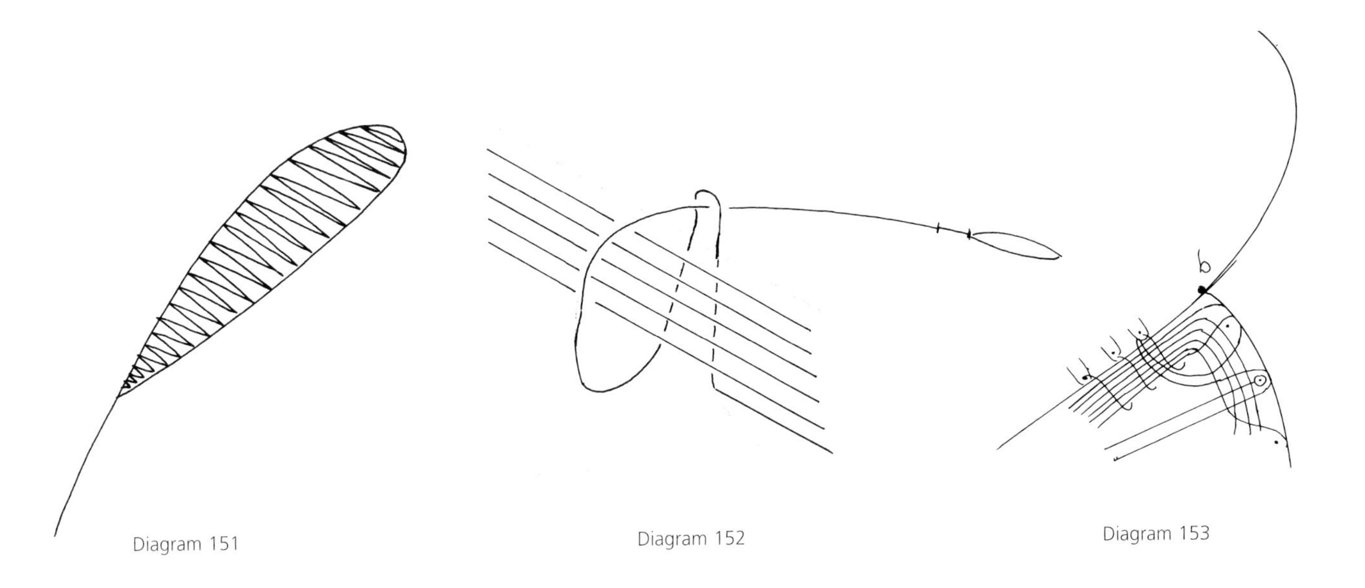

Diagram 151

Diagram 152

Diagram 153

In einem Muster werden die Paare für die Rippe an einem schon geklöppelten Motiv eingehäkelt, oder von einem Anderen aus geklöppelt.

Es wird unten geendet. (Fig. 151)

Hier sind noch 6 Paare übrig und diese werden gebündelt. (Fig. 152)

Auf der richtigen Seite kommt das Bündel von unter der Rippe hervor. Um das zu erreichen wird in einem Steg eines weiter zurückliegenden Nadelloches mit einhäkeln des Bündels angefangen. (Fig. 153)

In een patroon worden de prn voor het ribje aan een bestaand motief aangehaakt of vanuit een ander geklost.

Er wordt in de punt geëindigd. Tek. 151 Hier houden we 6 paren over en deze worden gebundeld. tek.152.

De bundel moet aan de goede kant van het werk van achter het ribje verschijnen. Om dat te bereiken, beginnen we met aanhaken lager op het ribje. Tek. 153

Ou bien le lacet contour s'accroche sur un motif terminé, ou bien il va le prolonger. Finir en pointe (diag 151)

A cet endroit il reste 6 paires. Ces paires sont fagotées (diag 152).

Sur l'endroit on doit voir apparaître le fagot sous le lacet contour. Pour le permettre, on commence les accrochages sous le dernier (diag 153).

Sewings are made into every pinhole of the petal until the start of the second petal (b, in diagram 154). Into the last pinhole 2 sewings are made to prevent the bundle from pulling away.

Often the shape of the subsequent petals may have to be altered slightly to obtain a pleasing result. On patterns the petals are often too curved (diagram 154) and adaptation may be necessary as the design is worked.

Decide whether pairs need to be added. This is done in the same way as the first petal (diagram 155).

The direction of the weavers is very important. Sometimes one has to start at a very wide angle to finish in the point correctly.

The centre vein has to be rolled to *, where new pairs have to be sewn in (diagrams 156–157).

The last petal is finished in the point (diagram 158).

Pairs must be taken out until the edge pair and the gimp pair remain. The edge pair is sewn in, tied and cut off if not needed anymore.

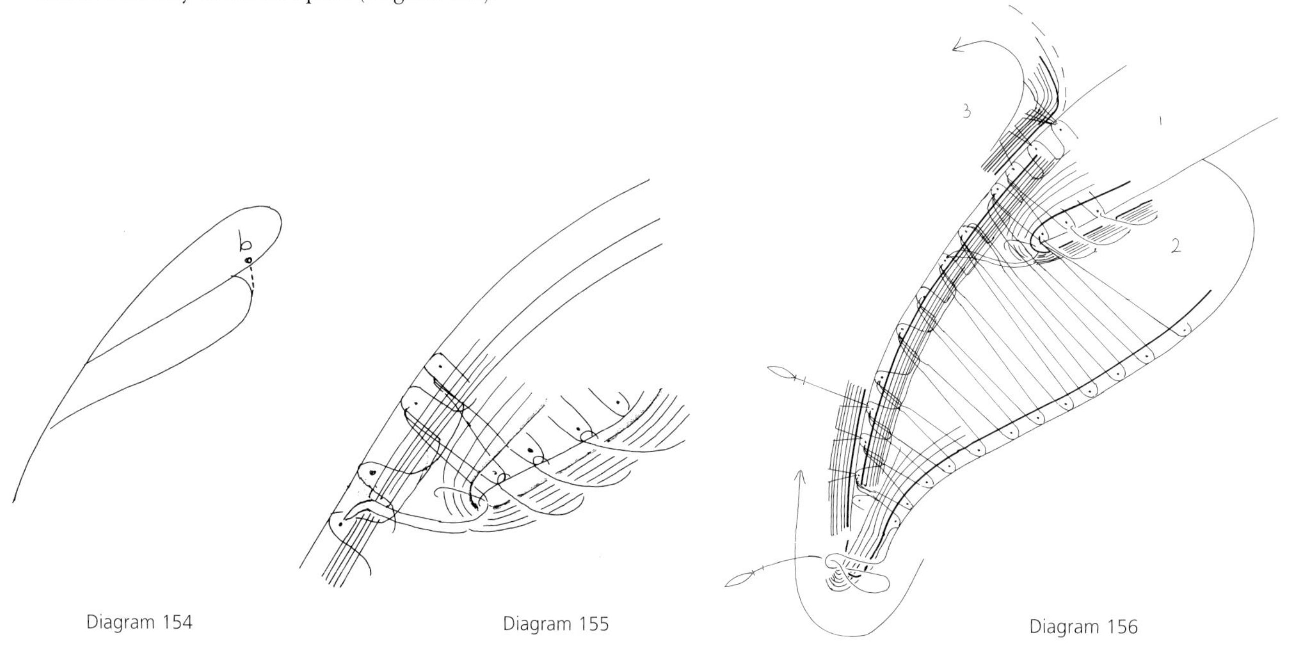

Diagram 154 Diagram 155 Diagram 156

In jedem Nadelloch des Blattes wird jetzt eingehäkelt bis das zweite Blatt anfängt (b). Hier wird 2x eingehäkelt, damit das Bündel nicht wegzieht.

Die Form der nächsten Blätter muss manchmal etwas geändert werden, sonst ist der Klöppelerfolg nicht so schön. Auf dem Muster sind die Blätter oft zu rund gezeichnet (Fig. 154)

Zuerst wird überlegt ob Paare hinzugefügt werden müssen. Das geschieht auf dieselbe Weise wie im ersten Blatt. (Fig.155)

Die Richtung der Arbeit ist wichtig, damit sie bis unten korrekt bleibt. Manchmal wird sehr schräg angefangen und doch gut geendet.

Das letzte Blatt wird unten geendet und dem Nerven entlang gerollt bis *.
Da werden neue Paare verteilt über 2 Randschläge, eingehäkelt. Fig. 156–157.

Beim letzten Blatt werden so viele Paare herausgenommen, geendet werden kann bis nur das Randpaar und K übrig ist. Das Randpaar wird eingehäkelt und verknotet. Beide Paare abschneiden.

In elk speldengaatje van het blad wordt nu ingehaakt tot waar het tweede blad begint. (b) Op dit punt haken we 2x in, om de bundel op zijn plaats te houden.
Vaak moet de vorm van de volgende blaadjes wat bijgesteld worden, anders is het klosresultaat niet zo mooi. Op het patroon zijn deze vaak wat te rond getekend.
Tek.154.

We bekijken of er prn toegevoegd moeten worden. Dat kan op dezelfde manier als in het eerste blaadje. Tek. 155

De te klossen richting is belangrijk om beneden in de punt goed uit te komen. Het begin van het blad kan soms erg schuin zijn om toch goed te eindigen.

Langs de middennerf wordt tot* gerold. Hier worden nieuwe paren ingehangen (tek. 156–157).

Het laatste blaadje wordt in de punt geëindigd met een randslagpaar en cp. Het randslagpaar wordt ingehaakt, geknoopt en afgeknipt wanneer het niet meer nodig is.

Les accrochages se font dans chaque trou du pétale jusqu'au départ du second pétale (B, diag 154). Dans le dernier trou faire 2 accrochages par sécurité.

On doit souvent légèrement modifier la forme des autres pétales pour garder un équilibre harmonieux. Sur les dessins, la courbe des pétales est souvent trop prononcée (diag 154), on doit adapter le dessin à la technique.

Voir où on ajoute des paires. Faire comme pour le 1er pétale (diag 155).

La direction des voyageurs est extrêmement importante. On démarre souvent dans un grand angle pour finir en pointe correctement.

Ajoutez le rouleau à la nervure centrale comme sur le diag 156 à partir de * où il faut ajouter de nouvelles paires (diag 157).

Finir le dernier pétale en pointe (diag 158).

Rejeter les paires au fur et à mesure. Ne garder que la paire de bordure et la paire avec cordon. La paire de bordure est nouée et coupée si on ne l'utilise plus.

Withof

The raised veins are worked with a gimp pair. This is started off in the rib.

After finishing the motif, it has to be rolled (diagram 158).

Decorations may be worked in the petals: see the chapter on Leaves, page 27.

Duchesse

There is usually no gimp pair.

The second petal is worked in half stitch.

The first pair of the bundle (on the inside) is worked in half stitch through the passives if a half stitch petal is desired.

In general one or 2 cloth stitches are worked before the edge stitch. Note: there are 2 twists between half stitch and cloth stitch.

If there is a third petal, it is worked in the same way as the second.

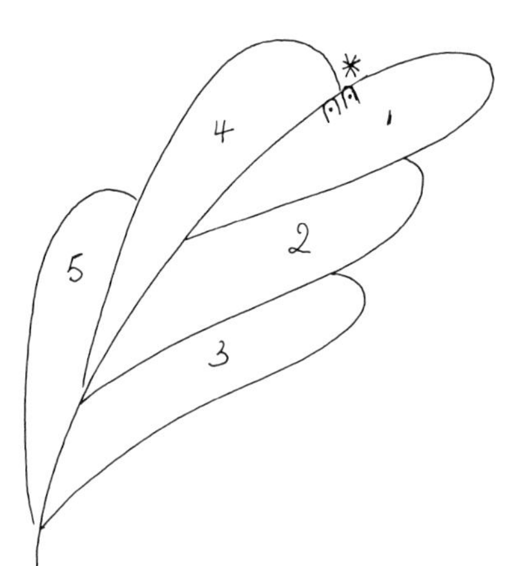

Diagram 157

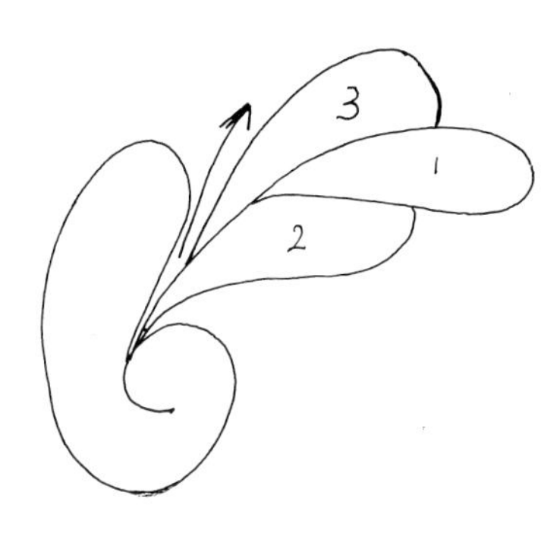

Diagram 158

Withof

Ein aufgesetzer Nerv wird mit K geklöppelt. Damit wird schon in der Rippe angefangen. Fig 158. In **Duchesse** gibt es meistens kein K.

In Duchesse wird das zweite Blatt im H geklöppelt.

Das erste Paar (an der Innenseite) klöppelt H und 1 oder 2 L bis zum Randschlag. (zwischen H und L gibt es 2 dr.)

Zurück mit dem Lp: 1 oder 2 L, H und einhäkeln über dem Bündel an einem Steg.

Gibt es ein drittes Blatt, dann wird es auf diselbe Weise geklöppelt wie das Zweite.

Withof

De opgezete nerf Wordt met een cp geklost. Dit wordt al in de rib ingelegd.

Aan het einde van deze blaadjes wordt het hele motief gerold. tek. 158

In de blaadjes kunnen versieringen geklost worden. Zie hoofdstuk Blaadjes, biz 27.

Duchesse

Gewoonlijk wordt er geen cp meegeklost.

het tweede blaadje wordt in neslag geklost. Het eerste pr van de bundel (aan de binnenkant), maakt nsl en als afronding 1 of 2 lsl en een randslag (de scheiding tussen nsl en 1sl heeft 2 dr).

Als er een derde blaadje is, dan wordt dat op dezelfde manier geklost als het tweede. om toch goed te eindigen.

En Withof

On utilise une paire avec cordon pour une nervure en relief. Cela débute à la sortie du lacet contour.

Une fois le motif fini, faire le rouleau (diag 158).

Prévoir des décorations. Voir le chapitre Feuilles, page 27.

En Duchesse

En général, pas de paire avec cordon.

Le 2ème pétale se fait en grille.

Quand on fait le pétale en grille, la 1ère paire issue du fagot fait les voyageurs.

On fait alors souvent 1 ou 2 paires en toile avant le point de bordure. Dans ce cas il y a toujours 2 torsions entre grille et toile.

En cas de 3ème pétale, il sera identique au second.

Duchesse – Flower

A flower often consists of a rib, surrounded by petals which are sewn into the rib.

The rib is started on the division between two petals. It has to be closed and all the pairs of the rib can be used to create a half stitch flower (diagram 159).

The pairs are transferred to the horizontal line between two petals. A gimp pair is needed for the petals. This is hung on a pin outside the work, between the first and the second pair, counting from the outside (diagram 160).

Without twisting any pairs, the seventh pair from the left is worked in half stitch as far as the gimp pair. The gimp pair is worked in cloth stitch. Then an edge stitch follows and a pin is set on the horizontal line, next to the setting-up pin of the rib. The weavers are worked back to the right, one cloth stitch, then half stitch and remain there. This is the **first** pair that is left out.

The sixth pair is treated in the same way. The second pin is set and the pair is worked back to the right as far as the seventh pair. This is the **second** pair that is left out.

With the fifth pair, the third pin is set on the horizontal line. The weavers are worked back and remain next to the sixth pair. This is the **third** pair that is left out.

Traditionally, the name for this working order is 'decreasing 1-2-3'. Diagram 161 shows the result.

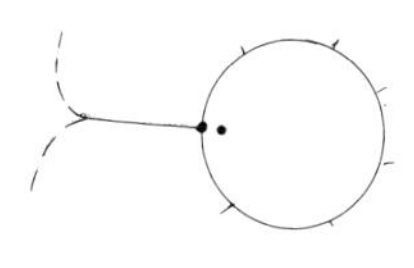

Diagram 159

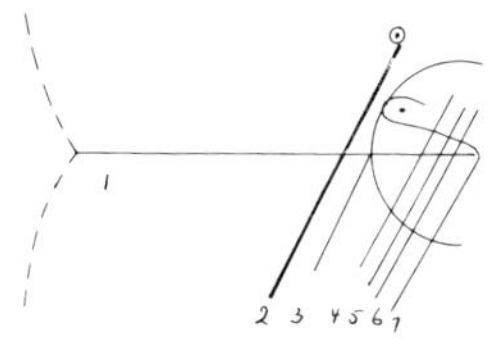

Diagram 160

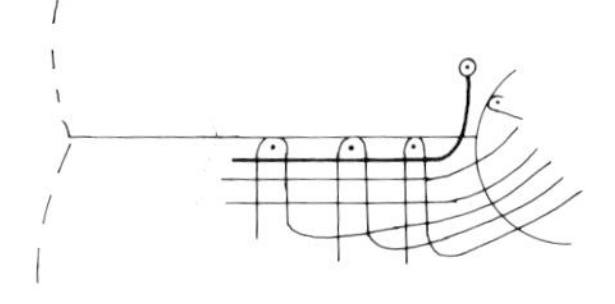

Diagram 161

BLUME

Eine Blume besteht aus einer Rippe, umrandet von Blättchen die in der Rippe eingehäkelt werden.

Die Rippe wird angefangen auf der Trennung zwischen zwei Blumenblätchen. Die Rippe wird geschlossen und die Paare von der Rippe können alle für eine Halbschlagblume benutzt werden. Fig.159

Die Paare werden auf die horizontale Linie zwischen zwei Blumenblättchen rübergebracht. Für die Blumenblättchen braucht man ein K. Dieses wird über einer Nadel ausserhalb der Arbeit gehängt, zwischen dem ersten und zweiten Paar. Am Aussenrand anfangen mit zählen. (Fig. 160)

Das siebente Paar wird bis zum K geklöppelt (ohne die Rp gedreht zu haben). Das K wird im L geklöppelt, dann folgt der Randschlag und die Nadel auf der horizontalen Linie, neben der Anfangsnadel der Rippe. Das Lp wird nach rechts geklöppelt (L, weiter H) und bleibt da liegen. Das ist das **erste** Paar das liegen bleibt.

Mit dem sechsten Paar wird das gleiche gemacht. Die zweite Nadel wird gesetzt und es wird zurückgeklöppelt nach rechts bis zum siebenten Paar. Das sechste Paar wird daneben gelegt (das **zweite** Paar).

Das fünfte Paar wird gleich behandelt. Die dritte Nadel wird auf der Linie gesetzt und zurück nach rechts bringt das fünfte Paar neben dem sechsten Paar (das **dritte** Paar).

Traditionell nennt man diese Behandlung: Mindern 1-2-3.

Die Arbeit sieht aus wie folgt: Fig. 161.

BLOEM

Een bloem bestaat uit een ribje, met daarom heen blaadjes die in het ribje aangehaakt worden.

Het ribje wordt opgezet op de scheiding tussen twee bloemblaadjes in. Het wordt gesloten en de paren van het ribje kunnen voor een netslagbloem alle gebruikt worden. tek.159

We brengen de prn over naar de horizontale lijn tussen de 2 bloemblaadjes.

Voor de bloemblaadjes is een cp nodig. Dit wordt aan een speld buiten het werk gehangen, tussen het 1e en 2e pr in. Tellen vanaf de buitenrand. (tek. 160)

Het 7e pr wordt tot aan het cp geklost (zonder de prn eerst gedraaid te hebben). Het cp wordt in lsl geklost, dan volgt de randslag en de speld op de horizontale lijn, naast de opzetspeld van het ribje. Het lp wordt naar rechts gewerkt (1 lsl, verder nsl) en blijft daar liggen. Dat is het **eerste** pr dat blijft liggen.

Met het 6e pr wordt hetzelfde gedaan. De tweede speld wordt gezet en er wordt teruggeklost naar rechts tot aan het 7e pr. Het 6e pr wordt ernaast gelegd. (het **tweede** pr)

Het 5e pr krijgt dezelfde behandeling. De derde speld wordt op de lijn gezet en terug naar rechts komt het 5e pr naast het 6e pr te liggen. (het **derde** pr)

Traditioneel is de benaming voor deze handeling: minderen 1 - 2 - 3.

Het werk ziet er als volgt uit: tek. 161

LES FLEURS

C'est souvent un lacet contour au coeur sur lequel on accroche des pétales.

Le lacet contour démarre à l'intersection de 2 pétales. Une fois le lacet contour fermé, on peut garder les mêmes paires pour former la fleur en grille par exemple (diag 159).

On transfère les paires en départ sur la ligne horizontale entre 2 pétales. On ajoute une paire avec cordon pour les pétales. Elle se place sur une épingle temporaire hors du dessin, et on la met entre la 1ère et la 2 ème paire en comptant de l'extérieur (diag 160).

Sans ajouter de torsions sur les passives, prendre la 7ème paire comme voyageurs pour aller en grille jusqu'à la paire avec cordon. Celle-ci se travaille en point toile. Faire ensuite le point de bordure, poser l'épingle sur la ligne faisant suite au départ du lacet contour. Ramener les voyageurs à droite, 1 point toile, la suite en grille et laisser cette paire. C'est la première paire qui est laissée de côté.

La 6ème paire suit le même procédé. Placer une 2ème épingle et revenir sur la droite jusqu'à la 7ème paire. C'est la seconde paire en attente.

Avec la 5ème paire, la 3éme épingle est posée sur la ligne horizontale. Les voyageurs reviennent et restent en attente à coté de la 6ème paire. C'est donc la 3ème paire en attente.

On appelle cette technique "diminutions 1-2-3". Le diag 161 illustre le résultat.

S'il reste de la place pour plus de paires, on peut ajouter des épingles sur la ligne. Mettre 2 paires par épingle. Faire la méthode de départ droit en partant de droite à gauche, en commençant par la paire de bordure et la nouvelle paire mitoyenne (diag 162 & 86).

If there is room for more pairs, extra pins should be set on the line. Hang 2 pairs around each pin. Work the straight setting up from right to left, starting with the edge pair and the new pair next to it (diagrams 162 and diagram 86).

The gimp pair is always next to the edge pair. It is worked in cloth stitch as far as the edge pair. The pair that was next to the gimp pair is worked in half stitch as far as the gimp pair. The weavers are worked in half stitch as far as the gimp pair, cloth stitch through the gimp pair and work the edge stitch (diagram 163). Set the pin in the curve.

The weavers are worked back to the right and the first sewing is now made.

As the outside curve is bigger than the inside curve, 2 or more sewings have to be made into each pinhole. Take care that the spread is even.

When the petal is completed, the weavers remain on the outside. No pin is set. The gimp pair becomes the weavers and is sewn into the rib. All passives are twisted twice. The gimp pair is worked back to its original position (diagram 164).

When the last pin in the last petal has been set, the weavers are left on the outside, the gimp pair on the inside.

All passives are twisted once. Start sewing from the inside to the outside, one pair at a time. An even spread is very important. The pairs can be tied and cut off when it is clear that they cannot be used again (diagram 165).

There is a choice of fillings for flowers: tally (diagram 195), snowflake (diagram 194), coffee bean (diags 97-101).

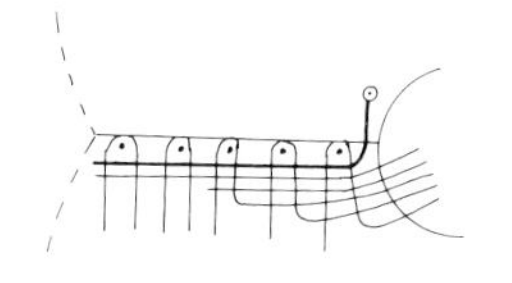

Diagram 162

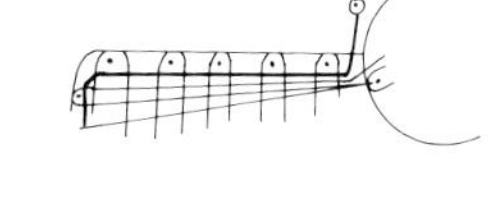

Diagram 163

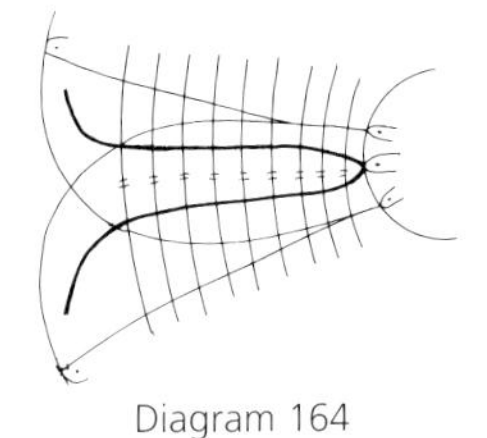

Diagram 164

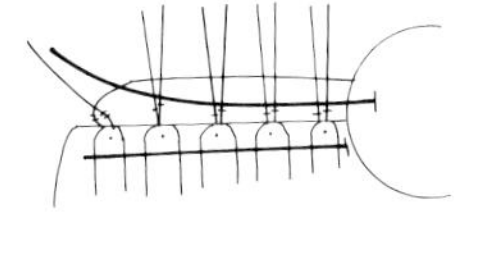

Diagram 165

Meistens gibt es auf der Linie Platz für mehrere Nadel. Über jede Nadel werden zwei Paare gehängt. Der rechte Anfang wird geklöppelt von rechts nach links, Fig. 86. Mit dem Randpaar und dem neuen Paar rechts von der neuen Nadel wird angefangen. Fig. 162.

Das K liegt immer neben dem Randpaar. Das K wird im L bis zum Randpaar geklöppelt. Das nächste Paar wird im H bis zum K geklöppelt.

Das Lp wird im H bis zum K geklöppelt, K im L, Randschlag und die erste Nadel wird in dem Bogen gesetzt. Fig. 163

Jetzt wird das Lp nach rechts geklöppelt und muss zum ersten Mal eingehäkelt werden in der Rippe.

Weil die Aussenseite grösser ist als die Innenseite muss 2 oder 3x in jedem Nadelloch der Rippe eingehäkelt werden. Eine gute Verteilung bei den Blumenblättchen ist wichtig.

Wenn das Blättchen beendet ist, bleibt das Lp an der Aussenseite liegen. Keine Nadel setzen (so wird die Form des Blumenblättchens schöner). Das K wird Lp und wird in die Rippe eingehäkelt. Alle Rp werden 2x gedreht. Das K wird zurückgeklöppelt. Fig. 164

Die Blume wird beendet mit dem Lp aussen und dem K innen.

Alle Rp werden 1x gedreht und von innen nach aussen Paar für Paar eingehäkelt. Eine gute Verteilung ist wichtig.
Es wird verknotet und abgeschnitten wenn festgestellt worden ist, dass die Paare nicht weiter benutzt werden können. Fig. 165

Die Blume hat eine Füllung. Es git eine Wahl: Formschlag (Fig 195) - Snowflake (194) - Coffee bean (Fig 39-41)

Meestal is er ruimte op de lijn om meer spelden te zetten. Om deze spelden worden elk twee prn gehangen. De rechte opzet wordt gewerkt van rechts naar links, te beginnen met het randslagpr en het nieuwe pr rechts van de eerste nieuwe speld. tek. 162 (zie ook tek. 86).

Het cp ligt altijd naast het randslagpaar. Het cp wordt in lsl tot aan het randslagpaar gewerkt. Het resterende pr wordt in nsl tot aan het cp gewerkt.

Het lp wordt in nsl tot aan het cp gewerkt, het cp wordt in lsl gewerkt en de randslag wordt gemaakt. De speld wordt gezet in de bocht. tek. 163

Nu wordt het lp naar rechts geklost en voor de eerste keer aangehaakt in het ribje.

Omdat de buitenkant groter is dan de binnenkant moet 2 of meer keer aangehaakt worden in elk speldengaatje van het ribje. Zorg voor een goede verdeling bij de bloemblaadjes.

Wanneer het blaadje beëindigd is, blijft het lp aan de buitenkant liggen. Er wordt geen speld gezet (zo wordt de vorm van het blaadje mooier). Het cp wordt lp en aangehaakt in het ribje. Alle staande prn worden 2x gedr. Het cp wordt teruggeklost naar zijn plaats. (tek. 164)

De bloem wordt beëindigd met lp aan de buitenkant en het cp aan de binnenkant. Er wordt geen speld gezet.

Alle staande prn worden 1x gedraaid en van binnen naar buiten per pr aangehaakt. Een goede verdeling is belangrijk.

Er wordt afgeknoopt en afgeknipt als vastgesteld is dat de prn niet weer kunnen worden gebruikt. tek. 165

Bloemen hebben een vulling.

La paire avec cordon est toujours à côté de la paire de bordure. Elle se travaille en toile aussi loin que la paire de bordure. La paire à coté de celle avec cordon se travaille en grille aussi loin que celle-ci. Les voyageurs se travaillent en grille aussi loin que la paire avec cordon qu'ils traversent en point toile et font le point de bordure (diag 163). Placer l'épingle sur la courbe.

Ramener les voyageurs à droite et faire le 1er accrochage.

La courbe extérieure est plus large que la courbe intérieure, faire donc 2 accrochages ou plus à chaque trou d'épingle. Bien répartir la densité.

Quand on a fini le pétale les voyageurs restent à l'extérieur. Ne pas mettre d' épingle. La paire avec cordon devient voyageurs et s'accroche au lacet contour. On ajoute alors 2 torsions sur chaque passive. On ramène la paire avec cordon à sa place (diag 164).

Pour finir, au dernier pétale, les voyageurs sont en attente au bord extérieur, la paire avec cordon au bord intérieur.

Ajouter 1 torsion sur chaque passive. Accrocher les paires une à une, de l'intérieur vers l'extérieur. Bien égaliser la densité. Ne couper les fils que si vous ne les réutilisez pas plus loin (diag 165).

Vous avez le choix des fonds de remplissage pour les fleurs: point d'esprit (diag 195), flocon de neige (diag 194), grain de café (diag 39-41).

Variations in the petals

Partly half stitch/cloth stitch

Transfer the pairs from the rib to the petal. Work this in the same way as the half stitch flower.

The new pairs on the new setting-up pins are joined as for the half stitch flower.

The new pairs have to be worked in cloth stitch, with 2 twists between half stitch and cloth stitch (diagram 44, page 30).

Cloth stitch (with decorative hole)

If the flower is worked in cloth stitch, there is only one pair available from the rib to be used for the petals. The other pairs have been tied and cut off. The straight setting up is started with this pair of the rib (diagram 86).

For the decorative hole, see diagram 166.

Half stitch with picots

When working the rib, picots are made in the centre of a petal on the rib.

When working the petal, a number of rows are not sewn in. The weavers are left on the inside and the last-used passive pair becomes the next weavers. This makes the picot stand out (diagrams 167 and 168).

Half stitch with half stitch plait as a vein

Mark the position of the vein and work the weavers to this point. Set a support pin beneath the passives and work a half stitch plait together with these passives up to the rib.

As the plait has to be sewn first, the other passives need to be laid back. Take one pair of the plait through the pinhole, and pass the other through the loop. Replace the passives that were laid back. One pair of the plait is to be used as passives and the other pair will be the weavers.

Take out the support pin and continue the petal (diagram 169).

Butterfly flower

To obtain a beautiful edge, the setting up for the petals is the same as for the cloth stitch flower.

The first petal is worked in half stitch. The fourth petal is also worked in half stitch and must be finished into A, as it should have edge stitches all around.

Several sewings must be made into each pinhole; to decrease the number of pairs, several must be taken out, enabling the work to finish at point A.

The edge pair and gimp pair will be left in the point. The edge pair has to be sewn in, and tied. The gimp pair should be cut off (diagram 170).

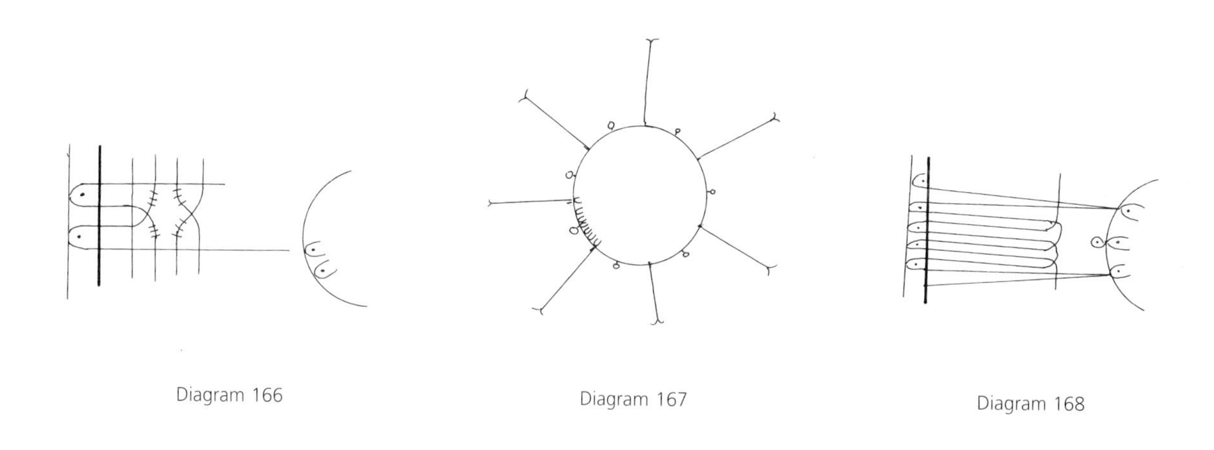

Diagram 166

Diagram 167

Diagram 168

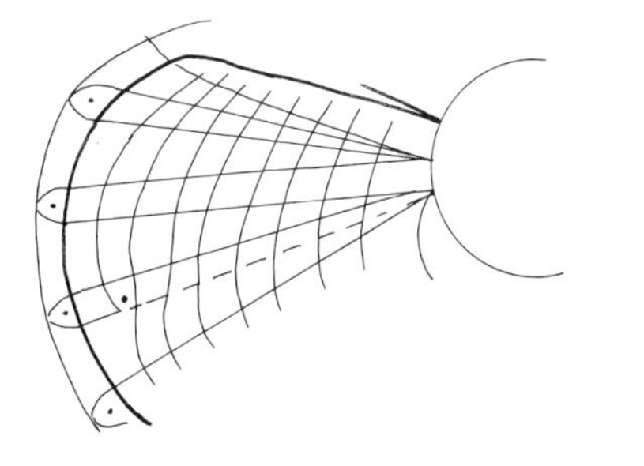

Diagram 169

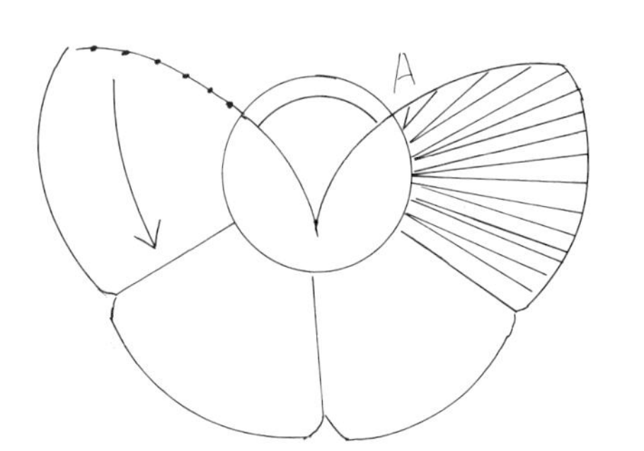

Diagram 170

Variationen in den Blumenblättchen:
Teilweise Halbschlag/Leinenschlag
Das Rüberbringen der Paare von der Rippe nach dem Blättchen wird gearbeitet wie in der Halbschlagblume.
Die Paare der neuen Anfangsnadeln werden wie gewöhnlich verbunden.
Danach werden diese Paare immer im L geklöppelt. Es sieht schön aus zwischen L und H zwei Drehungen zu haben (Fig 44, Seite 30)

Leinenschlag (mit Schmucklöchlein)
Bei einer Blume im L werden die Paare der Rippe (ein Paar ausgenommen) nicht für die Blättchen benutzt. Hier wird ein gerader Anfang mit dem Paar der Rippe gearbeitet. Fig. 86
Löchlein Fig. 166

Halbschlag mit Picots
Während des Klöppelns der Rippe wird ein Picot gemacht, in der Mitte eines Blumenblättchens. Beim H werden einige Reihen nicht eingehäkelt. Das Lp bleibt an der Innenseite liegen, das letzte Rp wird Lp. So bleibt das Picot frei. Fig. 167–168.

Halbschlag mit Flechter als Nerv
Die Stelle des Nerves soll bestimmt werden. Das Lp wird bis zu diesem Punkt geklöppelt. Das Lp und nächste Rp formen einen Flechter bis zur Rippe (eine Hilfsnadel wird gesetzt). Die übergebliebenen Rp werden nach hinten gelegt (der Flechter soll sich unter dem Blatt befinden). Ein Paar des Flechters wird eingehäkelt, das andere Paar wird durch die Schlaufe hervorgezogen. Die nach hinten gelegten Paare werden zurückgelegt. Ein Paar der Flechter wird Rp, das andere Lp. Hilfsnadel wegnehmen und weiterklöppeln. Fig. 169

Schmetterlingblume
Anfangen wie beim L Blume. Blättchen 1 wird im H geklöppelt. Blättchen 4 wird auch im H geklöppelt und soll in A beendet werden um rundherum Randschläge zu bekommen. Darum muss ab der Mitte des Blättchens mehrmals in jedem Nadelloch eingehäkelt werden. Auch sollen Paare herausgenommen werden, sodass es am Schluss nur noch ein Randpaar und K gibt. Das Randpaar wird eingehäkelt und verknotet. Das K wird abgeschnitten. Fig. 170.

Gebruikte variaties in de bloemblaadjes:
Gedeeltelijk netslag/linnenslag
Het overbrengen van de prn van het ribje naar het bloemblaadje gebeurt als in de netslagbloem.
De prn van de nieuwe opzetspelden worden vastgelegd zoals gewoonlijk.
Hierna worden deze prn steeds in lsl geklost. Het is mooi om tussen de nsl en de lsl twee draaien te hebben. (tek 44, biz 30)

Linnenslag (met gaatje)
Bij een bloem in lsl worden de prn (op één na) niet voor de blaadjes gebruikt.
De rechte opzet met het overgebleven paar van het ribje wordt gewerkt. Tek. 86
Gaatje tek. 166

Netslag met picots
Tijdens het klossen van het ribje wordt een picot gemaakt op de helft van een bloemblaadje.
Bij het klossen van de nsl wordt een aantal toeren niet aangehaakt.
Het lopend pr blijft aan de binnenkant liggen en het laatst gekloste staande pr wordt lopend pr. Zo blijft de picot vrij. tek. 167–168.

Netslag met vlechtje als nerf
Bepaal de plaats van de nerf en klos het lopend pr naar dit punt. Klos een vlechtje met het lp en eerstvolgende staande pr (zet een hulpspeld) naar het ribje. Leg de overgebleven staande prn naar achter (het vlechtje moet onder de staande prn komen) en haak een heel pr in, het andere pr wordt door de lus gehaald. De naar achter gelegde prn worden op hun plaats gelegd. Een pr van het vlechtje wordt staand pr, het andere lopend pr. Hulpspeld verwijderen en verder klossen. (tek. 169)

Vlinderbloem
Opzet zoals bij nsl bloem. Blaadje 1 wordt in nsl geklost. Blaadje 4 wordt ook in nsl geklost en moet in A worden geëindigd om rondom randslagen te krijgen. Daarom moet vanaf halverwege het blaadje vaker in elk speldengaatje aangehaakt worden. Ook moeten paren uitgelegd worden, zodat er aan het eind alleen nog een randslagpr en cp over zijn.
Het randslagpr wordt aangehaakt en afgeknoopt. Het cp wordt afgeknipt. (tek. 170).

Variations sur les pétales:
En grille et toile
Ramener les paires du lacet contour jusqu'au pétale. Procéder de la même façon que pour la fleur en grille.
Les paires ajoutées sur les nouvelles épingles de montage sont travaillées de la façon Withof habituelle.
Ces nouvelles paires sont travaillées en toile avec 2 torsions entre grille et toile (diag.44, page 30).

Point toile (et trou décoratif)
Quand on fait une fleur en toile, on ne doit reprendre qu'une seule paire du lacet contour pour les pétales. Les autres sont nouées et coupées. Le départ droit démarre avec cette paire du lacet contour (diag 86).
Pour le trou décoratif, voir diag 166.

Grille et picots
Quand on fait le lacet contour, on ajoute dessus un picot placé au milieu du dessin d'un pétale.
Quand on fait le pétale on ne fait pas tous les accrochages. Les voyageurs sont en attente au centre et la dernière passive traversée devient nouveaux voyageurs. Cela met en valeur le picot (diag 167 & 168).

Nervure en corde de 4 sur pétale en grille
Marquer l'emplacement de la nervure. Quand les voyageurs sont arrivés à ce point, poser une épingle de soutien temporaire entre 2 paires et travailler la corde de 4 jusqu'au centre.
Il faut d'abord accrocher la corde de 4, mettre les autres passives à l'écart. Prendre 1 fil de la corde pour faire la boucle d'accrochage et passer les autres dedans. Remettre les autres en place. Une paire de la corde devient passive, l'autre voyageurs.
Retirer l'épingle temporaire et continuer le travail (diag 169).

Fleur papillon
Pour obtenir un joli bord, faire le même départ pour les pétales que pour la fleur en toile. Commencer par le premier pétale en grille. De même le 4ème sera en grille et se termine sur A pour avoir tout ses points de bordure.
Faire plusieurs accrochages sur un même trou. Pour diminuer le nombre de paire, en retirer quelques unes au fur et à mesure jusqu'à A.
La paire de bordure et la paire avec cordon seront laissées à la pointe. Faire l'accrochage avec la paire de bordure, et la nouer. On peut couper la paire avec cordon (diag 170).

Duchesse – Clover Leaves

These are worked from the stem (diagram 171).

In a pattern, a clover leaf will commonly be started off in another motif.

The right-hand side of the stem is longer than the left-hand side. This has to be taken into account when working.

When 1 is reached, 2 should not have been worked. The gimp pair is laid aside at 1, as no gimp pair is needed on the inside of the leaf (diagram 172).

The dotted line between 1 and 3 is an imaginary one on which the pins are set as far as 3. Using the 'decrease 1-2-3' technique (page 66), the weavers are left in front of the gimp pair. The last-used passive pair becomes the weavers. This can be repeated twice to reach 3.

Work through all pairs to make the edge stitch at 2. Turn the pillow.

If the first half of the leaf is to be worked in half stitch, it is recommended that half stitch is gradually introduced before 2 is reached.

In order to set the weavers on the line 2-4 it may be necessary to use 'decrease 1-2-3'.

When 2 and 4 have been reached, the leaf can be continued, adding new pairs if necessary.

On the line 4-6 an edge stitch should be worked. This is the vein. Continue until the end of the vein (diagram 173).

Sometimes on a pattern, the vein may not have been drawn far enough, or sometimes it is drawn too far. Remember that the distance between the end of the vein and the top of the petal has to be the same as that between the end of the vein and the side of the petal.

When the pin at the end of the vein has been set, 5 at the side should be reached. This is the most efective way to work the corner.

The weavers are now at 5. Undo one twist from the edge pair of the vein. The 'decreasing' should be worked to go around the corner. To prevent holes, make sewings into 6 when necessary. In cloth stitch no more than 2 pairs can be left (diagram 174).

When the line 6-7 is reached, change to cloth stitch. Continue decreasing.

When the line 6-8 is reached, the leaf can be continued by sewing once into every pinhole. New pairs may be added.

At the joining of the leaves (3), the corner is worked in the same way as the section in which stem changes to leaf.

Gradually change into half stitch at 9, changing one stitch at a time, beginning at the left-hand side, as the first half of the next leaf is worked in half stitch. Any unwanted pairs should be taken out.

The first passive pair on the right can be sewn and tied to prevent a hole at 3. This pair may be used as the edge pair in the second leaf (diagram 175).

The third leaf finishes in the point (3). See diagram 176.

There are many possible ways to vary the appearance of these leaves. The ones that will be used in the patterns are described below.

KLEEBLÄTTER

Diese werden aus einem Stengel geklöppelt. (Fig.171)

In einem Muster wird ein Kleeblatt im allgemeinen von einem anderen Motiv aus geklöppelt.

Die rechte Seite vom Stengel ist länger als die linke Seite. Man muss darauf achten beim Klöppeln. Wenn 1 erreicht ist, darf 2 noch nicht gearbeitet sein. Bei 1 wird das K weggelegt. An der Innenseite der Arbeit braucht man kein K. Fig. 172

1-3 ist eine eingebildete Linie worauf die Nadel bis 3 gesetzt werden. Jetzt müssen wir mindern 1-2-3 (Seite 66): Das Lp bleibt vor dem K liegen, das zuletzt geklöppelte Rp wird Lp. Dies kann man 2x wiederholen, dann muss 3 erreicht sein. Jetzt durch alle Paare den Randschlag bei 2 klöppeln.

Das Kissen drehen.

Wenn die erste Hälfte des Blättchens im H geklöppelt wird, ist es empfehlenswert von der Innenseite aus allmählich in H überzugehen bis 2.

Bis 4 soll auch gemindert werden.

Wenn 2 und 4 erreicht sind, kann das Blättchen weiter geklöppelt werden. Sofort

KLAVERBLAADJES

Deze worden geklost vanuit het steeltje (tek. 171).

In een patroon zal een klaverblaadje in het algemeen vanuit een ander motief geklost worden.

De rechterkant van het steeltje is langer dan de linkerkant (tek. 172). Met het klossen moet daarmee rekening gehouden worden. Wanneer 1 bereikt is, mag 2 nog niet gewerkt zijn. Bij 1 wordt het cp weggelegd. Aan de binnenkant van het werk is een cp niet nodig. 1 - 3 is een denkbeeldige lijn waarop de spelden tot 3 gezet worden. We gaan nu minderen 1-2-3 (blz. 66): het lp blijft voor het cp liggen, het laatst gekloste staande pr wordt lp. Dit kan 2 keer herhaald worden, dan moet 3 bereikt zijn. Nu door alle prn heen de randslag bij 2 maken. Het kussen draaien.

Als de eerste helft van het blaadje in nsl geklost wordt, verdient het aanbeveling vanaf de linkerkant geleidelijk aan over te gaan in nsl tot aan 2. Daarna wordt het geheel in nsl geklost.

Punt 4 wordt ook bereikt door te minderen.

Als 2 en 4 gelijk liggen, kan het blaadje verder geklost worden. Er moeten nu direct

TRÈFLES

On les commence par la tige (diag 171).

Il est courant de voir dans un motif un trèfle partir d'un autre élément.

Le côté droit de la tige sera plus grand que le côté gauche. On doit en tenir compte en travaillant.

Quand 1 est fini, 2 ne doit pas encore être fait. La paire avec cordon reste en attente à 1, car on n'a pas besoin de cordon à l'intérieur de la feuille (diag 172).

La ligne pointillée entre 1 et 3 est une ligne imaginaire sur laquelle on pose des épingles jusqu'à 3. Au moyen de la technique "diminutions 1-2-3" (page 66), on laisse les voyageurs devant la paire avec cordon. La dernière paire traversée devient voyageurs. On peut répéter ceci 2 fois pour arriver au point 3.

Travaillez toutes les paires jusqu'au point de bordure à 2.

Tournez le carreau.

Si on doit faire de la grille dans la 1ère moitié de la feuille, introduire progressivement les paires en grille avant d'atteindre 2.

En vue de placer les paires en ordre sur la

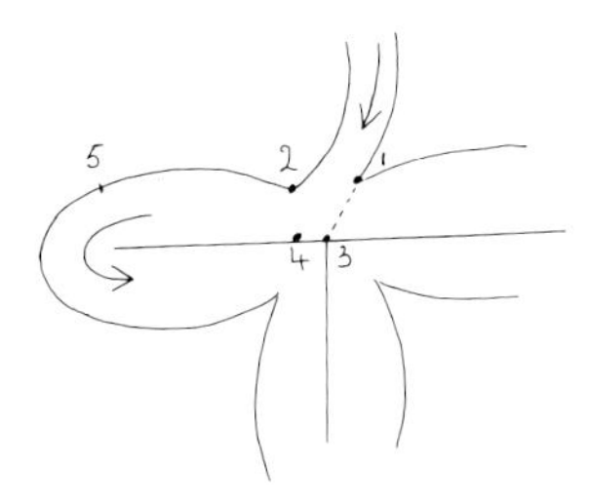

Diagram 171

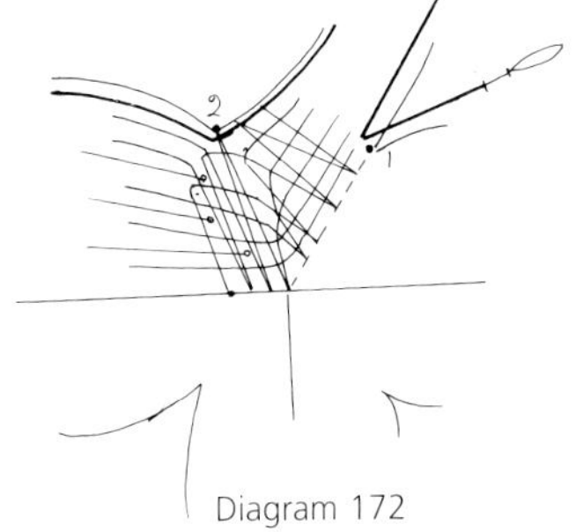

Diagram 172

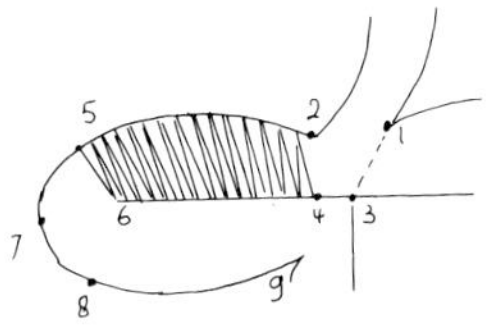

Diagram 173

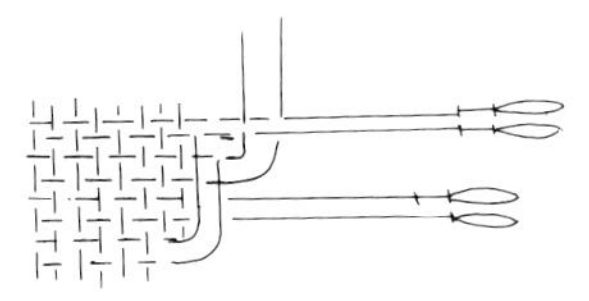

Diagram 174

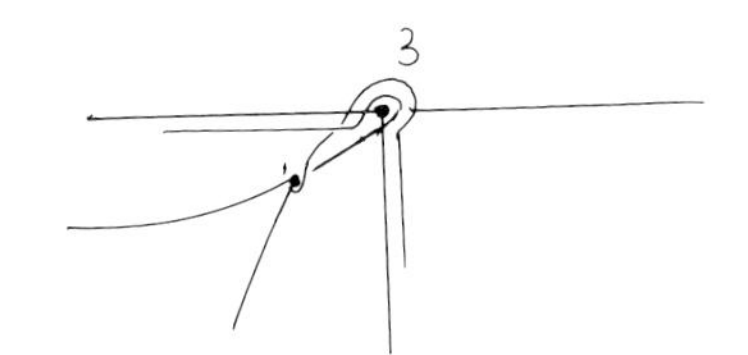

Diagram 175

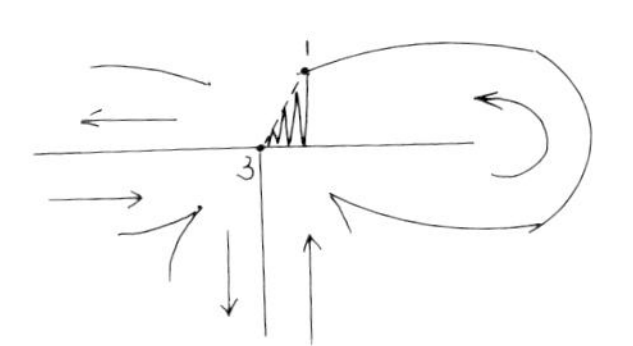

Diagram 176

Paare einlegen.

Auf der Mittellinie 4-6 wird der Randschlag geklöppelt. Das ist der Nerv.

Weiterklöppeln bis zum Ende des Nerves. (Fig. 173)

Manchmal ist der Nerv nicht weit genug oder zu weit gezeichnet. Der Abstand vom Ende des Nerves bis zum Kopf soll genau so gross sein wie vom Ende des Nerves bis zum Rand.

Wenn die Nadel am Ende des Nerves gesetzt ist, soll auch (5) an der Seite erreicht sein. Auf dieser Weise ist die Rundung am schönsten zu klöppeln.

Das Lp liegt jetzt bei (5). Eine Drehung aus dem Randpaar des Nerves herausnehmen. Es wird geminderd bei (6) und, wenn notwendig, einige Male eingehäkelt in (6) (zur Vorbeugung von Löchern). Im L kann man beim Mindern nicht mehr als 2 Paare liegen lassen. Fig. 174.

Wenn die Linie (6-7) erreicht ist, wird in L übergegangen. Noch immer mindern.

Wenn die Linie (6-8) erreicht ist, wird das Blättchen weiter geklöppelt. Neue Paare einlegen und rechts wird in jedem Nadelloch einmal eingehäkelt.

Am Ende des Blättchens (9) wird der Übergang auf dieselbe Weise wie vom Stengel zum Blättchen nach Punkt (3) geklöppelt.

Bei (9) können schon Paare im H geklöppelt werden, denn die erste Hälfte des nächsten Blättchens ist H. Eventuell Paare herauslegen.

Um zu verhindern dass bei (3) ein Loch entsteht, muss das erste Rp rechts eingehäkelt werden. Es wird verknotet und benutzt als Randpaar für das zweite Blättchen. Fig.175. Das dritte Blatt wird unten geendet. Fig. 176

Es gibt viele Variationen. Hier werden einige beschrieben.

prn bijgehangen worden.

Op de middenlijn 4-6 wordt de randslag geklost. Dit is de nerf.

Doorklossen tot het einde van de nerf. (tek. 173)

Soms is de nerf niet ver genoeg of te ver getekend. De afstand van einde nerf – top moet net zo groot zijn als einde nerf – zijkant. Wanneer de speld aan het eind van de nerf gestoken is, is ook (5) aan de zijkant bereikt. Op deze manier is de hoek het mooist te klossen.

Het lp ligt nu bij (5). 1 dr uit het randslagpr van de nerf halen. Er wordt nu geminderd bij (6) en een aantal keren aangehaakt in (6) wanneer nodig (d.i. ter voorkoming van gaatjes). Bij minderen in lsl kunnen niet meer dan 2 prn blijven liggen. tek.174

Wanneer de lijn (6-7) bereikt is, kan overgegaan in lsl, maar blijven minderen.

Als de lijn (6-8) bereikt is, wordt het blad verder geklost. Er zullen prn bijgehangen moeten worden en rechts wordt er in het speldengaatje aangehaakt. In elk gaatje 1 keer.

Als aan het eind van het blaadje (9) bereikt is, dan wordt op dezelfde manier als overgang van steeltje naar blaadje naar punt (3) gewerkt.

Bij (9) kunnen een aantal prn al in nsl gewerkt worden, daar de eerste helft van het volgende blaadje nsl is. Teveel aan prn eruit nemen.

Om te voorkomen dat er bij (3) een gaatje ontstaat, moet het eerste staande pr rechts aangehaakt worden. Het wordt geknoopt en gebruikt als randslagpr voor het tweede blaadje. Tek. 176

Er zijn talloze variaties denkbaar. De hier gebruikte variaties worden beschreven.

ligne imaginaire 2-4, il faut utiliser la méthode "diminutions 1-2-3".

Quand on arrive sur 2-4, on continue en ajoutant des paires si nécessaire.

Sur la ligne 4-6 faire un point de bordure. Il marquera une nervure. Continuer jusqu'au bout de la nervure (diag 173).

Il arrive qu'une nervure soit dessinée trop loin ou pas assez sur le dessin.

Se rappeler que la distance entre la fin d'une nervure et le haut de la feuille est la même qu'entre la nervure et le côté de la feuille.

Quand l'épingle sur la pointe de la nervure est placée, on doit être arrivé à 5 sur le côté. C'est la meilleure façon d'exécuter l'angle.

Les voyageurs étant à 5, détordre 1 fois la paire de bordure côté nervure. On fait la "diminution" pour tourner la pointe de la feuille. Si nécessaire faire des accrochages sur 6 pour ne pas avoir de trou. En toile, il ne reste que 2 paires (diag 174).

Arrivé sur 6-7, faire du point toile. Continuer à diminuer.

Quand on arrive sur 6-8, on peut continuer en accrochant sur chaque trou. Ajouter des paires si nécessaire.

Au coeur de la feuille (3) on prend la même méthode que celle utilisée pour le passage de tige en feuille.

Changer pour le point grille peu à peu à partir de 9 en commençant par la gauche, comme la 1ère moitié de la feuille suivante est en grille. Retirer les paires en trop.

Accrocher la 1ère passive à droite et la nouer pour ne pas avoir de trou. Cette paire devient paire de bordure dans la feuille suivante (diag 175).

La 3ème feuille finit à 3. Voir diag 176.

On peut varier sans fin ces feuilles. Les variations utilisées dans les modèles sont expliquées plus loin.

Gradually changing from cloth stitch into half stitch

(a) The first half of the leaf is worked as far as the end of the vein. The weavers are on the outside.

Work the weavers back to the middle of the leaf through all the pairs. Make a sewing. Twist both the weavers and the next passive and then make one half stitch. Make one extra twist in the weavers and continue in cloth stitch to the outside. Make an edge stitch, set a pin and go back in cloth stitch as far as the last pair: 2 twists, 2 half stitch, sewing.

Next row: 3 half stitch, 1 twist in weavers, cloth stitch. With every row going to the edge, one more half stitch should be added until – apart from the gimp pair – there is at least one cloth stitch. The change-over from cloth stitch to half stitch always has 2 twists. Every new pair that is going to be worked in half stitch is twisted once. Make sewings every second row. Continue the leaf (photograph 46).

Decorative top of leaf and hole

The first half of the leaf is worked in cloth stitch until the end of the vein. The weavers are on the outside.

* Work back through the gimp pair and one passive pair. Twist the weavers once and leave.*

From the centre vein the next passive pair becomes the new weavers. They are worked to the outside. Edge stitch, pin and repeat from * to * until, on the other side, the leaf can be continued by sewing into every pinhole of the vein (diagram 177).

Good care should be taken to keep the hole at the end of the vein small, by pulling the pairs towards the centre.

(b) As an added variation, the weavers can be twisted as well (diagram 178).

(c) Another way to vary the leaves is to work the top, at the end of the vein, in half stitch. In this case the weavers are worked back to the centre. They are left and the last-used passive pair becomes the weavers. This is repeated until, on the other side, the leaf can be continued by sewing into every pinhole of the vein. The row of little holes at the top is created by 2 twists in the weavers (diagram 179, photograph 40).

One half stitch before and after sewing into the first half of the leaf

Zigzag vein

See diagram 54.

Allmählich ändern vom Leinenschlag in Halbschlag

Die erste Hälfte des Blättchens wird bis zum Ende des Nerves im L geklöppelt. Das Lp liegt an der Aussenseite.

Zurückklöppeln bis zur Mitte, das Lp liegen lassen. Mit dem letzten Rp und gedrehten nächsten Paar ein H klöppeln. Das Lp wird noch einmal gedreht, im L weiter klöppeln. Randschlag. Zurück nach innen bis zu den letzten zwei Paaren:

2x dr - 2 H - einhäkeln. Jetzt 3 H - 1x dr - L.

Bei jeder Reihe nach aussen wird ein H mehr geklöppelt bis es neben dem K noch mindestens ein L gibt.

Der Übergang zwischen L und H hat immer 2 dr. Jedes neue Paar das im H geklöppelt wird, wird 1x gedreht.

Das Blättchen wird weiter gearbeitet wie beschrieben. Photo 46.

(a) Auflockerung und Löchlein

Die erste Hälfte des Blättchens wird bis zum Ende des Nerves geklöppelt im L. Das Lp liegt an der Aussenseite. *Zurück durch K und Rp. Lp 1x dr und liegen lassen. * Das erste Rp wird Lp und damit wird bis zur Aussenseite geklöppelt. Randschlag – Nadel – und wiederholen von * bis *, bis an der anderen Seite das Blättchen weiter geklöppelt werden kann. Fig. 177

Es ist wichtig. dass das Löchlein am Ende des Nerves klein bleibt. Die Paare müssen gut

Langzaam overgaan van linnenslag in netslag

De eerste helft van het blaadje tot het eind van de nerf klossen in lsl. Het lp ligt aan de buitenkant.

Terugklossen naar het midden, het lp laten liggen, met het laatst gekloste staande pr en (gedr) volgende pr een nsl klossen. Lp een keer bijdraaien, overgaan in lsl naar buitenkant. Terug lsl tot laatste twee prn: 2x dr - 2 nsl - aanhaken. Nu 3 nsl klossen, 2x dr, lsl. Bij elke toer naar de buitenkant 1 nsl erbij nemen tot buiten het cp er tenminste 1 lsl overblijft. De overgang tussen lsl en nsl heeft altijd 2 dr. Elk nieuwe pr dat in nsl geklost gaat worden, wordt 1x gedraaid.
Het blaadje vervolgen zoals beschreven. Foto 46.

(a) Versierde top met gaatje

De eerste helft van het blaadje tot het eind van de nerf klossen in lsl. Het lp ligt aan de buitenkant. *Terug door cp en staand pr. Lopend pr 1x dr en laten liggen*. Het eerste st p wordt lp. Hiermee wordt naar de buitenkant geklost.

Randslag, speld en herhalen van * naar * tot aan de andere kant het blad verder geklost kan worden. (tek.177)

Het is belangrijk dat het gaatje aan het eind van de nerf klein blijft. De prn moeten goed naar het midden aangetrokken worden.

Changement progressif de la toile à la grille

On fait la 1ère moitié jusqu'au bout de la nervure centrale. Les voyageurs sont en attente en extérieur.

Traverser toutes les paires en retour vers le centre. Faire 1 torsion sur la dernière paire utilisée et les voyageurs et faire avec un point grille. Faire 1 torsion supplémentaire sur les voyageurs et continuer en toile vers l'extérieur. Faire un point de bordure, mettre une épingle et continuer en toile jusqu'au 2 dernières paires:
2 torsions, 2 point grille, accrochage.

Rang suivant: 3 point grille, 1 torsion des voyageurs, point toile. A chaque rang allant vers l'extérieur, ajouter une paire en grille jusqu'à ne laisser qu'une paire en toile. Le changement de toile en grille a toujours 2 torsions. Avant d'ajouter une paire en grille, lui faire 1 torsion.

Continuer la feuille (photo 46).

(a) Pointe de la feuille avec trou décoratif

La 1ère moitié de la feuille se fait en point toile jusqu'à la fin de la nervure centrale. Les voyageurs sont sur l'extérieur.

* Revenir en traversant la paire avec cordon plus une passive. Torsion des voyageurs, laisser en attente *.

La passive proche de la nervure centrale devient nouveaux voyageurs. Ils vont jusqu'à

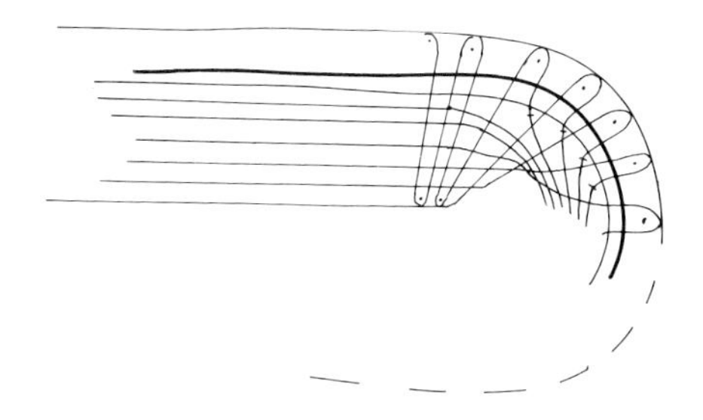
Diagram 177

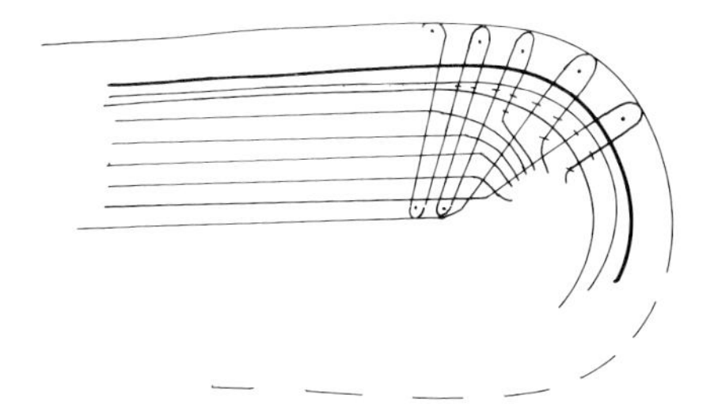
Diagram 178

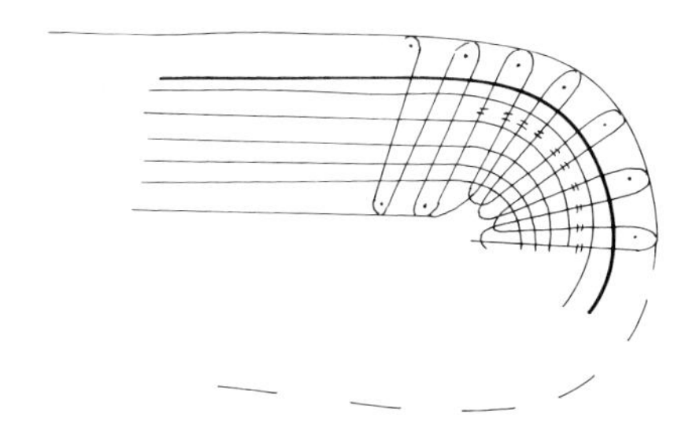
Diagram 179

zur Mitte hingezogen werden.
(b) Als Variation kann das Lp gedreht werden. Fig. 178
(c) Oder auch kann der Kopf im H geklöppelt werden. Dann muss aber das Lp zurück zur Mitte – liegen lassen – Laufpaarwechsel. Dieses wiederholen bis das Blatt weiter geklöppelt werden kann. Die Löcher am Kopf entstehen durch 2x dr im Lp. (Photo 40) Fig. 179

Ein Halbschlag vor und nach dem Einhäkeln in der ersten Blatthälfte

Zickzack Nerv
Fig. 54 in Withof Technik.

(b) Ook het lp kan gedraaid worden. (tek. 178)
(c) Een variatie hierop is: de top, aan het einde van de nerf, in nsl klossen. Nu wordt het lp teruggewerkt naar het midden – laten liggen – het laatst gekloste staande pr wordt lp. Dit herhalen tot het blad verder geklost kan worden. De gaatjesrij aan de top ontstaat door 2 dr in het lp. (foto 40) Tek. 179

Een netslag voor en na aanhaken in de eerste bladhelft

Zigzag nerf
Tek. 54 in Withof techniek.

l'autre bord. Faire le point de bordure, poser l'épingle et répéter de * à * jusqu'à pouvoir reprendre les accrochages dans chaque trou de l'autre côté de la nervure (diag 177).

Faire attention de bien garder un petit trou au sommet de la nervure centrale en tirant bien les passives vers le centre.

Pour une autre variation, on peut aussi ajouter des torsions sur les voyageurs (diag 178).

Une autre méthode consiste à faire le sommet de la feuille en grille. Dans ce cas ramener les voyageurs au centre. On les laisse en attente, la dernière paire traversée devient voyageurs. On continue ainsi jusqu'à pouvoir reprendre les accrochages dans chaque trou de l'autre côté. Le trou-trou au sommet se fait alors par 2 torsions sur les voyageurs (diag 179, photo 40).

Point grille avant et après accrochage en 1ère moitié de feuille

Nervure centrale zigzag
Voir diag 54, La nervure centrale zigzag en Withof.

Duchesse - Braids

Braids may be decorated in the following ways:

Braid decoration: 1

Create 2 weavers

Alternately:

cloth stitch twist, pin, cloth stitch twist

set pin under weavers, twisting 3 times (diagram 180).

Braid decoration: 2

Create 2 weavers

Twist both pairs once and work a cloth stitch twist (diagram 181).

Braid decoration: 3

Twist the weavers once or twice on the marked position (diagram 182).

Braid decoration: 4

Either:

a. one half stitch twist next to the gimp pair; or

b. decorative holes (diagram 183).

Finishing a braid

Braids are a continuation from another section of the design, or are started by sewing new pairs into a motif. They finish into another motif as follows:

Each pair is sewn into a pinhole of the other motif. Sometimes, to obtain an even division, they are also sewn into the bars of the pinholes (diagram 184).

A gimp pair is not sewn in, but placed between a neighbouring pair, which is then tied around the gimp pair with a reef knot (diagram 2).

Duchesse - Waves

Waves are worked up and down, and usually join a braid or a scroll. They look like flower petals. However, they are worked as clover leaves, with the weavers making a corner of 90° towards the vein in order to finish on a straight edge (diagram 185). If the edge is curved, pairs have to be taken out (diagram 186).

Sufficient pairs to work the wave have to be sewn into the edge stitches. To obtain an even distribution it is also necessary to sew into the bars (diagram 187). The wave is worked and to complete it (A), the passive pairs must be sewn in. The weavers are worked through the edge pair and are left without twisting. These will be the weavers of the next wave. The edge pair is sewn in. The gimp pair is placed between the two bobbins. The edge pair is tied once around this pair, to prevent it from pulling away from the edge. Both pairs are used again in the next wave.

The other pairs which are sewn in are transferred as half stitch plaits to the next wave. They are sewn into the pinholes and the bars, to be used again (diagram 187).

One disadvantage is that pinholes might not be visible, because the half stitch plaits cover them.

BÄNDCHEN

In Bändchen werden meistens Verzierungen geklöppelt, sowie:

Verzierung: 1

• zwei Lp bilden. Abwechselnd: G – Nadel – G und 3x dr um der Nadel (Fig. 180)

Verzierung: 2

• zwei Lp bilden. Beide 1x dr und G.(Fig. 181)

Verzierung: 3

• Lp 1x dr auf einer bestimmten Stelle im Bändchen (Fig. 182)

Verzierung: 4

(a) ein H neben dem K; oder

(b) Schmucklöcher mit den mittleren 4 Paaren (Fig. 183)

Beenden eines Bändchen

Die Bändchen fangen aus einem anderen Motiv (Schnörkel) an, oder es werden neue Paare in ein Motiv eingehängt.

Abknoten wie folgt:

Paar für Paar wird eingehäkelt in den Rand

BANDJES

In de bandjes worden meestal versieringen aangebracht, zoals

Versiering: 1

• 2 lopende prn maken. Afwisselend dnsl – speld – dnsl en 3x dr om de speld Tek. 180

Versiering: 2

• 2 lopende prn maken. Beide 1x dr en dnsl Tek. 181

Versiering: 3

• lp 1x dr op een te bepalen plaats i Tek.182

Versiering: 4

(a) 1 nsl naast het cp; of

(b) versierende gaatjes met 4 middelste prn Tek. 183

Beëindigen van een bandje

Bandjes beginnen vanuit een ander motief (bv. krul), of worden begonnen door nieuwe paren in een motief aan te haken.

Ze eindigen in een ander onderdeel.

Het afhechten gaat als volgt:

LES LACETS

Les lacets en Duchesse peuvent être décorés de plusieurs façons:

Effet décoratif n° 1

Prendre 2 voyageurs

alterner:

point double, épingle, point double

3 torsions des voyageurs autour de l'épingle (diag 180).

Effet décoratif n°2

Prendre 2 voyageurs

2 torsions sur chaque paire et point double (diag 181).

Effet décoratif n° 3

ajouter 1 ou 2 torsions sur les voyageurs là où c'est indiqué (diag 182).

Effet décoratif n° 4

a- une paire en grille à côté de la paire avec cordon (diag 183).

b- ou des trous décoratifs.

Pour finir un lacet

Les lacets sont des prolongations de motifs ou

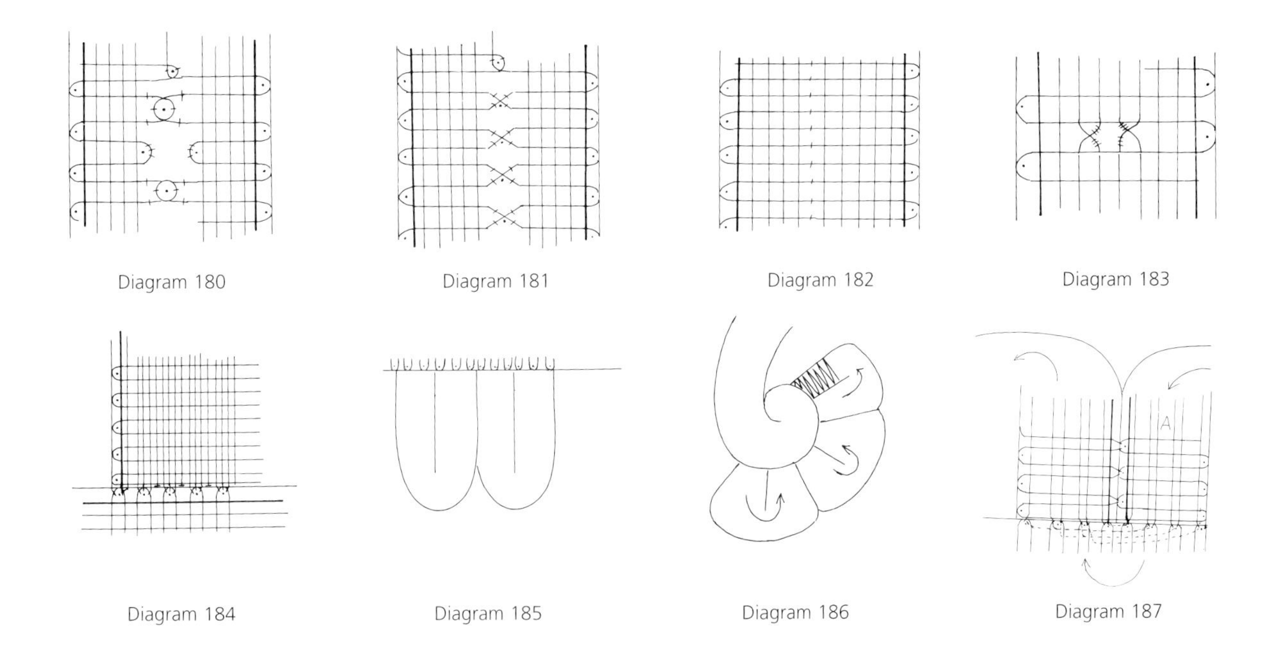

Diagram 180 Diagram 181 Diagram 182 Diagram 183

Diagram 184 Diagram 185 Diagram 186 Diagram 187

eines anderen Motives. Oft auch an den Stege um eine schönere Verteilung zu bekommen. (Fig. 184)

Das K wird nicht eingehäkelt, sondern zwischen dem da nebenliegende, Paar gelegt. Über dem K abknoten. Fig. 2

WELLEN

Wellen gehen hin und her. Meist sind sie verbunden an einem Bändchen oder Schnörkel. Sie sind Blumenblättchen ähnlich, werden aber wie die Blätter des Kleeblattes geklöppelt (Fig. 185). So dass am rechten Rand geendet werden kann. Wenn der Rand gebogen ist, werden Paare herausgenommen. (Fig. 186)

So viele Paare wie nötig sind um das Blatt zu klöppeln, werden in die Löcher der Randschlägen eingehäkelt. Um sie schön zu verteilen, muss man auch in die Stege einhäkeln. Das Blatt wird geklöppelt und am Ende werden die Rp eingehäkelt. Das Lp wird durch das Randpaar geklöppelt und bleibt liegen ohne gedreht zu werden. Dieses Paar wird Lp vom nächsten Blatt. Das Randpaar wird eingehuäkelt. Das K wird dazwischen gelegt. Das Randpaar wird einmal über dem K verknotet, damit es nicht wegziehen kann. Beide Paare werden gleich im nächsten Blatt hereingenommen. Die anderen eingehäkelten Paare werden als Flechter zu dem nächsten Blatt herübergebracht und da im Rand und der Stege eingehäkelt, damit sie aufs neue benutzt werden können. Fig. 187.

Ein Nachteil dieser Methode ist, dass man die Nadellöcher meistens nicht mehr sieht weil die Flechter dahinter liegen.

Er wordt paar voor paar aangehaakt in de rand van een ander motief. Vaak ook in de pootjes, om een mooie verdeling te krijgen (tek.184). Het cp wordt niet aangehaakt, maar tussen een naastliggend paar gelegd, waaromheen dit paar afgeknoopt kan worden. Tek. 2.

RIVIERTJES

Riviertjes worden in een golfbeweging geklost en zijn meestal verbonden aan een bandje of krul. Ze lijken het meest op bloemblaadjes maar ze worden als de blaadjes van het klaverblaadje geklost. (tek.185). Echter het lp ligt op 90° ten opzichte van het randslagpaar, zodat er aan een rechte rand recht geëindigd kan worden. Is de rand gebogen, dan worden paren uitgenomen. Tek. 186

Er worden voldoende paren in de randslagen ingehaakt. Voor een mooie verdeling zal het noodzakelijk zijn ook in de pootjes in te haken. Het blaadje wordt geklost en bij het beëindigen, worden de staande prn aangehaakt. Het lp wordt door het randslagpr geklost en blijft daar, zonder na de randslag te draaien, liggen. Dit is het lp van het volgende blaadje. Het randslagpr wordt ingehaakt. Het cp wordt hier tussen gelegd. Het randslagpr wordt 1x om het cp geknoopt. Zo kan het niet wegtrekken van de rand. Beide paren worden direct in het werk gelegd. De andere aangehaakte paren worden als vlechtjes naar het volgende deel overgebracht en daar in de rand en pootjes van het bandje aangehaakt, waarna ze opnieuw gebruikt kunnen worden. Tek. 187.

Een nadeel is, dat de speldengaatjes meestal niet meer zichtbaar zijn omdat de vlechtjes erachter liggen.

sont accrochés à d'autres motifs.
Quand ils se terminent sur un autre motif:

accrocher chaque paire à un trou d'épingle de l'autre motif. Pour une meilleure répartition des passives on accroche parfois aussi sur les barres d'un même trou d'épingle (diag 184).

On n'accroche jamais une paire avec cordon. On la place au milieu d'une autre paire qui sera nouée avec un noeud plat (diag 2).

LES VAGUES

Les vagues montent et descendent et s'accrochent en général sur un lacet ou une volute. On dirait des pétales de fleur. Mais elles sont plutôt travaillées comme un trèfle avec les voyageurs tournant autour de la nervure centrale à 90° pour finir en ligne (diag 185). Si la bordure est sinueuse on doit retirer des paires (diag 186).

On met autant de paires qu'il faut par accrochage au départ. Pour équilibrer, on accroche aussi sur les barres (diag 187). Exécuter la vague, puis ajouter des paires passives pour la terminer (A). Les voyageurs traversent la paire du bord et sont abandonnés sans torsion. Ils seront les voyageurs de la vague suivante. Accrocher la paire de bordure. La paire avec cordon est placée entre les 2 fuseaux. Nouer 1 fois la paire bordure autour de cette paire, pour qu'elle reste bien en place à la bordure. Les 2 paires sont utilisées dans la vague suivante.

Les autres paires qui sont accrochées seront transférées en corde de 4 jusqu'à la vague suivante. Elles sont alors accrochées dans les trous d'épingle et dans les barres pour être à nouveau fonctionnelles (diag 187)

Malheureusement on perd ainsi le trou-trou du bord à cause du rang de montage.

Fillings

Withof

Elongated tallies	Diagram 188
Half stitch plait with three pairs	Diagram 189
Honeycomb, with or without tallies	Diagram 190
Mayflower	Diagram 191

Withof and Duchesse

Half stitch plaits, with or without picots	Diagram 192
Point ground, with or without tallies	Diagram 193
Snowflake with picots	Diagram 194
Tallies	Diagram 195

Duchesse

Cloth stitch squares	Diagram 196
Point ground with cloth stitch squares	Diagram 197

GRÜNDE

Withof

Längliche Formschläge	Fig. 188
Flechter mit drei Paaren	Fig. 189
Wabengrund, mit oder ohne Formschläge	Fig. 190
Mayflower	Fig. 191

Withof und Duchesse

Flechter mit oder ohne Picots	Fig. 192
Tüllgrund, mit oder ohne Formschläge	Fig. 193
Spinne mit Picots	Fig. 194
Formschläge	Fig. 195

Duchesse

Vierecken im Ganzschlag	Fig. 196
Tüllgrund mit Vierecken im Leinenschlag	Fig. 197

VULLINGEN

Withof

Langwerpige moesjes	Tek. 188
Vlechtjes met 3 paren	Tek. 189
Rozengrond, met of zonder moesjes	Tek. 190
Mayflower	Tek. 191

Withof en Duchesse

Vlechtjes, met of zonder picots	Tek. 192
Tule, met of zonder moesjes	Tek. 193
Sneeuwvlok met picots	Tek. 194
Moesjes	Tek. 195

Duchesse

Vierkanten in linnenslag	Tek. 196
Tule grond met linnenslag	Tek. 197

LES FONDS DE REMPLISSAGE

En Withof

Point d'esprit allongé	diag 188
Corde avec 3 paires	diag 189
Point vitré avec ou sans pt d'esprit	diag 190
Mayflower	diag 191

En Withof et en Duchesse

Cordes de 4 avec ou sans picots	diag 192
Tulle avec ou sans pt d'esprit	diag 193
Flocons de neige avec picots	diag 194
Point d'esprit carré	diag 195

En Duchesse

Pavé en toile	diag 196
Tulle avec pavés en toile	diag 197

Diagram 188

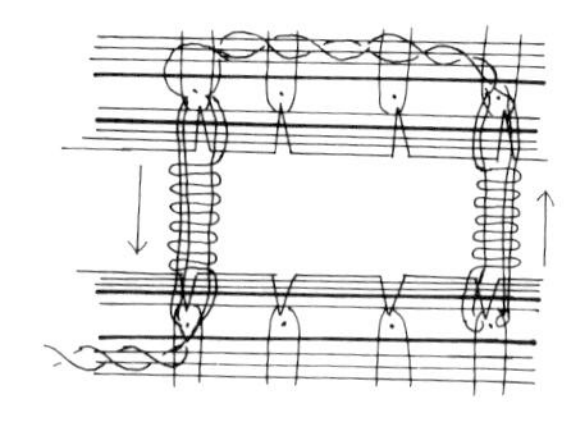

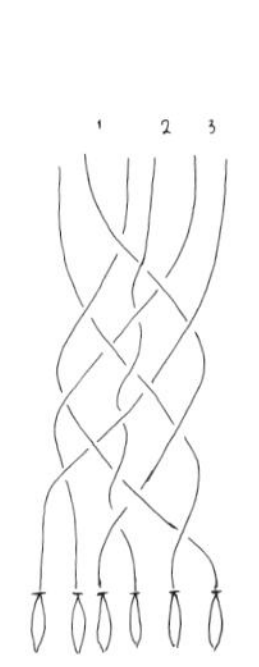

Diagram 189

Diagram 190

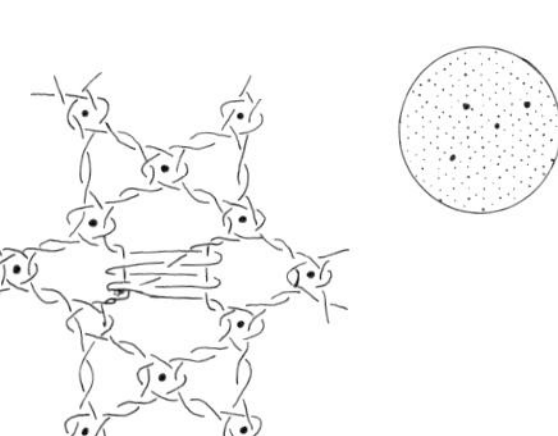

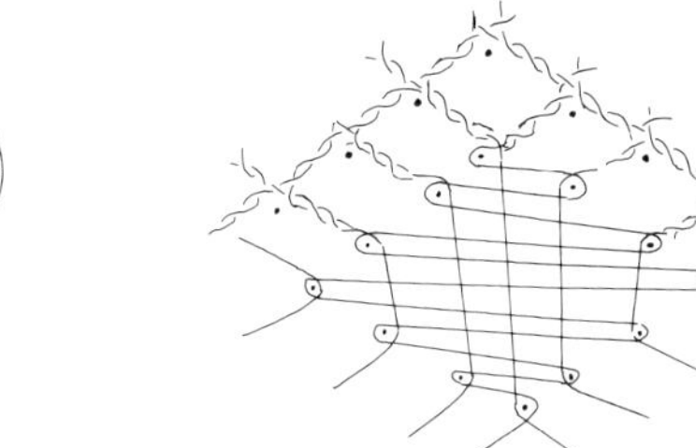

Diagram 191

Diagram 192

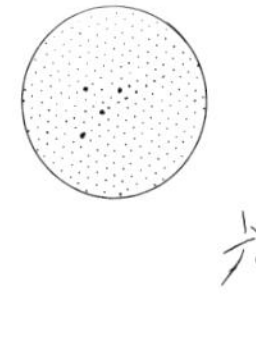

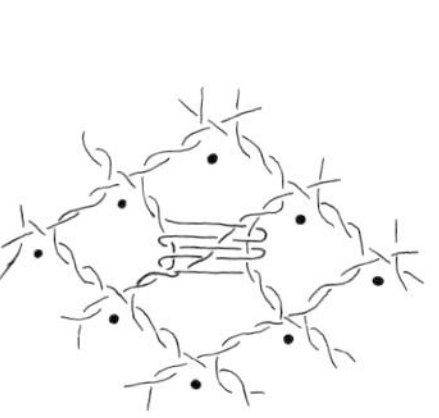

Diagram 193

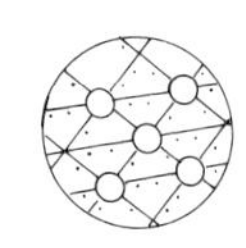

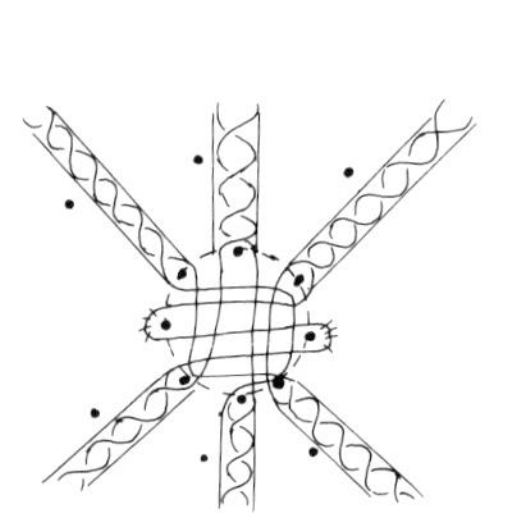

Diagram 194

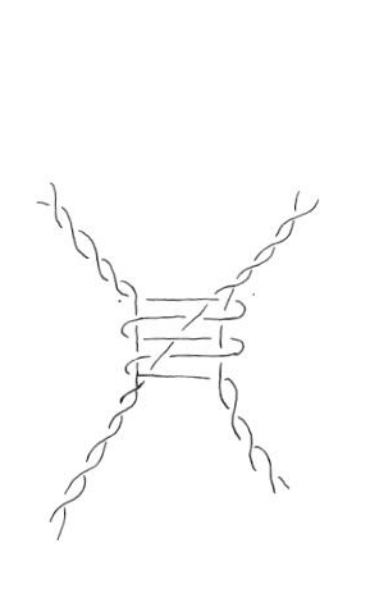

Diagram 195

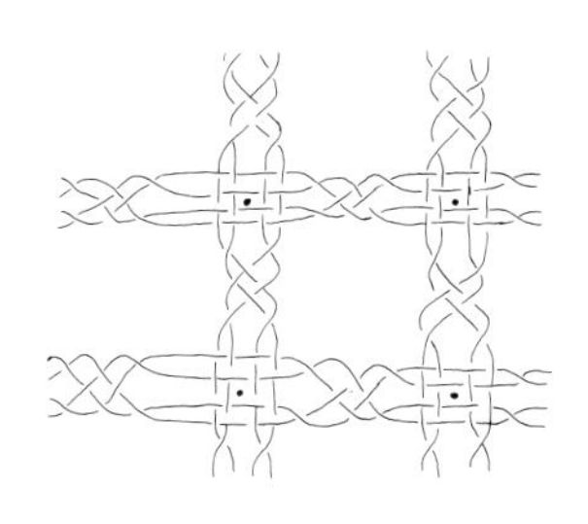

Diagram 196

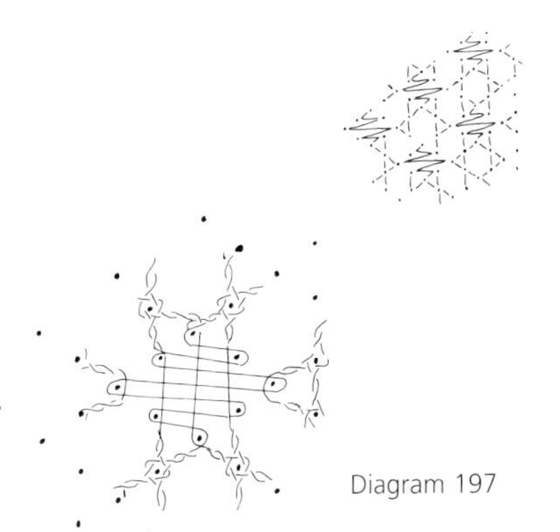

Diagram 197

Symbols

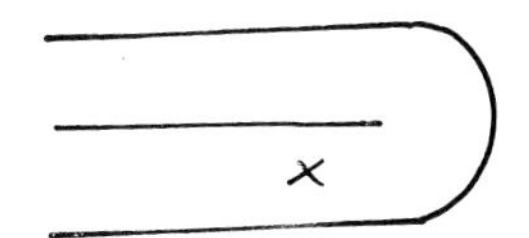

Diagram 198
Half stitch

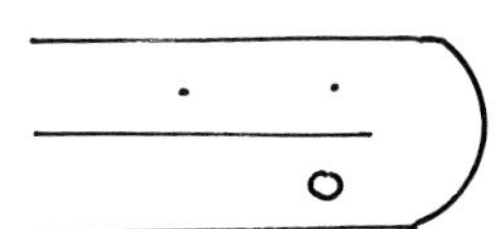

Diagram 199
Hole

Diagram 200
Vein

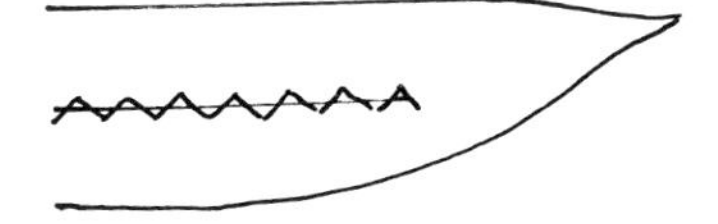

Diagram 201
Zigzag vein

Diagram 202
Working around the top of a vein

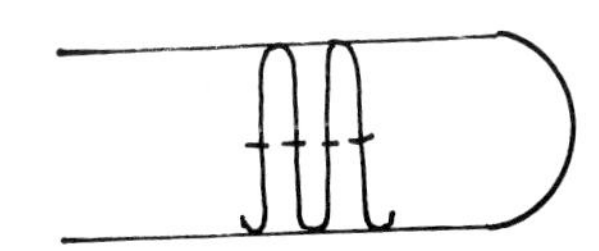

Diagram 203
Twist

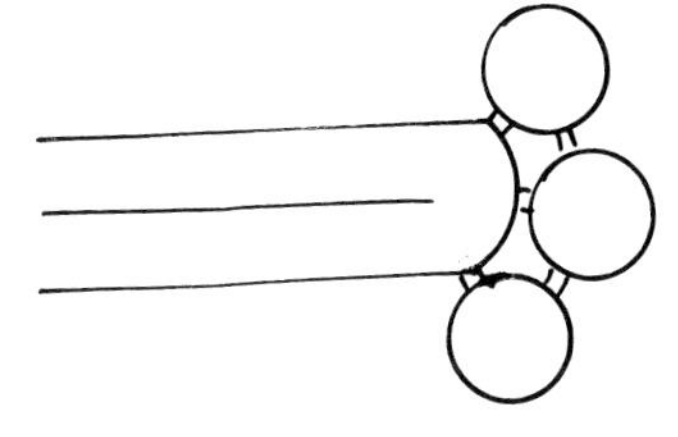

Diagram 204
Joining

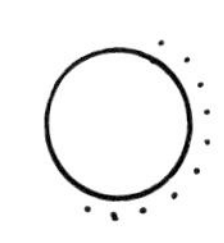

Diagram 205
Picot

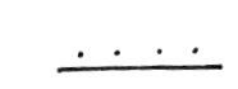

Diagram 206
Half stitch plait with picots

SYMBOLE

Halbschlag	Fig. 198
Löchlein	Fig. 199
Nerv	Fig. 200
Zickzack Nerv	Fig. 201
Oben um den Nerv klöppeln	Fig. 202
Drehung	Fig. 203
Verbindung	Fig. 204
Picot	Fig. 205
Flechter mit Picot	Fig. 206

SYMBOLEN

Netslag	tek. 198
Gaatje	tek. 199
Nerf	tek. 200
Zigzag nerf	tek. 201
Boven om de nerf heenklossen	tek. 202
Draaiing	tek. 203
Verbinding	tek. 204
Picot	tek. 205
Vlechtje met picots	tek. 206

SYMBOLS

Demi-point	Diag 198
Trou	Diag 199
Nervure	Diag 200
Nervure zigzag	Diag 201
Travailler autour du haut de la nervure	Diag 202
Torsade	Diag 203
Jointure	Diag 204
Picot	Diag 205
Corde de 4 avec picots	Diag 206

Section 2

Patterns

Withof
1. Alphabet

Designed by Sister Judith
Cotton 160/2

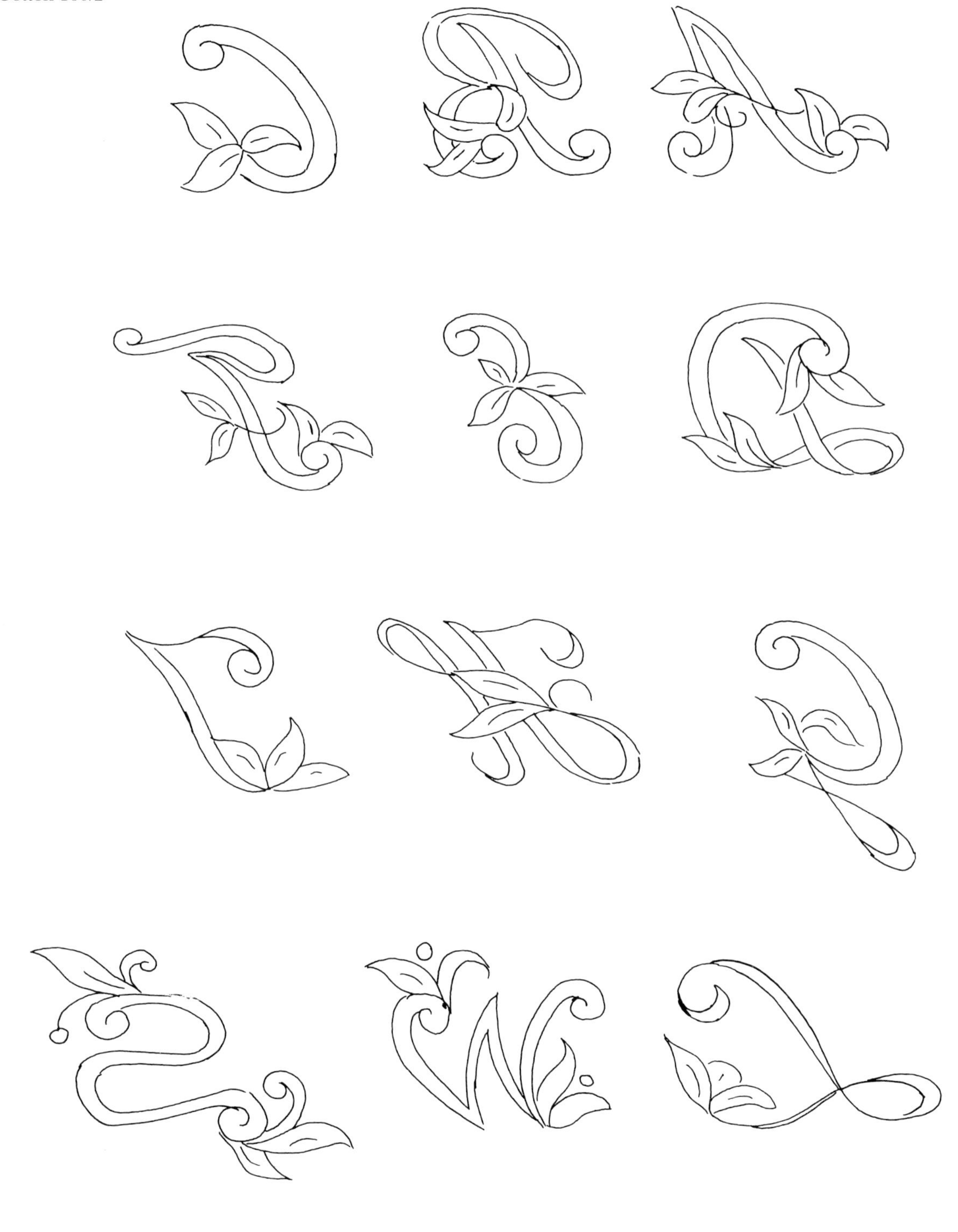

Pattern 1

Please note that these patterns can be adapted to create the remaining letters of the alphabet.

Photograph 8

Photograph 9

2. Birthday

Corsage
Worked by Cathrien van der Zouw (NL)
Cotton 100/2

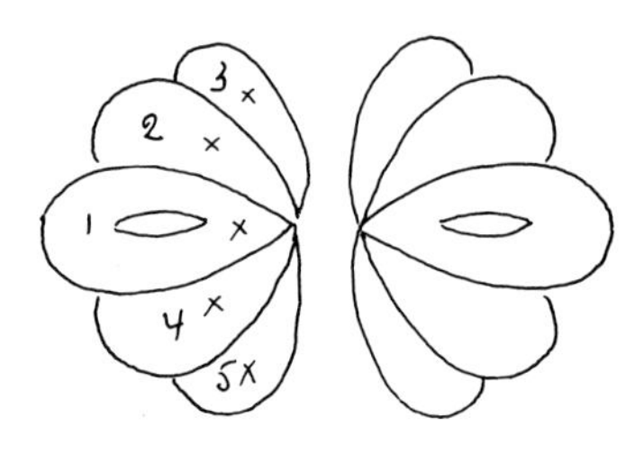

Pattern 2

Photograph 10

3. Music I

Cotton 140/2

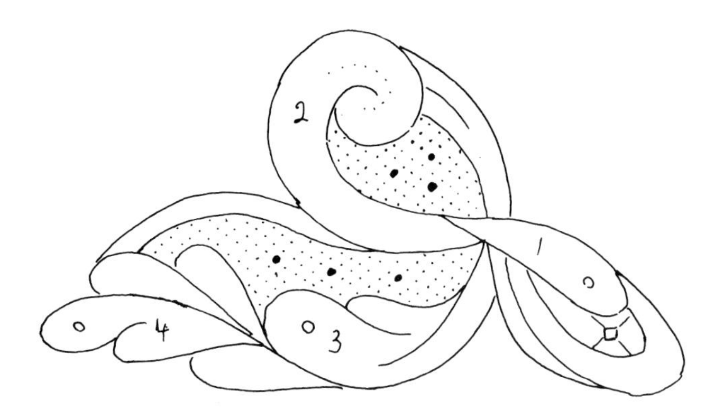

Pattern 3

4. Music II

Cuff
Worked by Janet Dutton (UK)
Cotton 140/2

Pattern 4

Pattern 4B

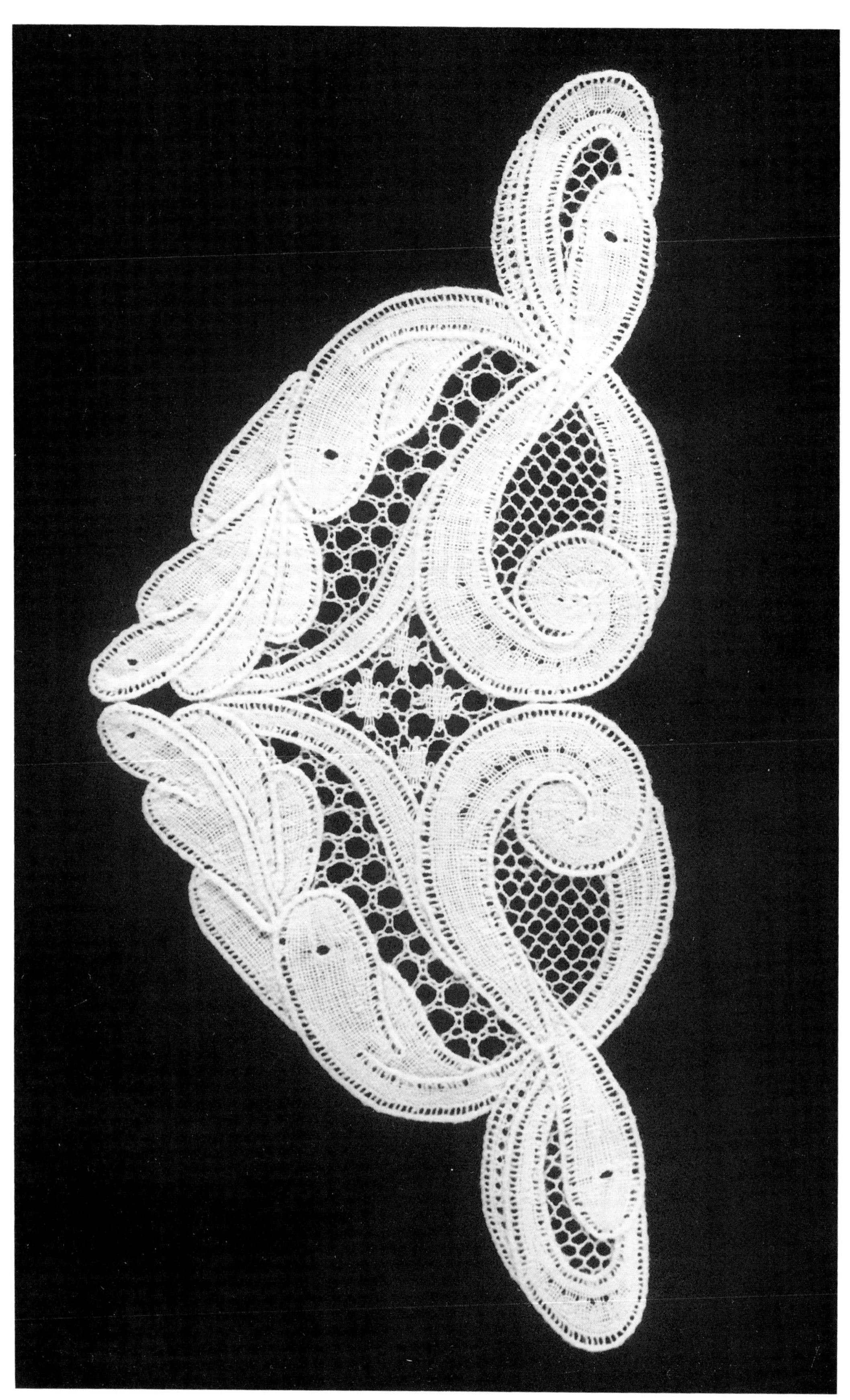

Photograph 11

5. Serpent

Handkerchief corner
Designed by Sister Judith
Cotton 160/2

Pattern 5

Photograph 12

6. Rolling waves

Placemat edge
Worked by Cathrien van der Zouw (NL)
Cotton 100/2

Photograph 13

Pattern 6

7. Coat of arms

Coaster
Worked by Cathrien van der Zouw (NL)
Cotton 100/2

Pattern 7

Photograph 14

8. Trebly

Napkin corner
Worked by Cathrien van der Zouw (NL)
Cotton 100/2

Pattern 8

Photograph 15

9–10. Carnival I–II

Blouse insets
Cotton 160/2

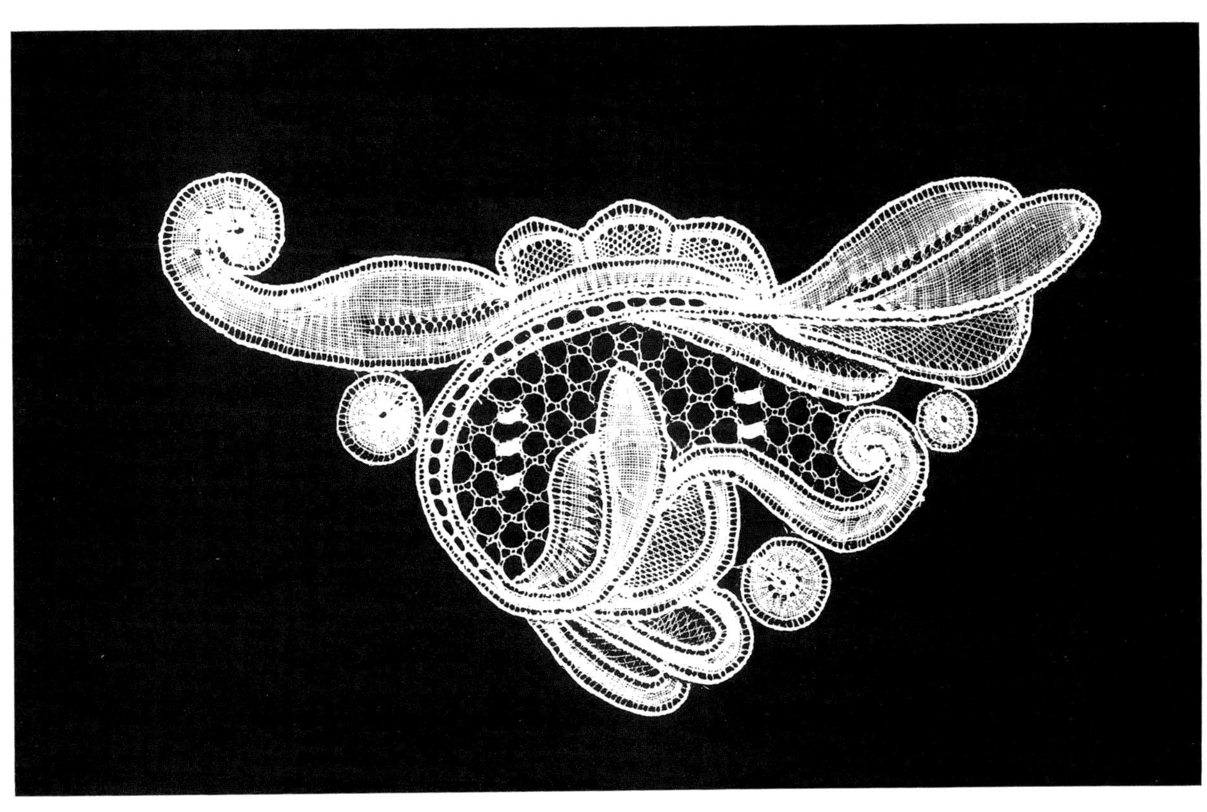

Photograph 16

11. Fantasy

Tablemat, inspired by antique tea sieve
Designed by Sister Judith
Cotton 160/2

Photograph 17

Detail of photograph 17

The pattern piece is 50% of the actual size. Please enlarge on the photocopier by 200% for the actual size.

Pattern 11

12. Swirls

Collar
Designed by Sister Judith
Cotton 160/2

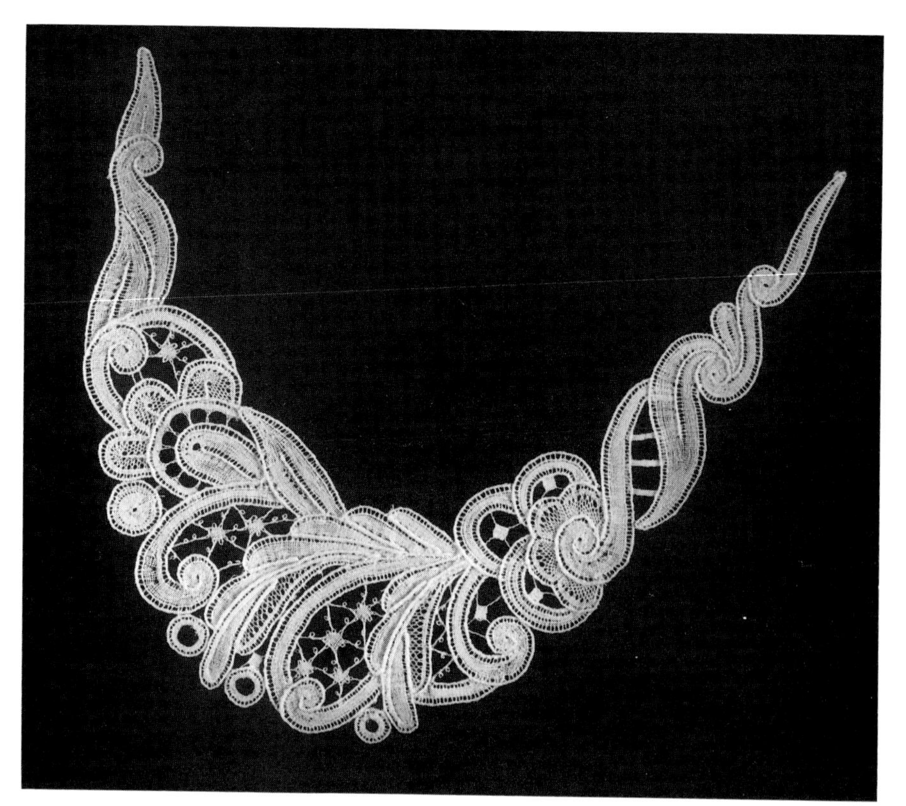

Photograph 18

Pattern 12

13. Pyramid

Sleeve inset
Designed by Sister Judith
Cotton 160/2

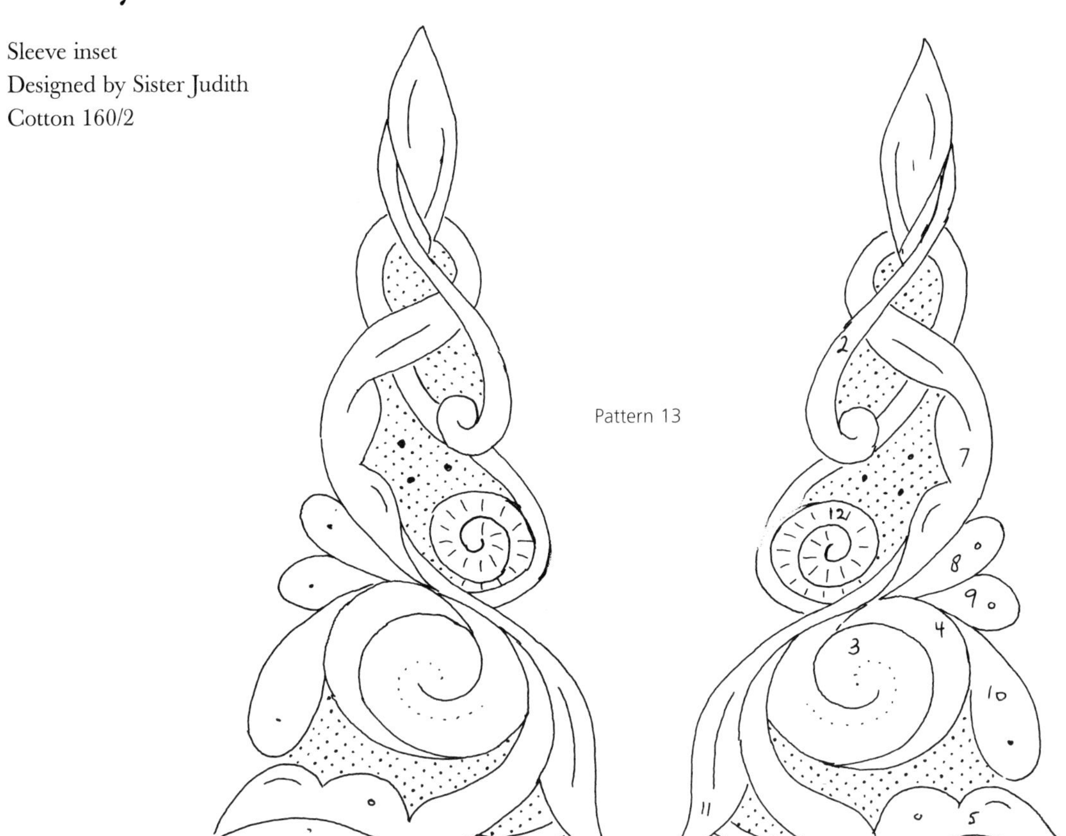

Pattern 13

Photograph 19

14. Protea I

Tablemat
Adapted by Sister Judith, after an original idea by Betty Kruger (SA)
Worked by Cathrien van der Zouw (NL)
Cotton 120/2

Pattern 14
The pattern piece is 50% of the actual size. Please enlarge on the photocopier by 200% for the actual size.

Photograph 20

15. Protea II

Blouse inset
Adapted by Sister Judith
Cotton 160/2

Pattern 15A

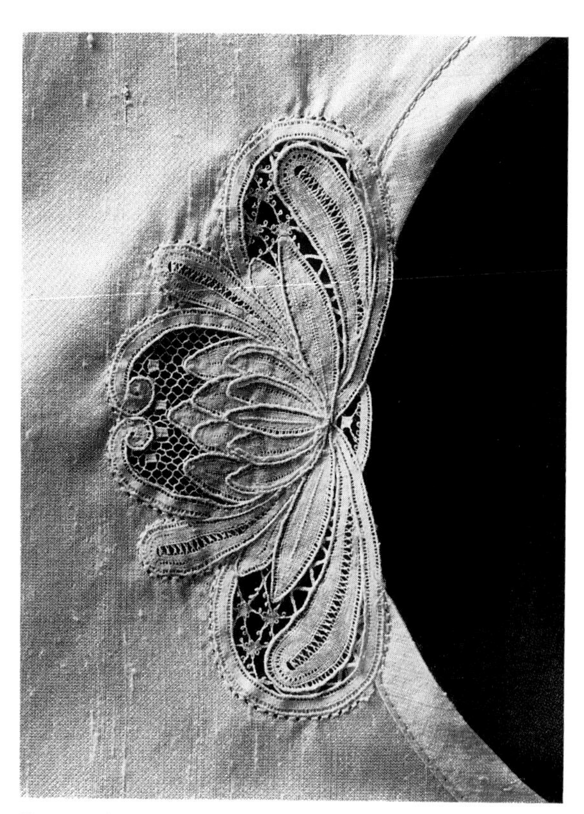

Photograph 21

Pattern 15

16. Merry widow

Mask
Worked by Helena Richter (SA)
Cotton: 170/2

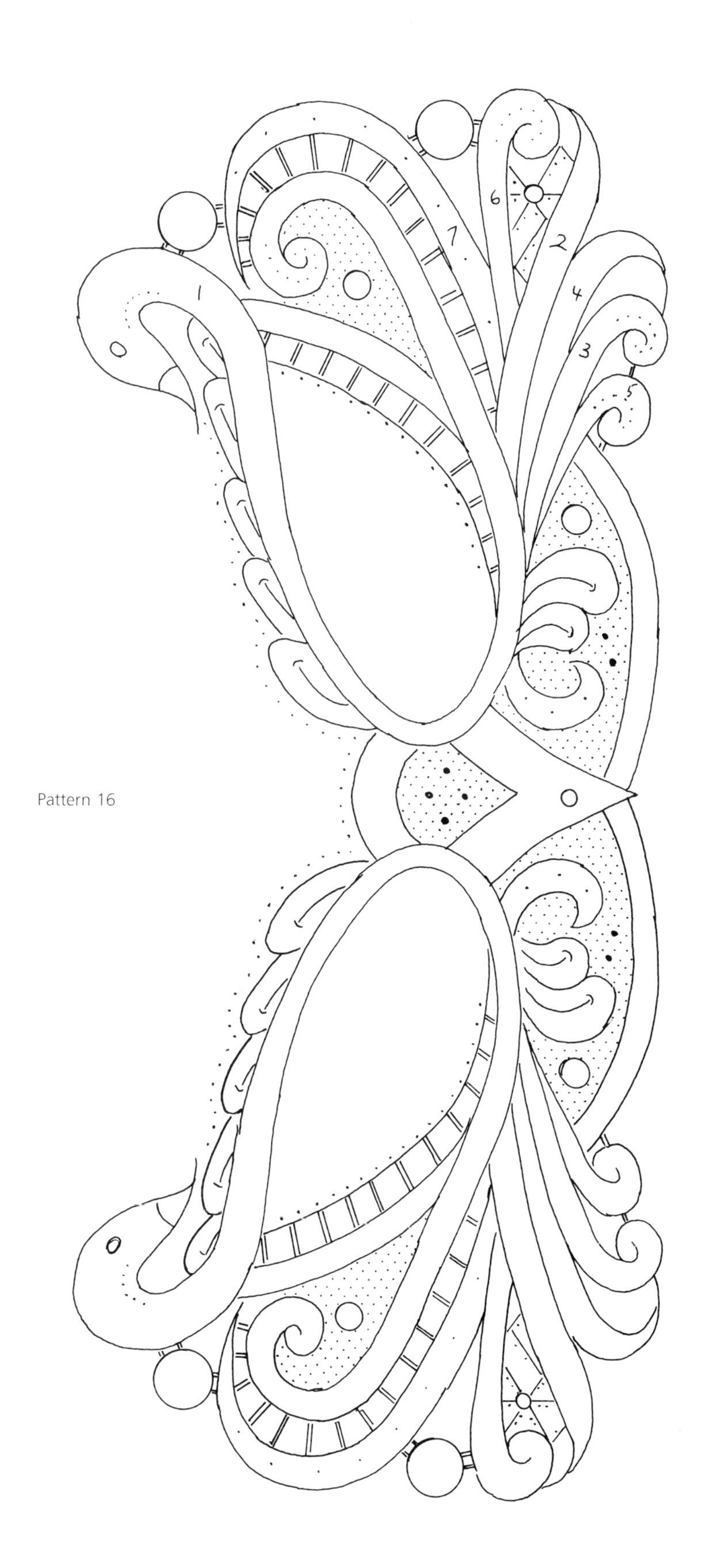

Pattern 16

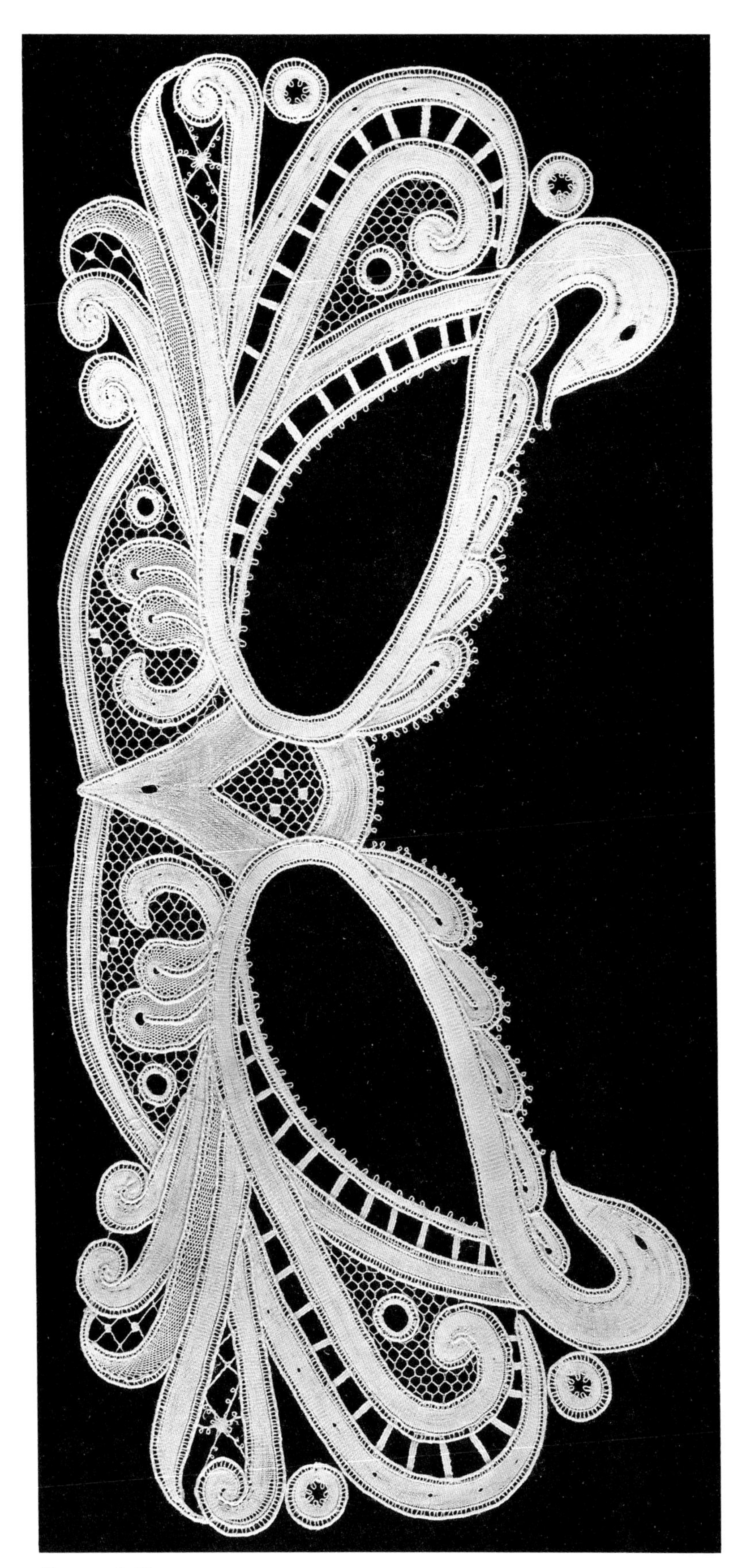

Photograph 22

17. Duck

Blouse inset
Adaptation of an existing pattern
Cotton 160/2

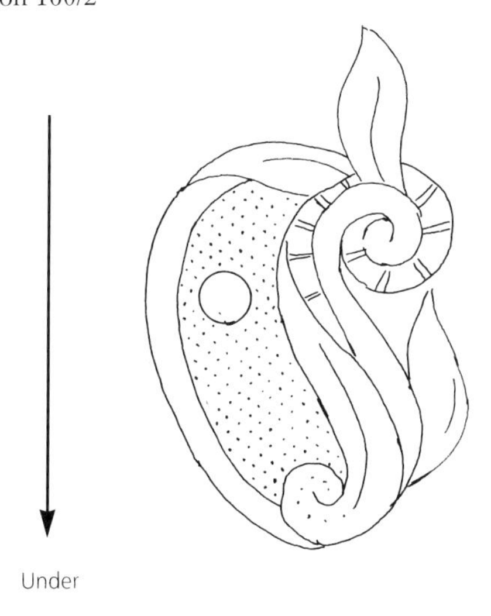

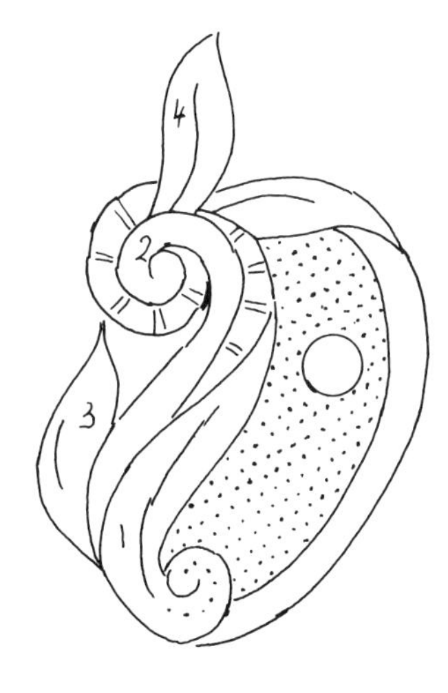

Pattern 17

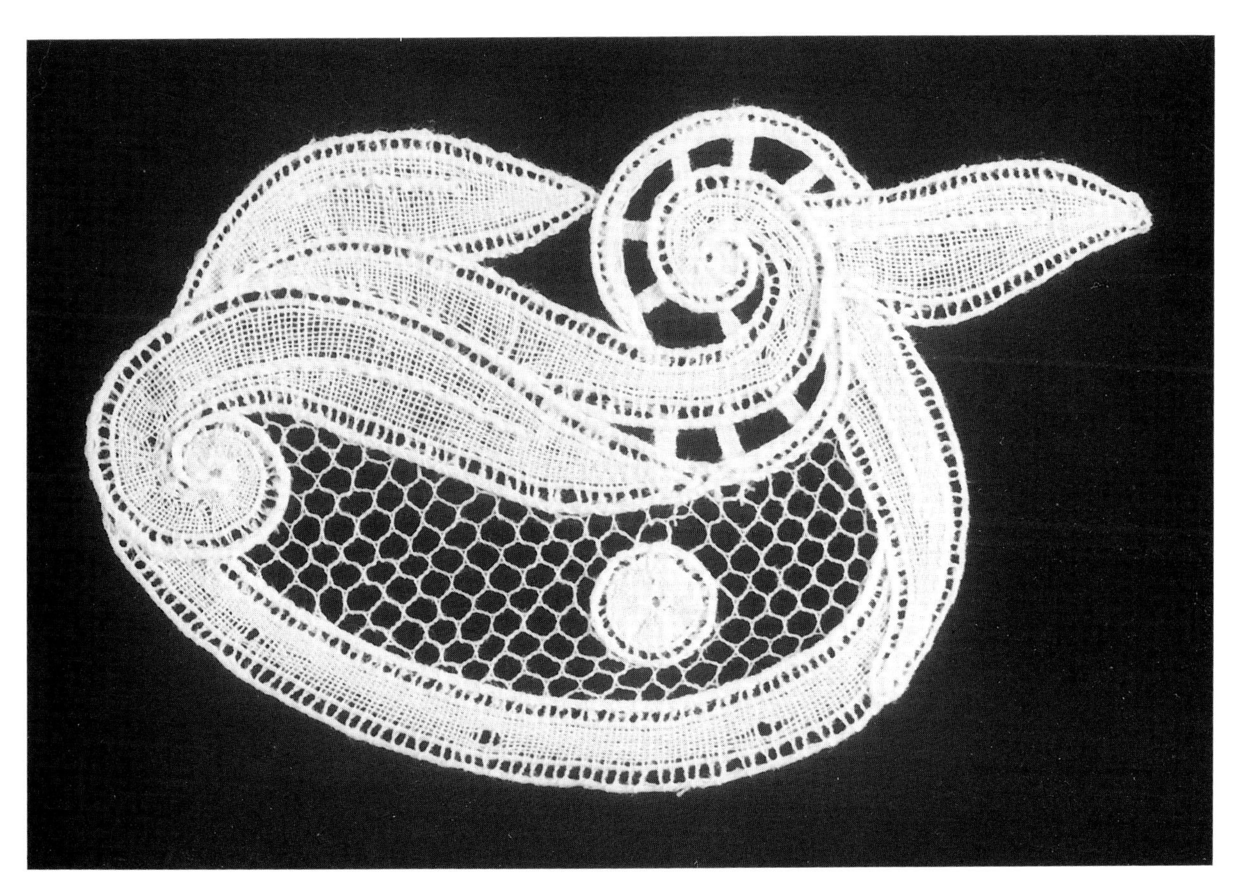

Photograph 23

18. Bloemfonteyn

Decorative object
Adapted after an embroidery design by Mientjie Olivier (SA)
Cotton 170/2

Pattern 18

Photograph 24

19. Courtship

Decorative object
Adapted after an embroidery design by Mientjie Olivier (SA)
Cotton 170/2

Pattern 19

Photograph 25

20. Passion

Sleeve inset
Designed by Sister Judith
Cotton 160/2

Pattern 20

Details of photograph 26

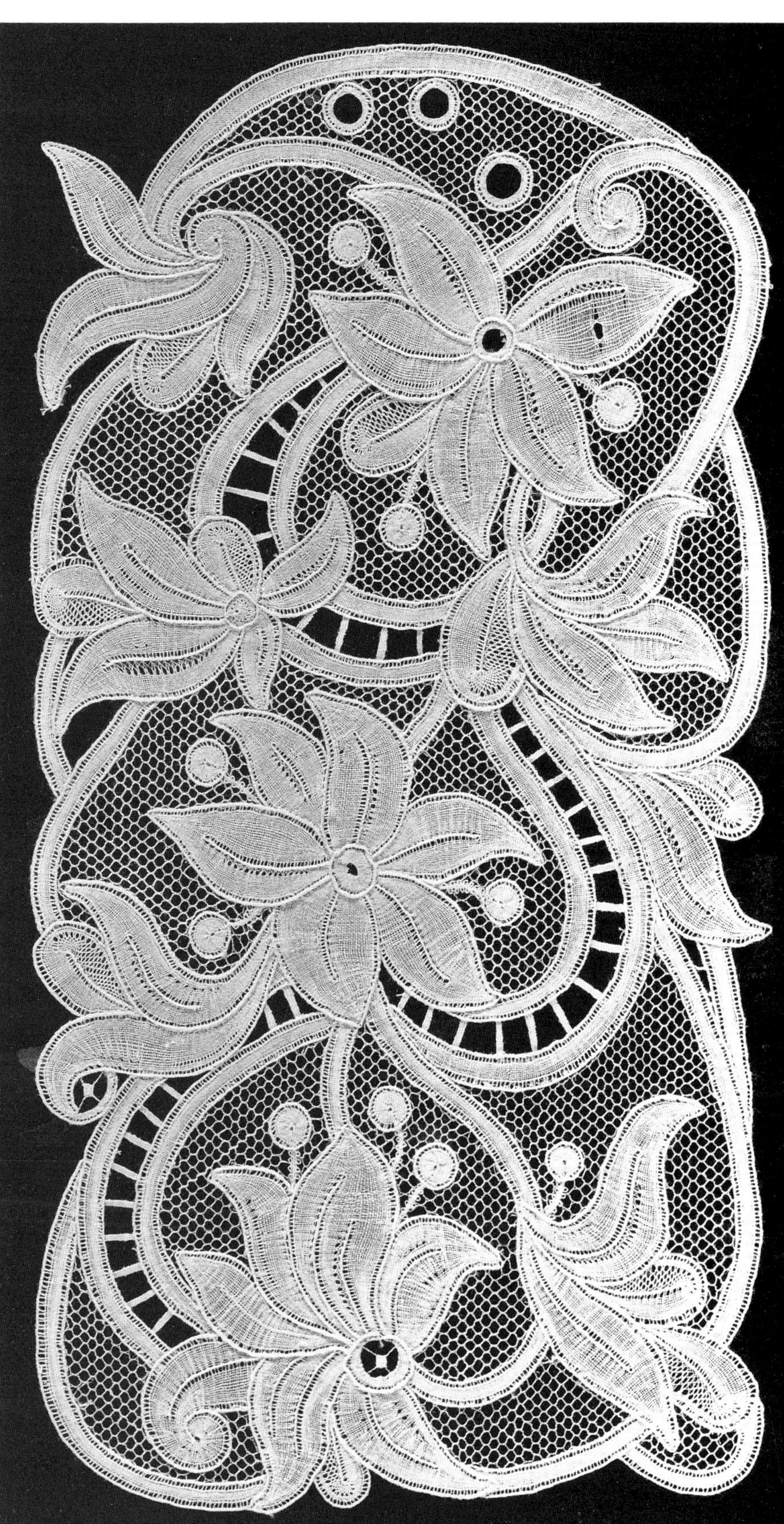

Photograph 26

21–23. Jacobean I–III

Three decorative objects, inspired by antique fruit spoon
Designed by Sister Judith
Cotton 160/2

Pattern 22

Pattern 21

Pattern 23

Photograph 27

24. Fritillaria

Table cloth inset
Designed by Sister Judith
Cotton 160/2

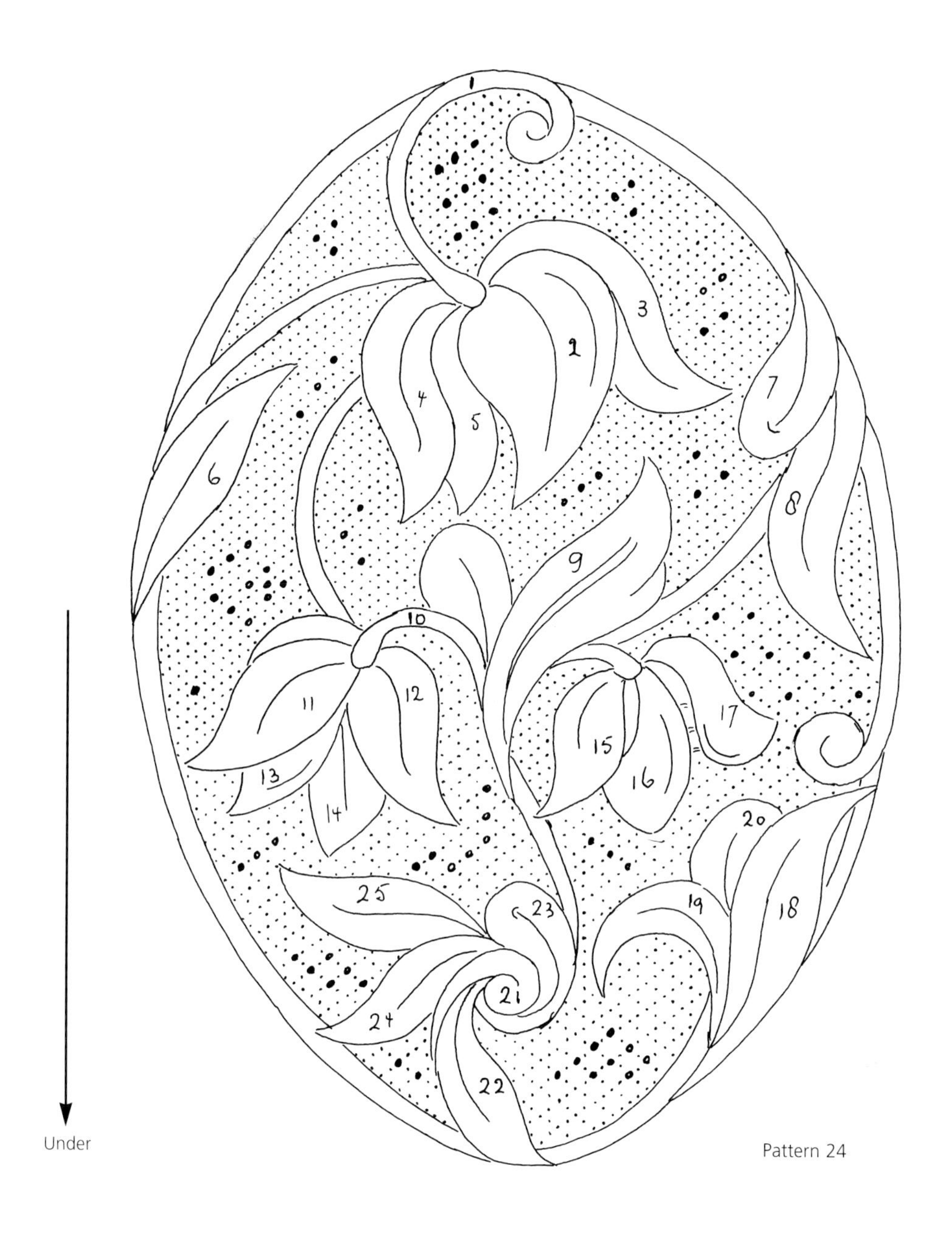

Pattern 24

Photograph 28

25. Orchid

Pot pourri sachet
Designed by Sister Judith
Cotton 160/2

Pattern 25

Photograph 29

26. Shooting Stars

Corsage
Cotton 160/2

Pattern 26

Detail of 30

Photograph 30

27. Venice

Mask
Designed by Sister Judith
Cotton 170/2

Pattern 27

Photograph 31

28. Early Spring

Scarf end
Designed by Sister Judith
Worked by Susan Walker (UK)
Cotton 160/2

Pattern 28

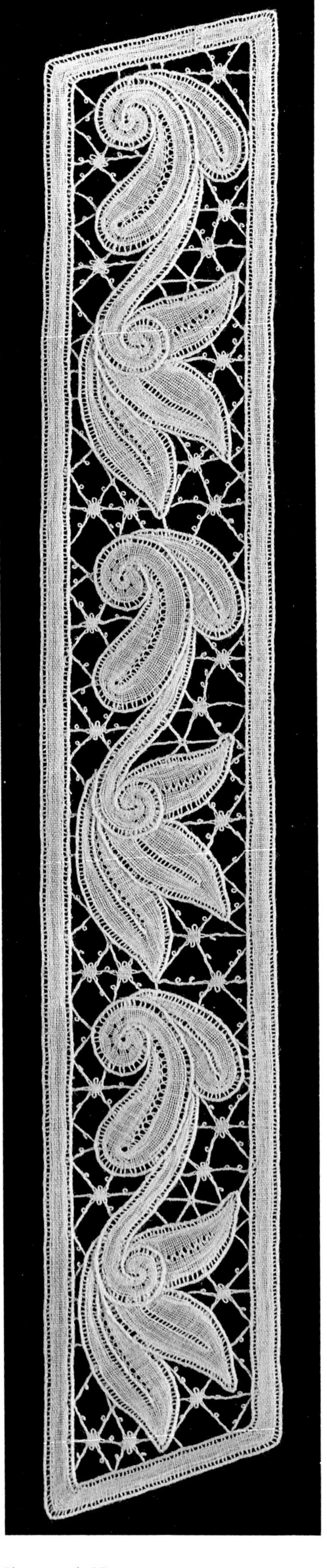

Photograph 32

29. Flower Bud

Corsage
Designed by Sister Judith
Cotton 160/2

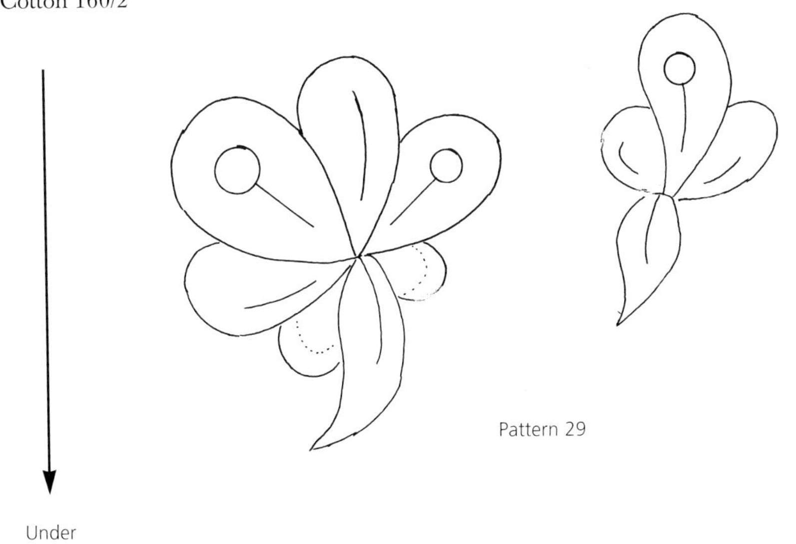

Pattern 29

Photograph 34

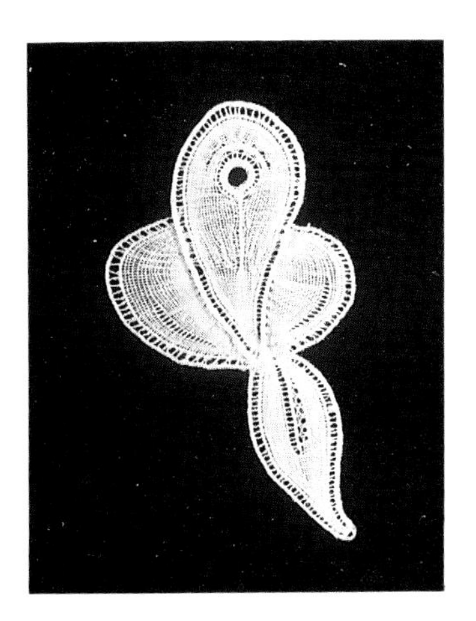

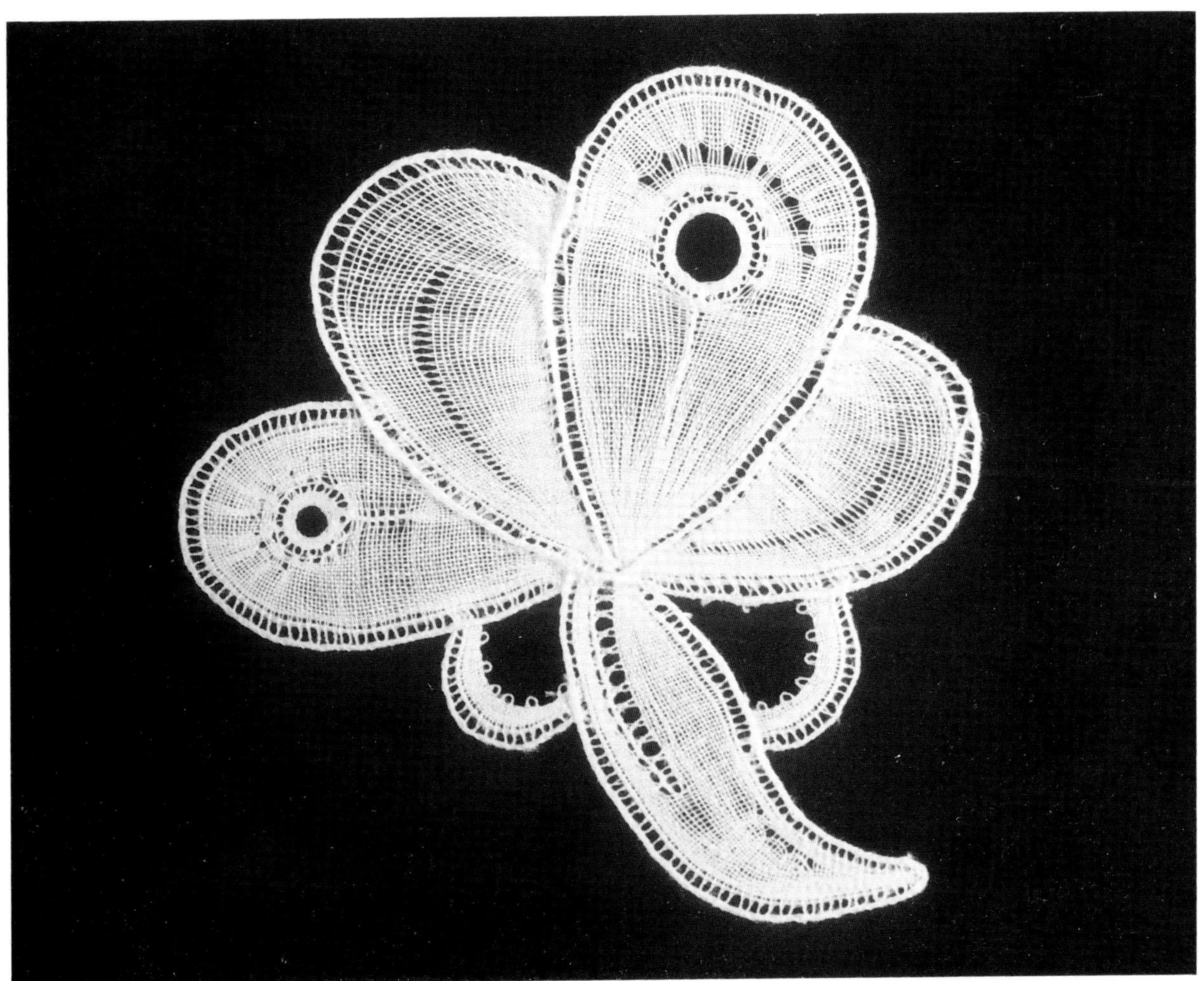

Photograph 33

30. Ballet

Tablemat
Worked by Helena Richter (SA)
Cotton 160/2

This pattern piece is 50% of the actual size. Please enlarge on the photocopier by 200% for the actual size.

Pattern 30

Photograph 35

31. Bird of Paradise

Corsage
Adapted by Sister Judith from a brooch
Cotton 160/2

Pattern 31

Photograph 36

Duchesse
32. Plumes

Collar inset
Cotton 120/2

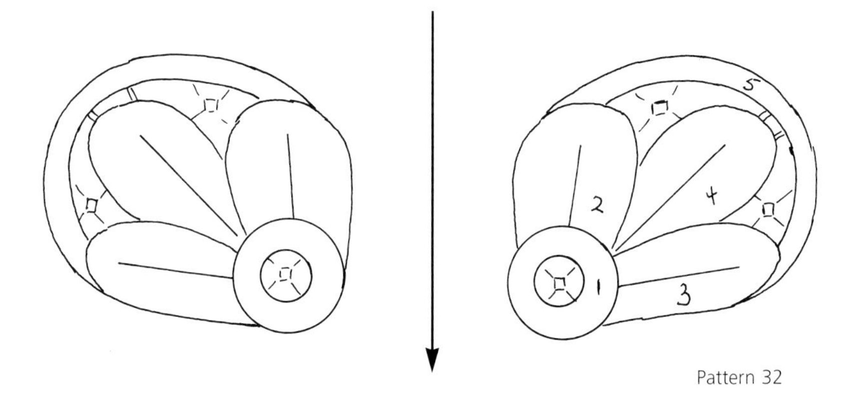

Pattern 32

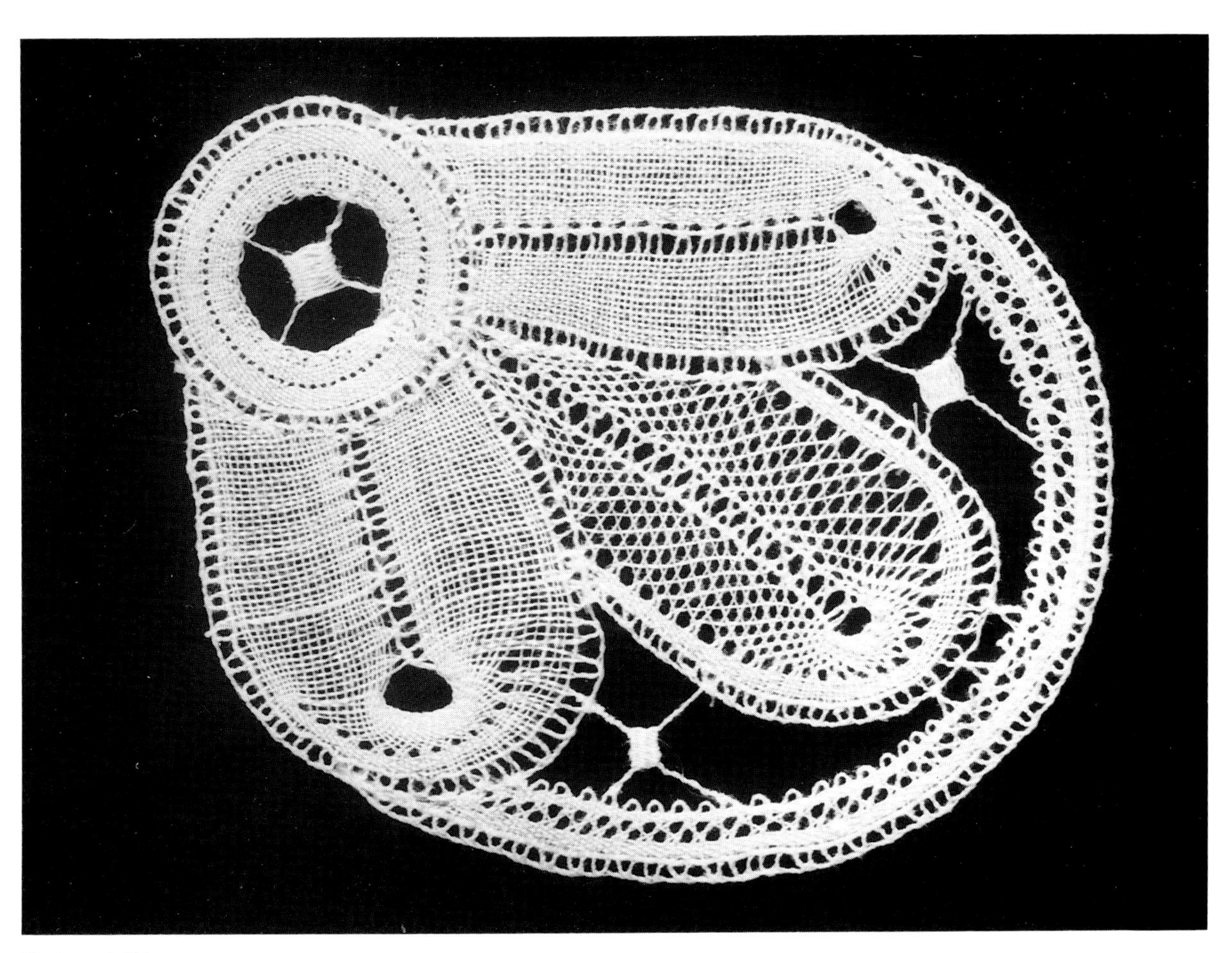

Photograph 37

33. Teardrops

Sleeve inset
Designed by Sister Judith
Cotton 160/2

Pattern 33

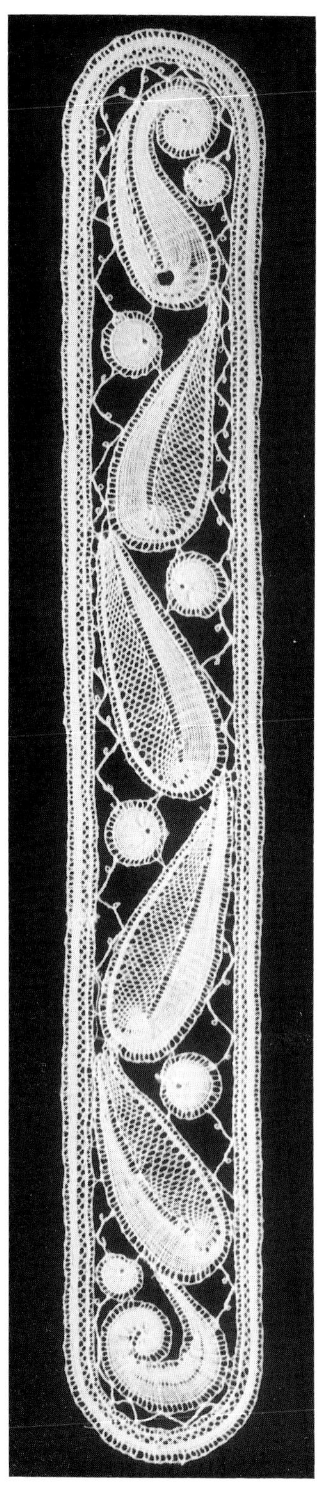

Photograph 38

34. Windmill

Handkerchief sachet
Cotton 160/2

Pattern 34

Photograph 39

35. Shamrock

Tablecloth inset
Designed by Sister Judith
Worked by Sister Judith
Linen 110/2

Pattern 35

Photograph 40

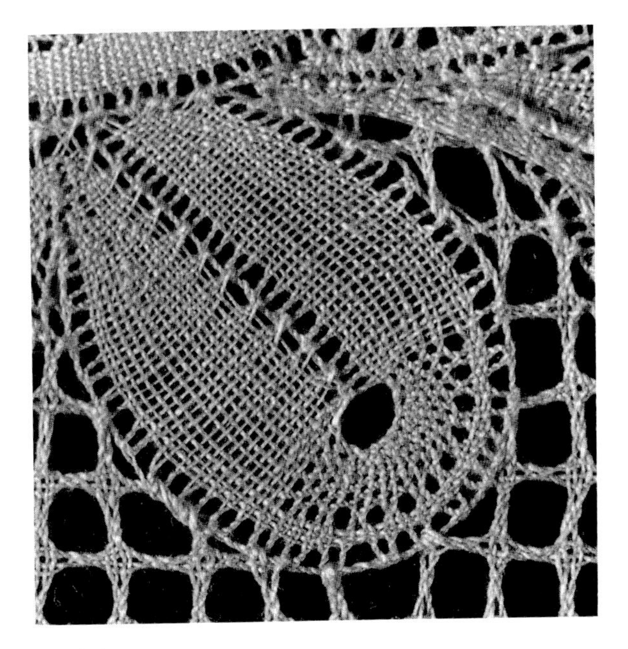

Detail of 40

36. Shamrock Triangular

Tablecloth inset
Linen 110/2

Pattern 36

Photograph 41

37. Shamrock Runner

Adaptation
May be enlarged as needed

38. Pride

Sleeve inset
Cotton 160/2

Pattern 38

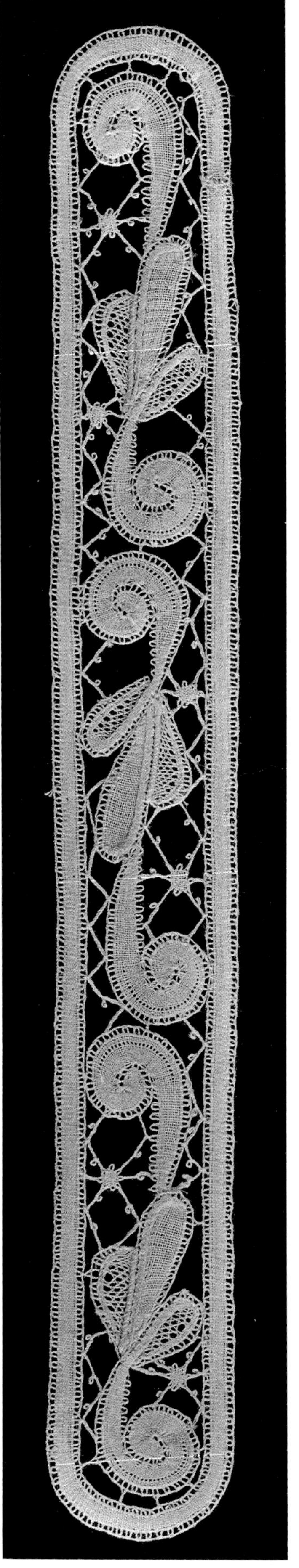

Photograph 42

39. Curtsey

Inset in the back of a jacket
Cotton 50/2
Filling worked with cotton 160/2

Pattern 39

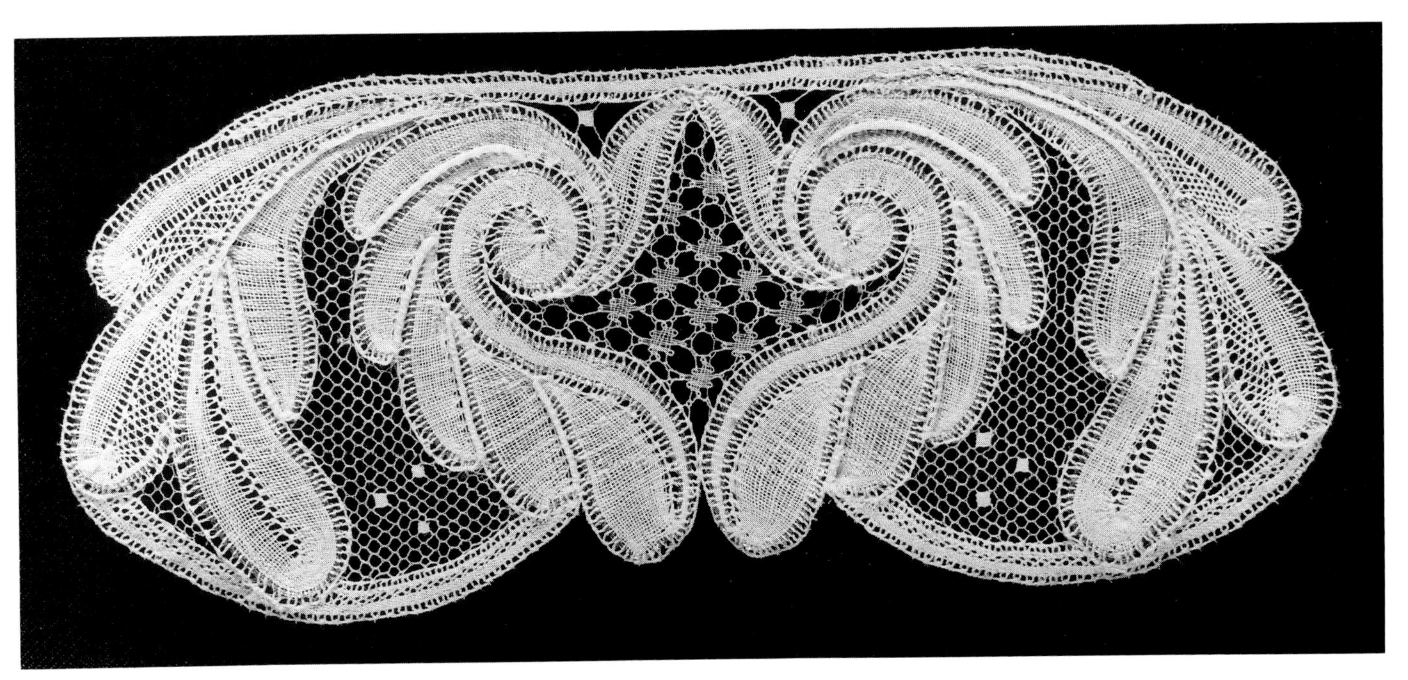

Photograph 43

40. Posy

Napkin corner
Designed by Sister Judith
Cotton 60/2

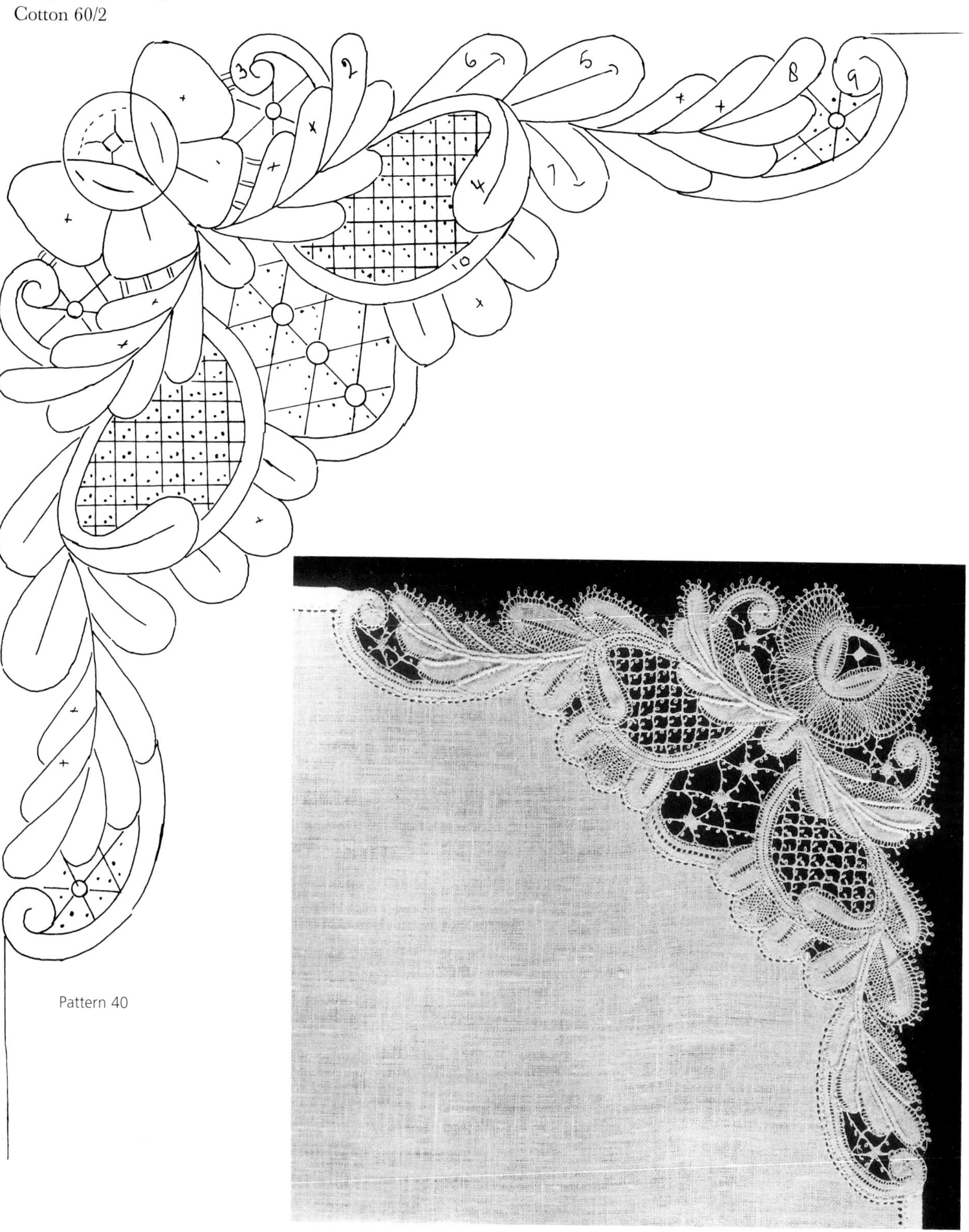

Pattern 40

Photograph 44

41. Bunch of Flowers

Tablecloth edge (an adaptation of Posy)
Adaptation
Cotton 60/2

Pattern 41

42. Solitude

Handkerchief corner
Adaptation
Cotton 60/2

Pattern 42

Photograph 45

43. Spring Garden

Tablecloth edge
Designed by Sister Judith
Cotton 60/2

Photograph 46

Details of 46

Pattern 43

44. Tudor

Evening bag
Designed by Sister Judith
Cotton 160/2

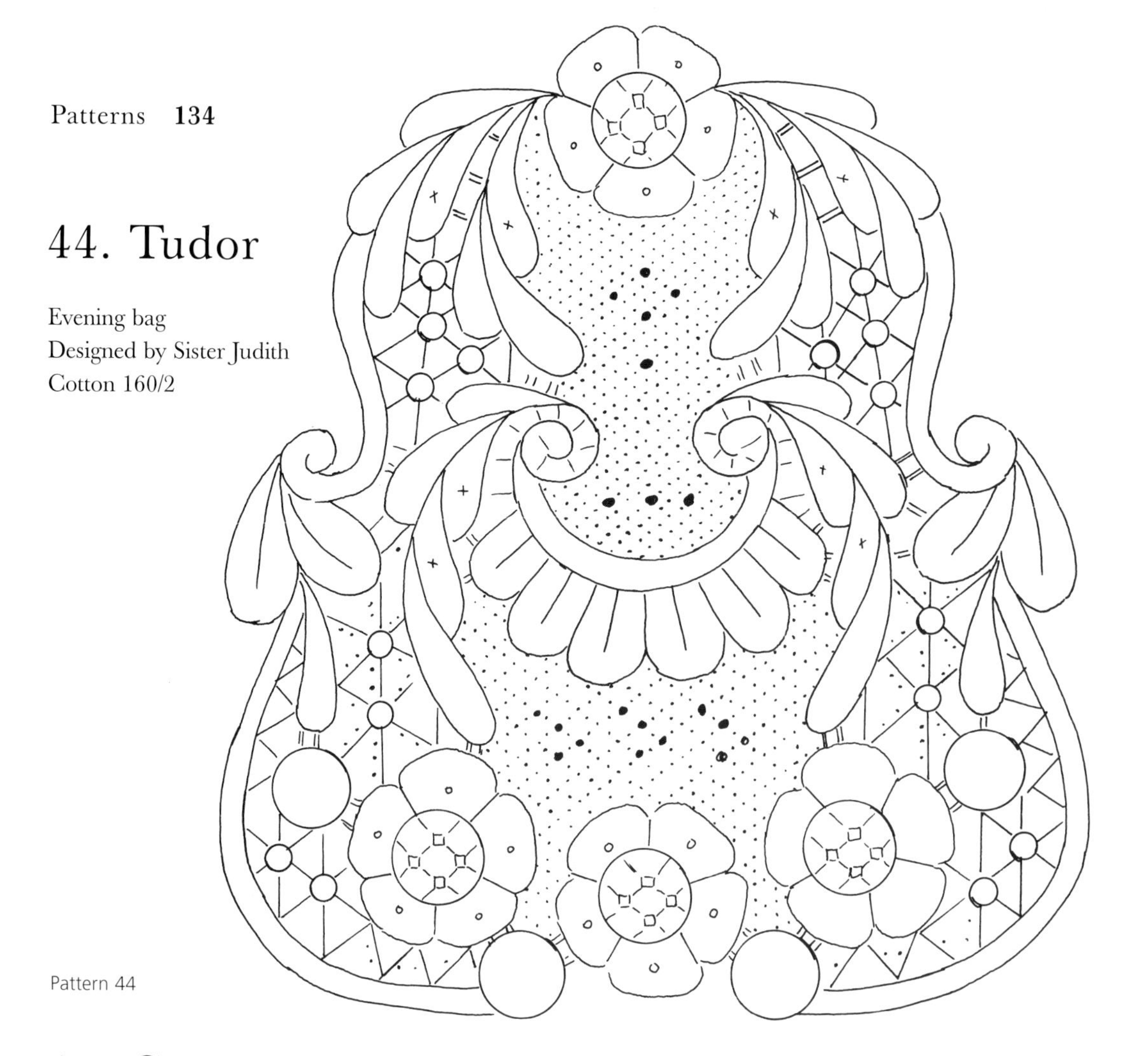

Pattern 44

45. Gondola

Blouse inset
Designed by Sister Judith
Cotton 160/2

Pattern 45

Photograph 47
(facing page above)

Photograph 48
(facing page below)

46. Embracing

Sleeve inset
Cotton 160/2

Pattern 46

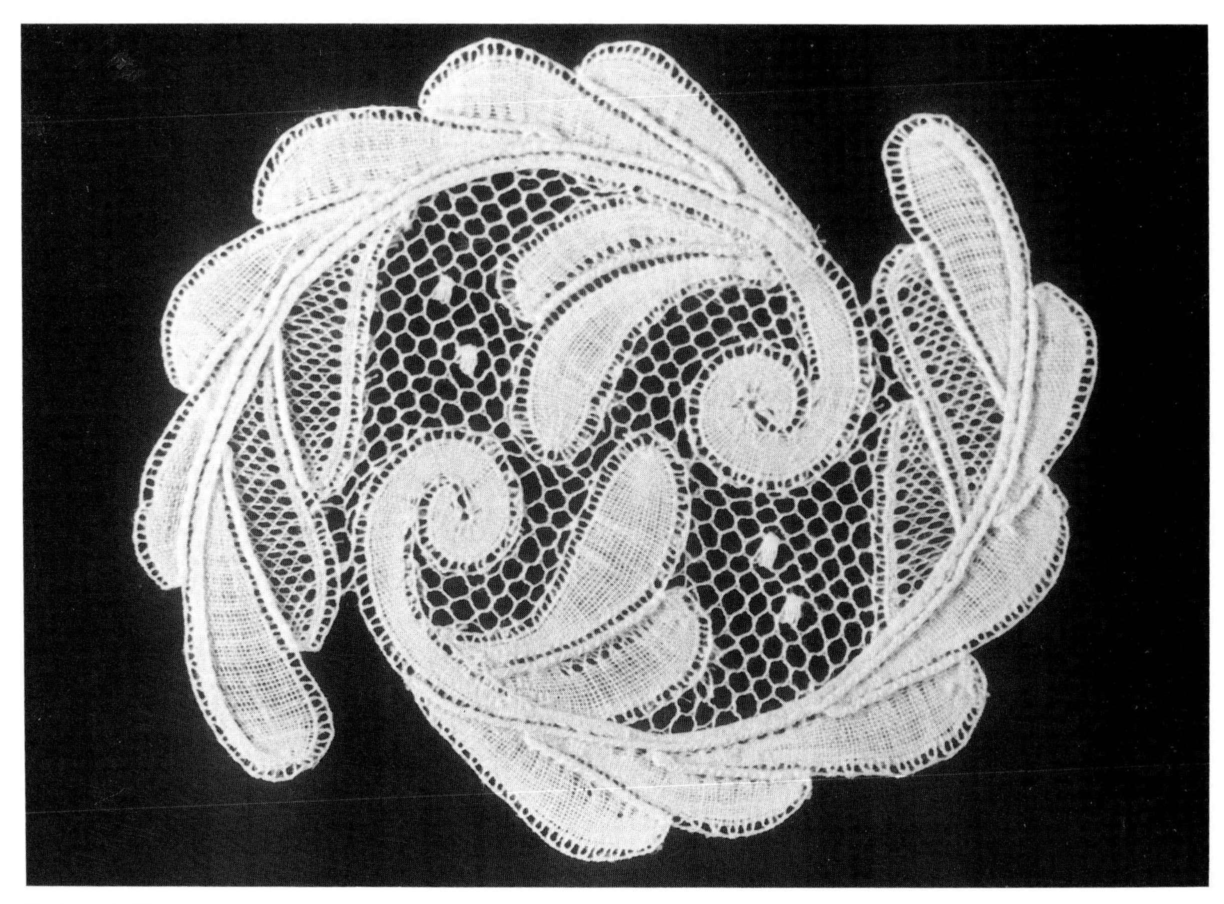

Photograph 49

47. Feathers

Sleeve inset
Cotton 160/2

Pattern 47

Photograph 50

48. Handshake

Corsage
Cotton 160/2

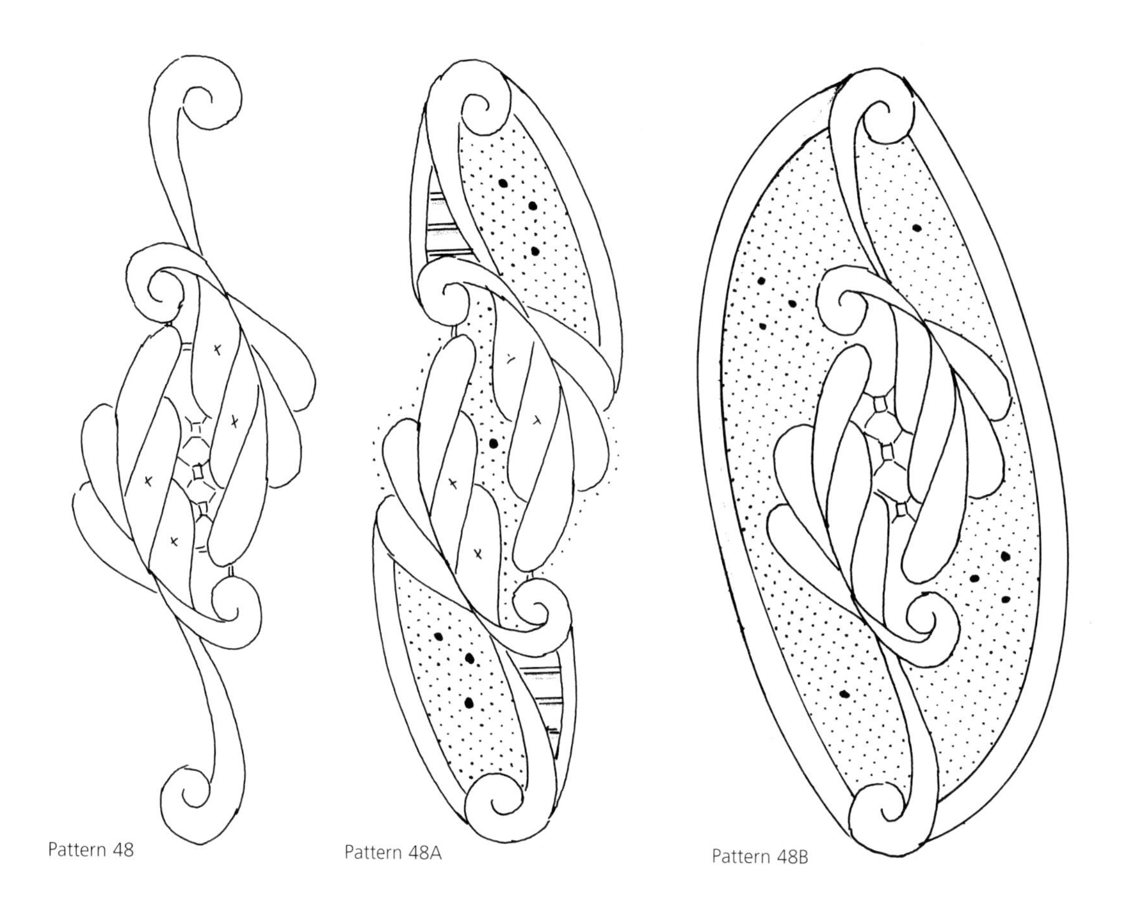

Pattern 48 Pattern 48A Pattern 48B

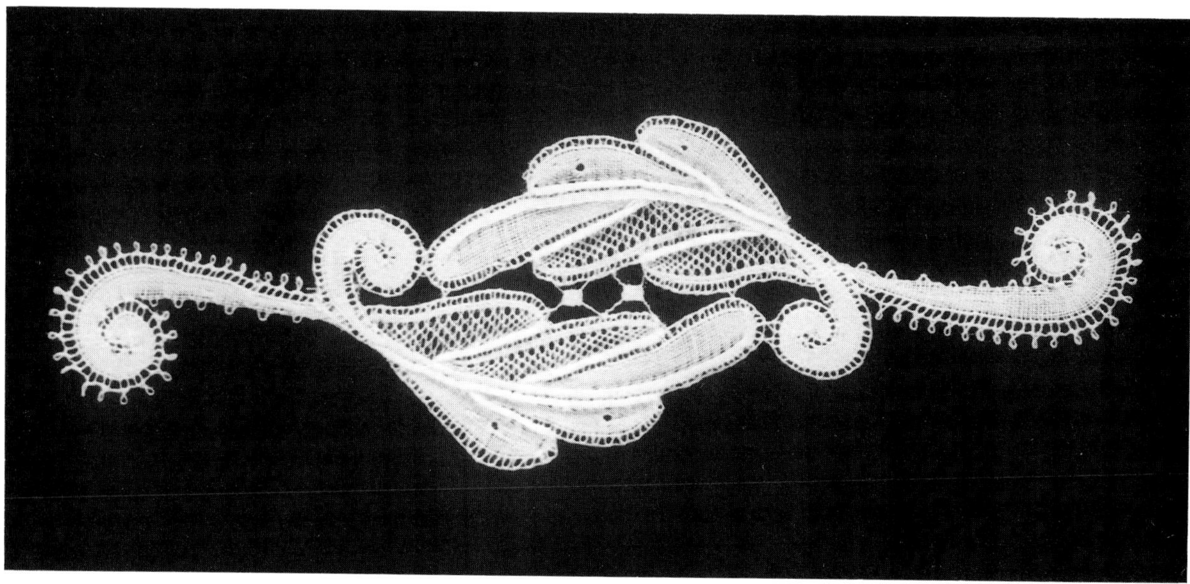

Photograph 51

49. Merry-go-round

Bow inset – Christmas decoration
Cotton 160/2

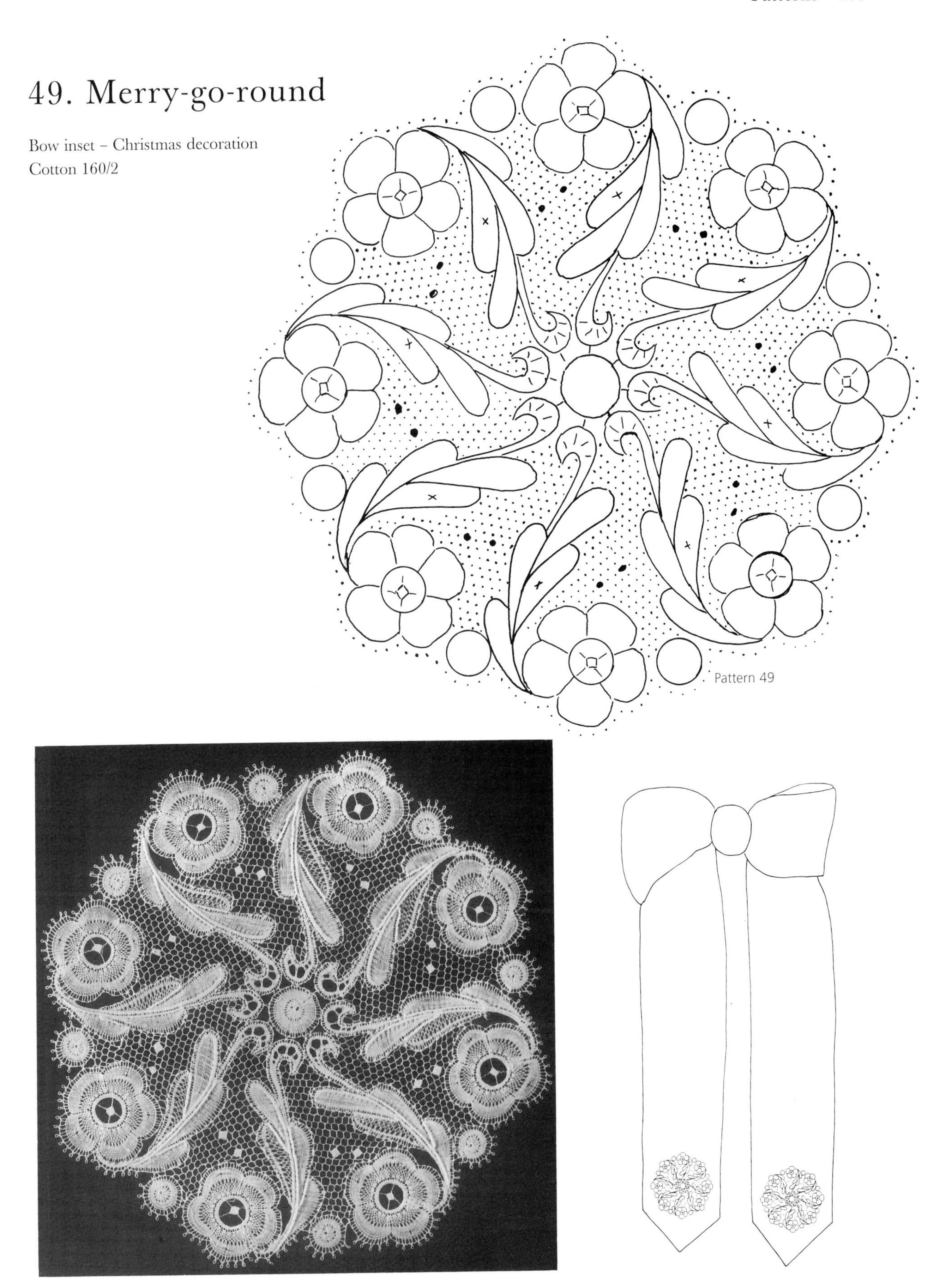

Pattern 49

Photograph 52

50. Butterfly

Inset in the back of a jacket
Adapted by Sister Judith
Gütermann polyester sewing-machine thread

Photograph 53

Pattern 50

Suppliers

Lacemaid
6, 10 & 15 Stoneybeck
Bishop Middleham
DL17 9BL

J. & J. Ford
(mail order & lace days only)
October Hill
Upper Way
Upper Longdon
Rugeley

Central Scotland Lace Supplies
3 Strude Howe
Alva
Clakmannashire
FK12 5JU

Honiton Lace Shop
44 High Street
Honiton
Devon
EX14 8PJ

T. Parker (mail order)
124 Corhampton Road
Boscombe East
Bournemouth
Dorset BH6 5NZ

Sebalace
Waterloo Mills
Howden Road
Silsden
W Yorks BD20 0NA

Doreen Gill
14 Barnfield Road
Petersfield Road
Petersfield
Hants GU31 4DQ

Elizabeth Knight
Lacemaking Supplies
18 Bridge Street
Olney
Bucks MK4 4AB

Felicity Warnes
82 Merryhills Drive
Enfield
Middlesex
EN2 7PD

Itsa Bobbins
G & R Downs
2 Ryll Close
Exmouth
Devon
EX8 1TY

Chiltern Lace Supplies
9 Taylors Turn
Downley
High Wycombe
Bucks
HP13 5TY

Spinneyhill
144 Bush Road
Cuxton
Rochester
ME2 1HB

Mainly Lace
Moulsham Mill
Parkway
Chelmsford
CM2 7PX

Makit Direct Ltd
The Old Post Office
101 High Street
Offord D'Arcy
Huntingdon
PE19 5RH

Tim Parker
124 Corhampton Road
Bournemouth
Dorset
BH6 5NZ

Josy & Geef Harrison
The Whitehouse
Brickyard Lane
Theddlethorpe
Lincs LN12 1NR

Frank Herring and Sons
27 High West Street
Dorchester DT1 1UP

Springetts
3 Church Hill
Geddington
Kettering
Northants
NN14 1AH

Tim Parker
124 Corhampton Road
Bournemouth
Dorset BH6 5NZ

SMP Lace
The Lace Workshop
1 Blays
Churchfield Road
Chalfont St Peter
SL9 9EW

USA

Ms Holly Van Sciver
Van Sciver Bobbin Lace
130 Cascadilla Park
Ithaca, New York 14850

BELGIUM

Fresia Bvba
Groothandel
Kantklosmaterialen
Philipstockstraat 4
B 8000 – Brugge

HOLLAND

Barbara Fay
Verlag & Versandbuchhandlung
Am Goosberg 2
Gammelby

Theo Brejaart
P.O. Box 5199
3008 AD Rotterdam

Gullarps Hantverksgard
Marie Och Bo Svensson
Gullarp 3045
SE-283 91 OSBY
Sverige

SPAIN

Mrs Marina Regueiro
Marina Regueira
Plaza de Oca 31
36685 Oca
Pontevedra
Spain

Index of Diagrams, Patterns and Illustrations

Section I – Techniques

Section II – Patterns